中华国学文库

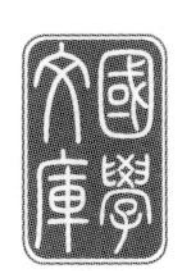

十一家注孙子

〔春秋〕孙　武　撰

〔三国〕曹　操　等注

杨丙安　校理

中华书局

图书在版编目(CIP)数据

十一家注孙子/(春秋)孙武撰;(三国)曹操等注;杨丙安校理.—北京:中华书局,2012.3(2023.9 重印)
(中华国学文库)
ISBN 978-7-101-08118-3

Ⅰ.十… Ⅱ.①孙…②曹…③杨… Ⅲ.①兵法-中国-春秋时代②孙子兵法-注释 Ⅳ.E892.25

中国版本图书馆 CIP 数据核字(2011)第 153930 号

书　　名　十一家注孙子
撰　　者　〔春秋〕孙　武
注　　者　〔三国〕曹　操等
校 理 者　杨丙安
丛 书 名　中华国学文库
责任编辑　石　玉
责任印制　管　斌
出版发行　中华书局
(北京市丰台区太平桥西里 38 号　100073)
http://www.zhbc.com.cn
E-mail:zhbc@zhbc.com.cn
印　　刷　河北新华第一印刷有限责任公司
版　　次　2012 年 3 月第 1 版
2023 年 9 月第 13 次印刷
规　　格　开本/880×1230 毫米　1/32
印张 11⅜　插页 2　字数 310 千字
印　　数　59001-65000 册
国际书号　ISBN 978-7-101-08118-3
定　　价　48.00 元

中华国学文库出版缘起

《中华国学文库》的出版缘起，要从九十年前说起。

1920年，中华书局在创办人陆费伯鸿先生的主持下，开始编纂《四部备要》。这套汇集三百三十六种典籍的大型丛书，精选经史子集的“最要之书”，校订成“通行善本”，以精雅的仿宋体铅字排印。一经推出，即以其选目实用、文字准确、品相精美、价格低廉的鲜明特点，最大限度地满足了国人研治学问、阅读典籍的需要，广受欢迎。丛书中的许多品种，至今仍为常用之书。

新中国成立之后，党和国家倡导系统整理中国传统文献典籍。六十馀年来，在新的学术理念和新的整理方法的指导下，数千种古籍得到了系统整理，并涌现出许多精校精注整理本，已成为超越前代的新善本，为学界所必备。

同时，随着中华民族以前所未有的自信快速发展，全社会对中国固有的学术文化——国学，也表现出前所未有的关注和重视。让中华文化的优秀成果得到继承和创新，并在世界范围内进行传播和弘扬，普惠全人类，已经成为中华民族的历史使命。当此之时，符合当代国民阅读需要的权威的国学经典读本的出现，实为当务之急。于是，《中华国学文库》应运而生。

《中华国学文库》是我们追慕前贤、服务当代的产物，因此，它自当具备以下三个基本特点：

一、《文库》所选均为中国学术文化的“最要之书”。举凡哲学、历史、文学、宗教、科学、艺术等各类基本典籍，只要是公认的国学经典，皆在此列。

二、《文库》所选均为代表当代最新学术水平的“最善之本”，即经过精校精注的最有品质的整理本。其中既有传统旧注本的点校整理本，如朱熹《四书章句集注》，也有获得学界定评的新校新注本，如余嘉锡《世说新语笺疏》。总之，不以新旧为别，惟以善本是求。

三、《文库》所选均以新式标点、简体横排刊印。中国古籍向以繁体竖排为标准样式。时至当代，繁体竖排的标准古籍整理方式仍通行于学术界，但绝大多数国人早已习惯于现代通行的简体横排的图书样式。《文库》作为服务当代公众的国学读本，标准简体字横排本自当是恰当的选择。

《中华国学文库》将逐年分辑出版，每辑十种，一次推出；期以十年，以毕其功。在此，我们诚挚希望得到学术界、出版界同仁的襄助和广大读者的支持。

中华书局自1912年成立，至今已近百岁。我们将《中华国学文库》当作向中华书局百年诞辰敬献的一份贺礼，更是向致力于中华民族和平崛起、实现复兴大业的全国人民敬献的一份厚礼。我们自当努力，让《中华国学文库》当得起这份重任，这份荣誉。

中华书局编辑部

2010年12月

目　录

附　录

宋本十一家注孙子及其流变(代序)

宋本十一家注孙子是孙子兵法除武经七书之外的另一重要传本系统十家注——十一家注系统的母本,自从中华书局于一九六一年影覆以来,学界曾予以极大重视,并围绕着它进行了不少整理研究工作。陈彭同志和我在一些文章中也曾谈到过它,在首届孙子兵法国际学术研讨会上,我也曾做过专题发言〔一〕,不过都谈得比较简略,有些问题还没有谈到,所以想在这里比较集中地谈一谈,以供研究参考。

一、宋本十一家注与宋志所录吉辑十家会注的关系及其刊刻时间

一说到宋本十一家注,我们马上就会提出这样的疑问:它是否就是宋史艺文志所录吉天保辑十家孙子会注?二者究竟是什么关系?

这个问题之所以成为问题,是由于吉辑未著十家姓名,而宋本又未著辑者姓名。这就自然容易使人把它们二者合而为

一。问题是，宋本注家并非十人，而是十一人，即曹操、孟氏、李筌、贾林、杜佑、杜牧、陈皞、王晳、梅尧臣、何氏和张预。既为十一家，但郑友贤在其遗说并序中却为何一再说是“十家之注”，并称其遗说为“十注遗说”呢〔二〕？这里有两种可能：一是举成数言之；二是如孙星衍、毕以珣和余嘉锡先生所说：杜佑本不注孙子，其注乃通典之文。去佑不数，正合十家〔三〕。孙星衍之所以直称其道藏原本即宋志吉辑，除上述外，可能还有一条原因，就是道藏孙子是十三卷，而吉辑也是十三卷（宋志作“十五”，或系“十三”之误，或是十三篇每篇为一卷，外有附录二卷）。如果孙氏的判断不错，那么我们就可以说：宋本即吉辑。王晋卿文禄堂访书记也直称其所见宋本即吉辑。余嘉锡先生也毫不怀疑原清内府所藏宋本“实即吉天保十家会注”。若确如孙、余所说，那么，天禄琳琅书目所说“本有十家注，友贤辑且补之为十一家”之说就是牵附之辞了。不过，这里余嘉锡先生也有一个小小的误会，就是天禄书目本来是说原有十家，“友贤辑且补之为十一家”，而余先生却认为是“并友贤为十一家”了。

二者若实为一书，为甚么卷数不侔呢？可能是同书而异刻，或者说宋本是吉辑的另一刊本。例如曹注，新、旧唐志所录即迥然有异，一为三卷，一为十三卷，而且书名也不尽同。所以原刻为十三卷，而重刻时却将十三卷（篇）又分为上、中、下三卷，这是完全可能的。再者，郑氏遗说中说得明白，“十家之说出”，他感到“武之意不得谓尽于十家之注”，于是乃撰十注遗说。这自然是说十注之出在先，而其遗说之作在后。这是否可以理解为：此附有郑氏遗说的宋本十一家注，并非十注原刻而是其重刻呢？或者说是它的另一刊本呢？这似乎也是可以的。

那么,此书是否为郑氏所刻呢?我过去也曾怀疑过这一点。但仔细考虑,这种可能性不大。因为若为郑氏所刻,则不致出现遗说称“十注”而书名又称“十一家注”的情况。故可以认为是:刻者据十注重刻时收入了郑氏遗说,并以注家实为十一家而题为书名。不过这种理解毕竟还带有某些揣测性质,所以作为一种说法是可以的,但却不能认为它就是无可置疑的科学结论,因为除足以说明二者关系的资料尚欠充分,致使我们对有些事情很难说清之外,还有一个“第三者”给我们添了麻烦,这就是日本昌平坂学问所也存有一部名叫十家注孙子的书〔四〕。此书未著辑者姓名,但却著有十家姓名,即曹操、王凌、张子尚、贾诩、李筌、杜牧、陈皞、孙镐、梅尧臣和王皙。显然,由于这十家与宋本所著“十家”出入很大,故可肯定二者不是一书。但它是否就是吉辑呢?这就不好说了,因为在历史上,佚之于此而得之于彼者的事例是不少的。我们只能根据某些迹象作如下推测:昌平坂本十家注中的王凌、张子尚、贾诩与孙镐四家,唯贾本见于日本国现存书目,其他三家在日本则未见有著录,故可推断该本非日人所辑。而在中国,除吉辑与现存十一家注外,也不见有另一十家注被著录。故谓该本即流传日本的吉辑,亦并非无稽之谈。不过,关于该本的情况,由于我们知道得很少,所以不能作较多的论述。我们只能说无论它是否吉辑,它与宋本都不是一书。

关于宋本与吉辑及其与昌平坂十家注的关系,我们只能说这么多。下面再谈它的刊刻时间。

关于该书的刊刻时间,中华书局影印本后记说:“从书中避讳至‘廓’字推断,当为南宋宁宗时所刻。”李零同志也是这种看法[五]。我在前述文章中也曾这么认为。一九七八年上海古籍出版社重印本出版说明则说“刻于南宋年间”，这种说法虽然不错，但终嫌笼统。至于说刻于南宋什么时候，是否宁宗时代，这里似乎还有些问题值得推敲。

（一）这种看法赖以建立的基础主要是“书中避讳至‘廓’字”，因宁宗名扩，而“扩”与“廓”音同义近，均读阔镬切，故依宋讳例，避“扩”则必兼“廓”而避之。陈垣先生史讳举例据绍定礼部韵略亦谓“廓”在避讳之列，也就是说避“扩”必避“廓”，而避“廓”即避“扩”。反言之，若不避“廓”，亦即不避“扩”。而查该书军争篇却有“廓地分利”，作“廓”。杜牧、贾林、王晳、梅尧臣与张预等家注文亦皆著“廓”字，武经孙子亦作“廓”，是原文本作“廓”，而该本仍作“廓”。由此可知，作“廓”并非由于避“扩”，而是沿袭旧文。既不避“廓”，即不避“扩”。既不避“扩”，则可推断其刊刻时间必非宁宗之世，而应在宁宗之前。

（二）再就其著录情况观之。该书最早见录于尤袤遂初堂书目。尤氏乃孝宗淳熙名臣，且大体与之同庚，死于光宗绍熙末年（公元一一九四年），亦即死于宁宗即位（公元一一九五年）之前。尤书目成书时间虽不可确知，但“遂初”之名乃光宗所赐，故其书成于宁宗之前，迨无疑问。该书既见录于尤书目，则必刊于尤书目成书之前，亦即宁宗即位之前，而非宁宗时代。

据上可知，宋本刊于宁宗时代的推断似乎是难以成立的。至于在宁宗以前的甚么时候，这也可由其讳字得知。查九地篇“兵之情主速，乘人之不及”句，何注“二贼交構”之“構”字作“槆”。作战篇“十万之师举”，曹注“購赏犹在外”之“購”字也作“賗”，均避高宗讳。故该书必刻于高宗之世或之后，而不会在他之前。那么后到何时呢？我们知道，高宗之后至宁宗之前，这中间只有孝宗和光宗。孝宗名眘，“眘”即古“慎”字。查计篇“天者”句杜牧注有“梓慎”，火攻篇又有“明君慎之”，此“慎”字该书皆缺笔作“慎”，注中“慎”字亦皆如此，显系讳字。这说明它不避宁宗讳，而避高宗讳和孝宗讳，亦即避讳至“慎”字，而非“廓”字，所以该书的刊刻时间当是孝宗时代，而非宁宗时代。

至于刊于孝宗甚么时候，王晋卿文禄堂访书记称其刊于乾道年间。此论断虽未著所据，但书中所著刻工勉若即南宋初杭州著名刻工孙勉的话，那么，这个论断也是具有可信性的。严灵峰周秦汉魏诸子知见书目又录有一部宋绍兴间礼部刊十一家注孙子，并称此即吉天保辑十家孙子会注，惜未见。如此，则该书或初刻于高宗绍兴，此刻于孝宗乾道欤？

二、三种宋本的传世及其版本流变

该书自见录于尤书目之后，直到清初，均不见官私书目著录。清初以后，虽有私家书目著录，但也只在极少数藏书家那里流传，广大社会仍默默无闻。直到一九六一年中华书局予以影覆之后，其真实面目才大白于天下。那么，它传世的情况又是怎样的呢？

今传世宋本所见仅三，兹分述如下：

（一）上海图书馆藏本。此书四库虽不见录，但虞山钱遵王藏书目录汇编、季沧苇藏书目、延令宋版目录、传是楼宋元书目与天禄琳琅书目均有著录，是该书原为清初钱曾旧藏，后归泰兴季振宜,又归昆山徐乾学,再归清内府。书中亦钤有“袁埈”、“沧苇”、“昆山徐氏家藏”与“天禄继鉴”等印记。述古堂宋版书目又有同名之书一部,唯作二卷。传是楼书目亦另有一宋本,因无其他材料可资证明,故难辨其异同。该书于抗战时期曾随溥仪流落长春,抗战胜利后,北京隆福寺育民书店雒云培先生去东北购得此书,售与上海图书馆,一九五七年该馆善本书目所录即此书。一九六一年,中华书局据以影覆。一九七八年,上海古籍出版社又予以重印,并排印。台湾华联出版社一九七七年亦予以翻印。

(二)北京图书馆藏周叔弢先生赠足本,文禄堂访书记曾予著录。其中有明版补页,书尾有承德堂牌记,并有“高山流水”、“戎马书生”与岳飞伪印。中华据上图本影覆时,曾据以摄补。

(三)北图除上述周赠足本外,另藏有一残本,仅存卷下地形以下四篇,钤有“项子京家珍藏”、“稽瑞楼”与“常熟翁同龢藏本”等印记,是该本曾经项子京、陈子准与翁同龢收藏,并由翁捐赠,稽瑞楼书目曾著录该本。

宋本传世情况略如上述,下面再谈一谈它的版本流变情况。

要说宋本的流变,得先说道藏,因为它是十家注——十一家注系统承上启下的重要传本。

该书未见元刻,至明,则有道藏本。我们知道,道教自唐、宋以来分为两派,因此作为道教经典的道藏,据顾修汇刻书目的说法,也有南北两本。而无论南北,均源于宋徽宗的政和道藏,即所谓万寿藏。元世祖因信奉佛教,曾于至元十八年(公元一二八一年)下令焚毁道教经典,故道藏因遭火劫而残缺不全。

明初，由金陵道院重辑，并于正统间印就，分颁天下道观。孙子在“太清部”，题曰“孙子注解”，十三卷，每卷一册，前八卷在“性”字号，后五卷及郑氏遗说在“静”字号，经折装，十行十六字。民国初年，徐世昌据北京白云观赐本影摹，并缩为石印六开小本，把梵页两页合为一页，也就是把经折装改成了通行的线装，由上海涵芬楼重印。我们通常见的道藏就是这个本子。孙星衍据以校正孙子的道藏是华阴道藏，属于北藏。顾修说它是“宋人旧藏”，但实际上是经后人重修的，而且它的颁赐时间比南藏还晚，是在万历中。此道藏已不可见，但从孙氏校语可以看出，它与正统道藏并非同书，二者大同而小异。例如九地篇“争地则无攻”句注文，正统道藏残缺五六处，而孙氏所据华阴道藏则与之有别，如与宋本对照，正统道藏一处为“梅尧臣曰：形胜之地，先据乎利；敌若已得其处，则不可攻”，而华阴道藏则为“王皙曰：敌居形胜之地，先据乎利，而我不得其处，则不可攻”。另一处是“张预曰：不当攻而争之，当后发先至也”，而华阴道藏则为“我欲往而争之，而敌已先至也”。其他又如：书名不同，一曰“孙子注解”，一曰“孙子集注”；计篇“令民与上同意”句孙校云“‘令民’二字原本脱”，但正统道藏却不脱；该篇“法者”句曹注“主军费用”句孙校云“原本作‘主君’，误”，但正统道藏却仍作“主军”，不误；九地篇“上下不相扶”句孙校云“原本作‘救’”，但正统道藏却作“收”，等等。这不可能都是刊刻上的问题。由此可见，华阴道藏虽非政和道藏旧帙，但亦与正统道藏有别。从其上述文字与嘉靖谈本（见下）全同且书名亦同来看，这两种刊本关系倒更密切，或者是补修时参据过该本，亦未可知。

南北道藏之间尚存有歧异，它们与宋本之间就更不用说了。书名不同，是其一；篇卷有异，是其二；其三，宋本后无曹序，而正统道藏却有。不过，这些差异都还不是重要的。重要的是，十三篇正文乃至孙校序所说“书中或称曹公为曹操，或以孟氏置唐人之后，或不知何延锡之名，称为何氏，或多出杜佑，而置其孙杜牧之后”等错乱现象皆一如宋本，上述正统道藏文字也与宋本全同，而这也是其所从出之确证。再者，毕氏叙录说：“孙子道藏（按：指华阴道藏）原本题曰集注，大兴朱氏本题曰注解。”是朱氏本乃自正统道藏出，惜已不可见，而集注本则流传了下来，其刊本主要有二：

（一）世宗嘉靖乙卯（三十四年，公元一五五五年）锡山谈恺刊本。谈恺，嘉靖进士，字守敬，锡山（今江苏省无锡市）人，累官至副都御史，以功拜兵部侍郎。该书之刊，乃在其督军虔台之时。丁丙善本书室藏书志直称其书“即宋志所称十家注也”，并说：“皕宋楼藏书志有明刊十卷本，序失名氏，刻于万历乙丑。此书为十三卷，序则嘉靖乙卯锡山谈恺督军虔台，进武弁及生儒问之，无有知是书者，故授之梓，则刻于万历之前矣。”该书上述错乱现象与道藏无异，且于行军篇“必依水草而背众树”与“此处斥泽之军也”之间复插入三十多句，而此三十多句之次序亦颠倒，错乱不堪，书后亦无郑氏遗说。该本原系丁氏家藏，后归前江苏省立国学图书馆，一九三六年商务印书馆又影印入四部丛刊，使其得以广泛流传。北大图书馆藏有明本残卷。

（二）神宗万历乙丑（十七年，公元一五八九年）黄邦彦刻本。卷首有程涓序，卷末有黄氏后序。杨守敬日本访书志云：“阳湖孙氏校刊本称道藏原本题曰集注，大兴朱氏刻本题曰注解,今此题集注,则知亦源于道藏。"又云:"明人重刻有朱氏所藏注解本,又有此本,而四库皆不著录,则流传之少可知也。"该本于文字虽有个别校订,为校孙子所不废,但于行军篇之错乱则一无是正,而道藏则无,且题名亦同,故当自谈本出,唯改注文为双行小字夹注,体制较胜耳。北图及北大均藏有此书。

该书在明代的情况,除上述外,尚有二事值得一提:一是清莫友芝郘亭知见传本书目录有一部明穆宗隆庆六年(公元一五七二年)李韡斋十一家注孙子刊本,书名与尤书目所录相同,当是据宋本影覆。现存上海图书馆。北京图书馆藏周叔弢先生赠本上有明版补页,此补页或即取自李本,因该书明本未见有二。二是明曹允儒的孙子握机纬,十三卷,乃十一家注的选本。四库提要录之,并称曹字鲁川,江苏太仓人,与戚继光相友善。如此,则此书之作,当在隆庆、万历间,至迟也不过熹宗天启年间。

该书到清代,首先引起重视的是郑达。据安徽通志馆艺文考稿称,郑达乃顺、康间合肥人,字士行。他在其孙子附解序中说:"尝闻孙子有十家注,在河洛之交……久而得之淮阴道藏中,因录持归。又数年,有附解之作。"可知此书也源于道藏。唯其书不传,影响也不大。而成就最大、流传最广、影响也最大的,要数孙星衍孙子十家注了。孙星衍,是乾、嘉间的著名经学大师,他在其兵法序中说:"曩,予游关中,读华阴岳庙道藏,见有此书。……又从大兴朱氏处见明人刻本。……传本或多错谬,当用古文是正其文。适吴念湖太守、毕恬溪孝廉皆为此学,所得或过于予,遂刊一编,以课武士。"他以华阴道藏孙子为底本,主要依据通典、御览,对十一家注在编排时代上的错乱现象作了订正，对十三篇经文也作了许多校改，并据宋志直题孙子十家注。由于他的努力，这一传本系统，经过数百年的沉寂，终于取代了武经而跃居主导地位。此后，直到宋本十一家注影覆问世，整理研究孙子者，大都以他的校本为依据。孙校本刊本很多，共约二十馀种，由于大都能见到，所以这里就不一一罗列了。值得指出的是，有些刊本虽很通行，但文字却有些问题。嘉庆二年观察署本虽刊刻较早，但校对似欠精善，除留有墨台多处外，还有大段漏刻注文的现象。军争篇“此治气者也”句，竟漏刻李筌、杜牧、陈皞、杜佑、梅尧臣和何氏等家全部注文与张预的部分注文共四百七十馀字。光绪三年浙江书局刊刻二十二子，用的就是这个刻本。而浙江书局本却说是“据孙氏平津馆本重校刻”，显然是错误的。因为不仅这两种刻本漏误相同，而且平津馆丛书内只收录有曹注本，十家注本是收录在岱南阁丛书内。岱南阁丛书所收观察署本是据嘉庆三年（公元一七九八年）本重刻，该本虽也存有若干墨台，但却没有上述情况。以后凡据该书重刻重印的，如丛书集成初编，自然也就无上述现象。但据浙江书局本重刻重印的，如四部备要与诸子集成等，则都有缺漏。而备要本讹误尤多。这一方面说明，孙校本的流传也有着不同的渠道；另一方面也说明，该书传本也并不都是善本。相比而言，岱南阁及其传本较善，其中光绪十年（公元一八八四年）杨霖萱校本刊印尤精。

关于宋本在明、清两代的流变情况略如上述，这里再提一提以它为代表的十家注——十一家注系统各本在国外的流传情况。据有关资料记载，在日本，有宽永六年（公元一六二九年）官刊本，宽文九年（公元一六六九年）村上勘兵卫本，天保十三年(公元一八四二年)官刊本,嘉永六年(公元一八五三年)活字重印本,大正元年(公元一九一二年)富山房汉文大系排印本与昌平丛书本等。在朝鲜,有明永乐七年(公元一四〇九年)活字本与万历五年(公元一五七七年)枫山官库本〔六〕。

三、曹注单本与其他各单注本的命运

由于该书是辑注本,既集中了众家之长,又为学者提供了方便,所以它一问世,各单注本就好像完成了任务而退居幕后,而且大都先后销声匿迹,唯有曹注本尚留传至今。

如所周知,曹操不但"料敌制胜,变化如神",而且又"博览群书,特好兵法"。他于戎马倥偬之际为孙子作注,使孙子兵法进入了注释的新时代。他的注虽不能说尽美尽善,但却简要质切,多得孙子本旨,而且又据其御军三十年之经验,对十三篇原意多有发挥〔七〕,故为后世所推重。而这也正是其注能得以长期流传的原因所在。其注,阮孝绪七录录之〔八〕,唯作二卷,旧唐志作十三卷,新唐志又复三卷之旧,并题曰"魏武帝注孙子",宋志同。而晁氏读书志则作一卷。与他家合刻而以辑注形式出现者共有五种,即曹、王(凌)集解,曹、萧(吉)注,曹、杜(牧)注,曹、杜、陈(皞)、贾(林)、孟氏五家注与吉辑十家会注〔九〕。显然,十家注或十一家注就是在曹注、曹杜注与五家注的基础上发展起来的。另外武经所收孙子亦为曹注,而且只有孙子有注。续资治通鉴长编云:"元丰六年,国子司业朱服承诏校定武经,孙子止用魏武帝注,馀不用注。"〔一〇〕此带注的武经孙子当即宋以后曹注单本的重要版本来源。不过,孙诒让说它是"唐以后删定之本，注文简略不全”〔一一〕。孙星衍平津馆丛书孙吴司马法所收宋本曹注当即从武经中抽出而与吴子、司马法合刻者。此本乃顾之逵小读书堆旧藏，并由其弟顾广圻影摹刊行。关于这一点，孙序说得明白：“孙子三卷，魏武帝注……宋雕板，嘉庆五年属顾茂才广圻影写刻板于世。”顾氏藏本现已不知去向。据黄丕烈荛圃藏书题识续录称，他曾见过此书，并说书中避讳至“慎”字。如此，则系孝宗时所刊，与十一家注大体同时。

曹注明本，北图除藏有武经二十五卷本与孙子、吴子五卷合刻本外，还有清徐乃昌校明刊丛书零种本。台湾“中央图书馆”藏有一部嘉靖四十年（公元一五六一年）陈旸校刊本，惜未见。另，严灵峰知见书目又录有万历二十年（公元一五九二年）何允中广汉魏丛书本。至清，所见亦有十馀种，主要如：四库孙吴司马法抄本，孙星衍嘉庆五年（公元一八〇〇年）平津馆丛书本，张皋文校博物志本，张惠言校汉魏丛书本，王念孙校（王懿荣跋）抄本，庄肇麟过客轩刊印本，同治半亩园兵法汇编本，同治十年（公元一八七一年）淮南书局重刊孙氏平津本，光绪甲申（十年，公元一八八四年）朱记荣重刊平津本，光绪戊戌（二十四年，公元一八九八年）成都志古堂本，光绪间成都运筹山房写刻左枢笺注本，一九三七年商务印书馆丛书集成初编排印本等〔一二〕。曹注本在日本，有天正八年（公元一五三〇年）抄容安书院藏本，庆长五年（公元一六〇〇年）活字本，宝历甲申（公元一七六四年）冈白驹校刊本，天保四年（公元一八三三年）官刊平津本，明治十六年（公元一八八三年）据宋刊铜板本，以及昭和四年（公元一九二九年）东京文求堂影印平津本等〔一三〕。

关于曹注本的情况，略如上述。以下再分别谈一谈其他各家注本的情况：

孟注。孟氏名字及籍贯、身世均不详，隋志和孙校十家注序都说他是南朝梁人。晁氏读书志说他是唐人，是不对的。其注，隋志作“梁有孙子兵法二卷，孟氏解诂”，新、旧唐志则题为“孟氏解孙子”和“孙子兵法孟氏注”，均作二卷。宋以后，除通志略外，官私书目均不见著录。孟注虽早，但甚简略，影响不大，故早亡佚。

李注。李筌约为唐开元、天宝间人，曾隐居嵩岳少室，潜研道教，著有阴符经疏与太白阴经，后由“少室布衣”而升任荆南节度判官，最后官至刺史〔一四〕。晁氏读书志说他“以魏武所见多误，约历代史，以遁甲注成三卷”。其注，旧唐志失载，新唐志作二卷，宋志作一卷，通志略同，而读书志则作三卷。明焦竑国史经籍志亦见录之，但明、清史志及清人私藏书目则均不见录，是至清亡佚。

贾注。宋志所录五家注有贾隐林，或即贾林，如此则贾氏乃唐德宗时人，昭义军节度使李抱真之门客，曾为李说王武俊而破朱泚。封武威郡王，拜神策统军。其注，新唐志、宋志与通志略皆录之，并皆作一卷，亦颇简略。

杜注。杜牧是曹操之后成就最大、影响也最大的注家。如所周知，牧乃佑之孙，长于诗文，为晚唐名家之一。不过，他也“慨然最喜论兵”，且敢论朝廷大事，刚直有奇节，主张削藩固边。其注孙子之举，或即期有所用也。其注疏阔宏博，且多引战史以为参证，对孙子本旨多有发明。然牧乃一文士，才情有馀，而学力未足，且乏实战经验，故其失亦往往有之，并多为陈皞所攻。其注除被收入曹杜注、五家注与十一家注外，亦有单本流传。新唐志录之,尤书目亦录之,宋志作三卷,晁读书志同。但陈振孙直斋书录解题却作二卷,疑误。杨士奇明史经籍志与钱遵王藏书目录亦均录之。北大图书馆藏有抄本一卷,卷首有"明钱塘章斐然阅"字样,且题"唐杜牧注",但其注文却多同曹公,并除十三篇外,又有"齐勇"和"详敌"等篇目,而其内容却由九地摘出,如此文字篡乱,漫无体例,决非杜注正本。

陈注。陈皞盖晚唐人,馀未详。晁读书志云:"陈皞以曹公注隐微、杜牧注疏阔,更为之注。"欧阳修孙子后序云:"世所传孙子十三篇,多用曹公、杜牧、陈皞注,号三家。……皞最后,其说时时攻牧之短。"〔一五〕对牧注之短,陈注确有补正,但就总体而言,其成就贡献则较杜注不逮远甚。其注,新唐志、宋志与通志略录之,均作一卷,而晁读书志则作三卷,焦竑国史经籍志同。清未见录,是已佚。除十一家注外,日昌平坂十家注亦予收之。

王注。晁读书志云:"王皙以古本校正阙误,又为之注。"并说:"仁宗时,天下久承平,人不习兵。元昊既叛,边将数败,朝廷颇访知兵者,士大夫人〔人〕言兵矣。故本朝注解孙武书者,大抵皆当时人也。"这也就是说,王皙是仁宗时代的人,但却未详其身世。又,宋龚鼎臣东原录记有一个名叫王哲的人,并说他是真宗天禧间人,与晏殊同时,官至翰林学士,著有春秋通义和皇纲论。学者或疑王皙即王哲者,严灵峰知见书目就将此二人合而为一,并直称王皙乃天禧间人。不过看来二王似非一人。若是一人,则宋志决不会只著录其春秋通义和皇纲论〔一六〕,而不及其孙子注,故当依晁说。如依晁说,则王皙与梅尧臣同时或稍前。梅尧臣主要活动在庆历时代,那么,王皙就可能也是庆历时代或稍早的天圣时代。其注,除见收于十一家注与昌平坂十家注之外,未见宋志著录,而晁读书志、通志略与焦国史经籍志则录之。至清则未见,是已佚矣。

梅注。梅尧臣,宋史有传,与欧公同时,并为诗友。其注虽不若曹注之深微与杜注之详实,然亦简切严整,堪称佳作,故为欧公所推许。但朱熹却不以为然,说:"欧公大段推许梅圣俞所注孙子,看得来,如何得似杜牧注的好。"〔一七〕应当说,两家各有千秋。其注,宋志失载,晁读书志录之,作三卷,而通志略则作一卷。明、清史志皆未见录,但清徐松四库阙书目却有梅尧臣注孙子一卷,绛云楼书目亦录之,是此书至清初曾为钱谦益收藏,后即未见。其注除见收于十一家注外,日昌平坂十家注亦予收之。

何注。宋志未录,晁读书志录之,作三卷。且云:"未详其名,近代人也。"而通志略则直称何延锡,唯作一卷。或以何氏乃五代时人,然查行军篇"黄帝之所以胜四帝"何注有云"梅氏之说得之",是其当为宋人,且晚于梅氏,故孙校本将其置于王皙之后与张预之前。其注过简,无可说处,唯其于九地篇大段录有孙子佚文,与通典所引间有异同,亦为整理研究孙子者所不废。其注,明清以后均未见录,是早亡佚。

张注。张预乃十一家中的最后一家,南宋东光人,字公立,著有百将传。其注征引战史而不繁芜,辨微索隐而不诡谲,明易通达,成就不在梅注之下。但宋志失载,晁读书志亦未见录,唯通志略录之,后亦未见。

这就是曹注及其他各注单本流传的大概情况。

四、文字得失与校勘价值

由于该书刊刻时间较早，刻工亦颇精善，而且又是辑注本，十三篇正文都是经过辑者参酌有关各本而校定的，再加上它还保存了许多异文和校语，为整理研究工作提供了不少方便和参考意见，具有较高的版本价值和校勘价值。所以自它影印问世以后，就不但取代了武经，而且也取代了孙校十家注而成为研究孙子的重要底本，这是很自然的。它确实有许多地方为他本所不及，关于这方面的情况，中华书局编辑部在其影印后记中也谈到了一些，但它只是将明本和孙校本与之比较，而且没有指出其在文字上存在的问题。鉴于十三篇文字的差异主要存在于十家注与武经这两大传本系统之间，而不是存在于十家注系统内部各本之间，所以我认为，如果我们把它同武经进行比较，也可能会更好帮助我们去全面地了解它在文字上的得失和价值。

如果我们参照汉简，把它同武经作一比较，就会发现，它在许多地方与汉简相同或相近，而较武经本为优。除篇卷体例之外，再就文字观之，如军争篇“军争为利，军争为危”，汉简同，而武经则作“军争为利，众争为危”，似危乃由众争所致，而军争则是有利的，如此则有失孙子之旨矣。于鬯云：“同一军争，而有利有危，‘军争’字不当有异。”〔一八〕故作“众争”于义无取。再如形篇“胜者之战民也”，汉简作“称胜者战民也”，而武经则作“胜者之战”；势篇“以卒待之”，汉简同，而武经则作“以本待之”，等等，皆似有所不逮。

再就其保存的异文来看，据粗略统计，该本保存异文共约三十则，其中有价值者亦不少。如计篇"可以与之死，可以与之生，而民不畏危"，孟注云："一作'人不疑'。"又云："一作'人不危'。"查汉简正无"畏"字，作"民弗诡也"。曹注亦不释"畏"字，通典引文亦无此字。俞樾引吕氏春秋明理篇"以相危"，高注训"危"为"疑"，云："盖古有此训，后人但知有危亡之义，妄加'畏'字于'危'字之上，失之矣。"〔一九〕可见这条异文的价值。再如行军篇"战隆无登"，杜注云："一作'战降无登'。"汉简亦正作"降"，简本注亦谓"'战降'似胜于'战隆'"，故对其异文，也未可等闲视之。

除异文之外，各家注文中也夹有一些校语，共约二十则，有价值者亦往往有之。如行军篇"散而条达者，樵采也"，李注云："烟尘之候，晋师伐齐，曳柴从之。齐人登山，望而畏其众，乃夜遁，薪来即其义也。此筌以'樵采'二字为'薪采'字。"李说有理有据，值得重视。若依原文，则非唯与军情无涉，且樵采山林而致烟尘散而条达亦于理难通。再如用间篇有"因间"，张注云："'因间'当作'乡间'，故下文云：乡间可得而使。"贾注义同。显然，张、贾之说亦值得重视。

上述异文和校语，亦皆有助于提高该书的价值，而这却是武经所不具有的。

不过，我们说它有许多地方优于武经本，但也并不否认它也有许多地方不如武经本。例如九变篇"将通于九变之地利者"，武经本无"地"字，御览引亦无。查此句下有"将不通于九变之利者"，即无"地"字。此乃泛言"九变"之利，而非言地利，何来"地"字？故以无"地"为是。又如九地篇有"焚舟破釜"四字，武经本无，汉简亦无，赵本学孙子书亦谓有此四字“非是”。此显系后人臆增，故亦当以无为是。至若作战篇之“戟楯蔽橹”，武经本“蔽”作“矛”，使攻防器械相对成文，亦较该本为长。

该本在文字上异于武经本而无可取者有之，即同于武经本而无可取——亦即二者皆无可取者亦有之。除上述“畏危”与“因间”之外，再如：

（一）势篇“以碫投卵”之“碫”，实乃“碬”字之讹，清孙志祖考之甚详，亦甚确〔二〇〕。且汉简即作“段”，孙星衍亦谓当从“段”作“碬”。

（二）同篇“出其所不趋”，汉简“不”作“必”，孙校亦据御览引改作“必”，殊为有见。如依原文，则焉能使敌“劳之”、“饥之”？

（三）九地篇“犯之以利，勿告以害”，而汉简则作“（缺）以害，勿告以利”，缺处当有“犯之”二字。查上文数言“为客之道”，大谈“投之于险”、“投之无所往”、“陷之死地”、“投之亡地”等等，而此则言“犯之以利”，敢问如此则何利之有？且下文又明言“夫众陷于害，然后能为胜败”；既言“陷于害”，即不能言“犯之以利”，亦不能言“勿告以害”。故此句“利”、“害”二字当系误倒〔二一〕。

除上述外，该本在文字上也还存在有一些错乱现象，如九地篇有“不知诸侯之谋者，不能预交；不知山林、险阻、沮泽之形者，不能行军；不用乡导者，不能得地利”，此三句又重见于军争篇。又如行军篇于“处水上之军”之后，相隔十馀句，又突然出现“上雨，水沫至，欲涉，待其定也”一句，与上下文意皆不相属，刘寅引张贲说即疑为“处水上之军”一节之文而错简于此。至于在注文的编辑和刊刻方面的问题，就更多了。例如各注家的时代顺序在编排上的混乱，错讹衍夺多达二百余处，俗体字和异体字也相当多。正因如此，所以我们才应一方面珍视它，另一方面也不要认为它就是完美无缺的，我们应当科学地看待它。

五、关于该书的校理

这里我想顺便谈一下关于该书校理的一些情况和问题。

对十一家注进行全面校理，这应当说是第三次了。孙校算是第一次。他虽然没有见过宋本，但他的校本在近百年来流行最广、影响也最大。而对宋本进行首次校点的，则是中华书局上海编辑所的校本。该本总结吸收了孙校的积极成果，是自此宋本影印问世三十余年来的重要通行本。这两个本子，可以说是孙子流传史上的两座里程碑。它们的价值和贡献都是具有划时代意义的。尤其孙星衍，他不但依据通典、御览引文和杜佑注对十三篇经文和各家注文做了多达三百七十余处的校勘，而且其中有很多校说，如谓势篇“以碬投卵”之“碬”字应从“段”作“碫”、虚实篇“出其所不趋”之“不趋”应作“必趋”，以及地形篇“知天知地，胜乃不穷”应作“知地知天，胜乃可全”等等，都是具有很大学术价值的。但他因受条件的限制，没见过宋本，而且过分依赖引文并不十分严谨的这两部类书，再加上他自己有时也有些武断，所以疏失之处也是不少的。原文不误而误改者有之。如计篇“能而示之不能，用而示之不用”，杜佑注为“言己实能、用，外示之以不能、不用”，是佑以“能”、“用”为二义，这是不错的，但孙校却改为“言己实能用师，外示之怯也”，作为一义，即有失孙子之旨矣。再如形篇“九天”、“九地”句，李注说曹操“不明二遁”，这也是不错的，但孙校却改“二”为“于”，就有些疏于“遁甲”之术了。另一方面，原文有误而孙校失察者亦有之。例如虚实篇“饱能饥之”，何注有“陈正通、河间王孝恭、徐绍宗率步骑军于青州山”，这里显然有错误。陈、徐乃辅公祏之叛将，而河间王李孝恭乃唐室宗亲和负责讨叛的行军大总管，分属敌对阵营，岂能并联一起？而孙校却未置一词。再如他据通典佑注校改或增补时，对佑注的某些疏失也少纠正。例如计篇“兵者，诡道也”，通典卷一五三佑注有“息侯诱楚子谋宋”，而据左传庄公十年，息侯诱楚子所谋者为蔡，而非宋，所以佑注有失。而孙校却又改为“息侯诱蔡，楚子谋宋”，这就不但没有纠正佑注之失，而且又出现新的疏误。此外，孙氏作为“经学大师”，在文字训诂上应当是无懈可击的，但在这方面却也存在一些问题。例如计篇“天者”句，牧注有“琟”字，此乃“宝”字之古体，但孙校却改为“瑶”；作战篇“十万之师举”句，曹注有“购赏”二字，“购”字本有悬赏之义，但孙校却改为“赠赏”，如此等等，都是不该出现的问题。至于中华校点本，对孙校本之失既少纠正，而且又出现一些新的问题。如行军篇篇首“视生处高”句，贾注有“视生为无蔽冒物色处军当在高”，该本不察“色”乃“也”字之讹，而“为无蔽冒物”乃释“视生”之义，故致误点为“视生为无蔽冒，物色处军当在高”，这就有些费解了，而正确的校点则应是“视生，为无蔽冒物也。处军当在高”。再如九变篇“无恃其不攻”句,何注有“程不识将屯正部曲行伍营陈击刁斗”,该本不察“屯”乃指军屯,且其所“正”者亦包括营陈在内,致使误点为“程不识将,屯正部曲行伍,营陈击刁斗”,而正确的校点则应据史记李将军列传点为“程不识将屯,正部曲行伍营陈,击刁斗”,这就文通义顺了。其他如“安众”乃地名,而“树机能”乃人名,但都不加专名线,“华费”二字虽加专名线,但却以此为一地,等等,这类疏误也是有的。所以,它们的优点应予继承和发扬,它们的缺陷也应予克服和弥补。

此次校理共约七百馀处,即旨在以科学理性为指导,力争较全面地总结前人的整理研究成果,并在此基础上充分吸收其积极合理因素,尽量避免上述类似疏误,争取把这一基础工作的基础打得更厚实一些、更牢固一些。我不敢说已经做到了这一点,但我“心向往之”。

此外,关于本校的一些方法原则,我想在这里也顺便交代一下。

如所周知,阮元校十三经是只写校记,不动原文,孙星衍校十家注是边改边记,而本校则是从原本实际情况出发,根据新编诸子集成总体例的基本要求,做到有所改而又有所不改。有所改,是因为原文确有许多错讹衍夺之处;而有所不改,则是为了保持原本的基本结构和风貌,故校改重点主要放在刊刻的疏误上。例如计篇“因利而制权”,李注“谋因事势”之“势”乃“制”字之误,而牧注“势夫势者”之上一“势”字乃衍文;九地篇“方马埋轮”,曹注“方,缚马也”之“方”下脱一“马”字等等。凡此之类则予改正或增删,并在校记中说明理由或根据。但如不属刊刻上的问题,纵使原文有误,一般也不改易(尤其经文),而只在校记中加以辨析,提出疑问或个人意见。例如上引"以碬投卵"之"碬"字乃"碫"字之讹;行军篇"军无悬缻"之"缻"乃"甀"字之误;用间篇"因间"乃"乡间"之误等。这些虽都是错误,但各本皆如此,而且唐、宋以前人的注说已经如此,说明它们都是在原本问世以前就存在的长期沿误,而非原本编辑或刊刻上的过失。所以在这种情况下,就只在校记中指出其错误,原文则不作改动,而不是"有错必改"。不过这里又有不同情况,兹分述如下:

(一)原文虽觉有疑,但在缺乏充分理由或确凿证据的情况下,也不"持胸臆为断"(戴震语),而只在校记中提出疑点。如谋攻篇有"倍则分之,敌则能战之"两句名言,诸本无异文,诸家亦无异说,但我感到它应作"倍则战之,敌则能分之",如此才符合孙子集中优势兵力打击劣势分散之敌的思想,而且也能找到历史根据。史记淮阴侯列传就有"十则围之,倍则战"的说法。所以,据此改动原文,也不为无据。但查后汉书袁绍传却又引作"十围五攻,敌则能战",而且也说这是"兵书之法"。这样,就不好贸然改动原文,而只在校记中提出这个问题。

(二)虽有异文、异说,但此异文、异说并不可取,例如计篇"将者,智、信、仁、勇、严也",潜夫论引作"将者,智也、仁也、敬也、信也、勇也",长短经又引作"将者,勇、智、仁、信、必",即无可取。又同篇"经之以五事,校之以计而索其情",孙校谓应依通典改作"经之以五校之计而索其情";作战篇"取敌之利者,货也",刘寅直解谓应作"取敌之货者,利也"等,也无可取。凡此之类,也不动原文,而只在校记中予以存录,或予以必要的驳正。

（三）异文、异说虽可通，但原文也可通，且均于孙子之旨无所不合者，原文也不动，只在校记中予以存录，以供参考，如行军篇"粟马肉食，军无悬甀，不返其舍者，穷寇也"，十一家注各本均如此，而武经各本则作"杀马肉食者，军无粮也；悬甀不返其舍者，穷寇也"，二者各有千秋，即不以此改彼。又如形篇"守则不足，攻则有馀"，汉简则作"守则有馀，攻则不足"。按说，据此来改原文，也是可以的。但鉴于这两种说法皆可通，只因引者的视角不同而致引文有异，而且也都各有存在的历史依据，在此情况下，不改动原文也是可以的，所以就保持原貌。

（四）有些校说虽颇有理，但缺乏必要的版本依据，如张贲说火攻篇"昼风久，夜风止"之"久"乃古文"从"字之讹，言于白天因风放火，则当以兵从之，而于黑夜因风放火，则止而勿从，以免敌人逞我也。此说颇有见地，但若据改，则乏旁证，故也只予存录，以供参考，原文依然照旧。

（五）文句错乱，例如军争与九变之间长期以来聚讼纷纭的所谓"错简"问题，以及九地篇的经文重出和杂乱现象，原文都统统不动，以保持原书面貌和避免产生新的混乱。至于个人的看法，也只在校记中作必要的表述。

总之，尊重原本，但不唯古是从；保持个人思考的独立性，但不"持胸臆为断"，处处力争做到有理有据，这就是我在校理本书时所坚持的"科学理性"原则。不过，这是件十分烦琐、需要十分认真细致的工作，虽然我竭力想做到这一点，而且又特以送请陈彭先生审阅，并承蒙多所指正，但由于本人学力有限，缺点错误想必难免，欢迎批评指正。

九五秋于郑州寓次

附　注

〔一〕以上两处见孙子书两大传本系统源流考与孙子兵学源流述略，文史第十七、廿七辑，以及首届孙子兵法国际学术研讨会论文集孙子新探，解放军出版社，一九九〇年。

〔二〕见本书附录五。

〔三〕见本书附录七、八与余嘉锡四库提要辨证卷十一子部二。

〔四〕见官板书籍解题略。

〔五〕见现存宋代孙子版本的形成及其优势，文史集林一九八六年第二辑。

〔六〕见倭板经籍考、经籍访古志与严灵峰周秦汉魏诸子知见书目(台)。

〔七〕参见谋攻篇“十则围之”、“不知三军之事，而同三军之政”与九变篇“城有所不攻”等句曹注。

〔八〕见隋书经籍志原注。

〔九〕见隋志与宋志。

〔一〇〕见该书第三四一卷。

〔一一〕见札迻卷十。

〔一二〕以上见北图军事书目、北大图书馆李氏书目、郘亭书目、前江苏国立图书馆图书总目与日本东方文化研究所汉籍分类目录。

〔一三〕见观海堂书目、经籍访古志、官板书籍解题略、日本国现存书目与严知见书目。

〔一四〕见余嘉锡四库提要辨证卷十一，第五九五页。

〔一五〕见本书附录四。

〔一六〕见宋志。

〔一七〕朱子语类第一三四卷论文上。

〔一八〕见香草续校书卷一一。

〔一九〕诸子平议补录卷三。

〔二〇〕见读书脞录。

〔二一〕以上诸处校说均详各篇校记，或拙著孙子会笺，中州古籍出版社一九八六年版。

凡　例

一、本书旨在校理孙子重要传本系统之一的十一家注（亦即统称十家注）系统之母本——宋刊十一家注孙子的文字，故不以武经孙子或其他系统传本的文字为标准来校改本书，以保持原本的风貌；对彼此在文字上的得失，一般也不予考论。

二、本校不但包括十三篇经文，也包括十一家注文，但只作文字校理，不作疏证；对其在思想观点上之是非，亦不加评议。

三、原本结构体制不予变动，但为便于检阅，唯将经文分段（每段起首用阿拉伯数码标以次第），并将双行夹注改为单行，且用小号字依原书顺序排在所注经文之后。

四、原文（包括经文和注文）无问题则已，如有问题，则据以下原则进行校理：

（一）校改仅限于版刻上的疏失，如确有错、讹、衍、夺现象，则予以改正或增删，并在校记中说明理由或根据。如理由不充分或证据不确凿，宁存疑待详，亦不率尔改动原文，尤其经文。

（二）原文虽有问题，但非属版刻上的问题，而是由于其他原因（如历史上的沿误或理解上的偏差）造成的，则原文不动，而只在校记中加以辨析。

（三）如原文无误，而他本有误，则除较重要者或有一定参考价值者外，一般不予转述。

（四）如原本与他本存有歧异，而难断其是非，或各有存在的理由和价值者，则在校记中予以存录，以资参较。如歧异不大，或系无关文意的枝节问题，则为避免烦碎起见，亦多从简，或径略之。

（五）十一家中唯有曹操注和杜佑注有他本流传，故其注文或有只见于他本而不见于本书者；凡此情况如需另作补充，亦只在校记中说明，而不在正文中补增。

（六）除通假字外，凡俗体字、古体字、异体字及避讳字，一般径改用规范字，而不出校。

五、凡有所改而需出校者，皆于句末标以校码。因上述需要另作补充的曹、杜注，其校码则置于各家注文之后。无论经文、注文，校码统一，不再区分。校记则置于每篇之后。

六、原本目录卷中脱行军篇篇目，今补之。又，原本全书后附有孙子本传一篇，系抄录史记孙子传，今作为附录之一附于后。

参引书目

一、以一九六一年中华书局影印宋本十一家注孙子为底本。

二、以十一家注系统明刊诸本进行对校：

正统道藏孙子注解，上海涵芬楼影印本，简称道藏本。

嘉靖谈恺刻孙子集注，四部丛刊影印本，简称谈本。

万历黄邦彦校刊孙子集注，简称黄本。

三、用以参校的诸本：

（一）十一家注清本及晚近诸本：

孙星衍校孙子十家注，岱南阁丛书本，简称孙校本。

顾福棠孙子集解，光绪二十六年木活字本，简称顾氏集解。

黄巩孙子集注，光绪存几堂刊本，简称黄注。

陆懋德孙子集释，一九一五年商务印书馆印本，简称陆注。

曹家达校孙子，一九一八年商务印书馆诸子菁华录本，简称菁华录。

一九六二年中华书局上海编辑所十一家注孙子，简称中华校点本。

吴九龙主编孙子校释，一九九〇年军事科学出版社印本，简称校释。

(二)孙子古本：

山东临沂银雀山汉墓竹简孙子兵法,一九八五年文物出版社影印本,简称简本。

晋写本敦煌残卷,罗振玉汉晋书影影印本。

(三)武经系统诸本：

宋本武经七书孙子,续古逸丛书影印本,简称武经本。

宋本曹操注孙子,孙星衍平津馆丛书影刊本,简称平津本。

明刘寅武经七书直解孙子,一九三三年前南京国学图书馆影印明本,简称直解。

明赵本学孙子书校解引类,明隆庆刊本,简称赵注。

日樱田迪藏济美馆刊本古文孙子(服部千春孙子兵法校解附),简称樱田本。

(四)其他兵书：

清汪宗沂辑唐李靖卫公兵法,清袁昶渐西村舍丛书本。

宋曾公亮武经总要,前集卷一至一一。

宋许洞虎钤经。

(五)类书：

唐魏徵群书治要卷三三,四部丛刊本,简称治要。

唐虞世南北堂书钞卷一一五至一一六,明万历陈禹谟刊本。

唐赵蕤长短经卷九。

唐杜佑通典卷一四八至一六三,一九八八年中华书局校点本。

宋李昉等太平御览卷二七〇至三三七,清鲍氏刊本,简称御览。

(六)笔录札记:

宋郑友贤孙子遗说,宋本十一家注附刻,简称遗说。

清毕以珣孙子叙录,孙校十家注附刻,简称叙录。

清于鬯香草续校书孙子,直称作者姓名,下同。

清洪颐煊读书丛录卷一三。

清俞樾诸子平议补录卷三。

清孙诒让札迻。

易培基读孙子杂记,一九一九年国故第三、四期。

十一家注孙子卷上[①]

① 孙子一书，结构体制诸本稍异。平津、十一家注及武经各本虽均为上、中、下三卷，但具体分法亦不尽同。本卷，十一家注本至形篇止，而平津本与武经本则至势篇止。十一家注明本又改三卷为十三卷，孙校本因之。日樱田本则分十三篇为上下两篇。简本虽未明卷数，但其篇题木牍第二栏军争篇上标有圆点，亦当是其分为二卷之证。

计　篇〔一〕

曹操曰：计者，选将、量敌，度地、料卒，远近、险易，计于庙堂也〔二〕。○李筌曰：计者，兵之上也。太一遁甲："先以计神加德宫，以断主客成败。"故孙子论兵，亦以计为篇首。○杜牧曰：计，算也。曰：计算何事？曰：下之五事，所谓道、天、地、将、法也。于庙堂之上，先以彼我之五事计算优劣，然后定胜负。胜负既定，然后兴师动众。用兵之道，莫先此五事，故著为篇首耳。○王皙曰：计者，谓计主将、天地、法令、兵众、士卒、赏罚也。○张预曰：管子曰："计先定于内，而后兵出境。"故用兵之道，以计为首也。或曰：兵贵临敌制宜，曹公谓"计于庙堂"者何也？曰：将之贤愚，敌之强弱，地之远近，兵之众寡，安得不先计之？及乎两军相临，变动相应，则在于将之所裁，非可以隃度也。

①孙子曰：兵者，国之大事，

杜牧曰：传曰："国之大事，在祀与戎。"○张预曰：国之安危在兵，故讲武练兵，实先务也。

死生之地，存亡之道，不可不察也。

李筌曰：兵者凶器，死生、存亡系于此矣，是以重之，恐人轻行者也。○杜牧曰：国之存亡，人之死生，皆由于兵，故须审察也。○贾林曰〔三〕：地，犹所也，亦谓陈师、振旅、战陈之地。得其利则生，失其便则死，故曰死生之地。道者，权机立胜之道，得之则存，失之则亡，故曰不可不察也。书曰："有存道者，辅而固之；

有亡道者，推而亡之。"○梅尧臣曰：地有死生之势，战有存亡之道。○王皙曰：兵举，则死生、存亡系之。○张预曰：民之死生兆于此，则国之存亡见于彼。然死生曰地、存亡曰道者，以死生在胜负之地，而存亡系得失之道也，得不重慎审察乎？

②故经之以五事，校之以计，而索其情〔四〕：

曹操曰：谓下五事、七计，求彼我之情也。○李筌曰：谓下五事也。校，量也。量计远近，而求物情以应敌。○杜牧曰：经者，经度也。五者，即下所谓五事也。校者，校量也。计者，即篇首计算也。索者，搜索也。情者，彼我之情也。此言先须经度五事之优劣，次复校量计算之得失，然后始可搜索彼我胜负之情状。○贾林曰：校量彼我之计谋，搜索两军之情实，则长短可知，胜负易见。○梅尧臣曰：经纪五事，校定计利。○王皙曰：经，常也，又经纬也。计者，谓下七计。索，尽也。兵之大经，不出道、天、地、将、法耳。就而校之以七计，然后能尽彼己胜负之情状也。○张预曰：经，经纬也。上先经纬五事之次序，下乃用五事以校计彼我之优劣、探索胜负之情状。

一曰道，

张预曰：恩信使民。○〔五〕

二曰天，

张预曰：上顺天时。○〔六〕

三曰地，

张预曰：下知地利。○〔七〕

四曰将，

张预曰：委任贤能。○〔八〕

五曰法。

杜牧曰：此之谓五事也。○王皙曰：此经之五事也。夫用兵之道，人和为本，天时与地利则其助也。三者具，然后议举兵。兵举必须将能，将能然后法修。孙子所次，此之谓矣。○张预曰：节制严明。夫将与法在五事之末者，凡举兵伐罪，庙堂之上，先察恩信之厚薄，后度天时之逆顺，次审地形之险易，三

者已熟，然后命将征之。兵既出境，则法令一从于将，此其次序也。○〔九〕

道者，令民与上同意也〔一○〕，

张预曰：以恩信道义抚众，则三军一心，乐为其用。易曰："悦以犯难，民忘其死。"

故可以与之死，可以与之生，而不畏危〔一一〕。

曹操曰：谓道之以教令。危者，危疑也。○李筌曰：危，亡也。以道理众，人自化之，得其同用，何亡之有？○杜牧曰：道者，仁义也。李斯问兵于荀卿，答曰："彼仁义者，所以修政者也。政修，则民亲其上，乐其君，轻为之死。"复对赵孝成王论兵曰："百将一心，三军同力，臣之于君也，下之于上也，若子之事父，弟之事兄，若手臂之捍头目而覆胸臆也。"如此，始可令与上下同意〔一二〕，死生同致，不畏惧于危疑也。○陈皞注同杜牧。○孟氏曰〔一三〕：一作"人不疑"，谓始终无二志也。一作"人不危"。道，谓道之以政令，齐之以礼教，故能化服士民，与上下同心也〔一四〕。故用兵之妙，以权术为道。大道废，而有法；法废，而有权；权废，而有势；势废，而有术；术废，而有数。大道沦替，人情讹伪，非以权数而取之，则不得其欲也。故其权术之道，使民上下同进趋，共爱憎，一利害，故人心归于德，得人之力，无私之至也。故百万之众，其心如一，可与俱同死力动而不至危亡也。臣之于君，下之于上，若子之事父，弟之事兄，若手臂之捍头目而覆胸臆也。如此，始可与上同意，死生同致，不畏惧于危疑。○贾林曰：将能以道为心，与人同利共患，则士卒服，自然心与上者同也。使士卒怀我如父母、视敌如仇雠者，非道不能也。黄石公云："得道者昌，失道者亡。"○杜佑曰〔一五〕：谓导之以政令、齐之以礼教也。危者，疑也。上有仁施，下能致命也。故与处存亡之难，不畏倾危之败。若晋阳之围，沉灶产蛙，人无叛疑心矣。○梅尧臣曰：危，戾也。主有道，则政教行；人心同，则危戾去，故主安与安，主危与危。○王皙曰：道，谓主有道，能得民心也。夫得民之心者，所以得死力也。得死力者，所以济患难也。易曰："悦以犯难，民忘其死。"如是，则安畏危难之事乎？○张预曰：危，疑也。士卒感恩，死生存亡与上同之，决然无所疑惧。

天者，阴阳、寒暑、时制也〔一六〕。

曹操曰：顺天行诛，因阴阳四时之制。故司马法曰："冬夏不兴师，所以兼爱民也。"○李筌曰：应天顺人，因时制敌。○杜牧曰：阴阳者，五行、刑德、向背之类是也。今五纬行止，最可据验。巫咸、甘氏、石氏、唐蒙、史墨、梓慎、裨灶之徒，皆有著述，咸称秘奥。察其指归，皆本人事。准星经曰："岁星所在之分，不可攻，攻之反受其殃也。"左传昭三十二年："夏，吴伐越，始用师于越。史墨曰：不及四十年，越其有吴乎？越得岁而吴伐之，必受其凶。"注曰："存亡之数，不过三纪。岁星三周〔一七〕，三十六岁，故曰'不及四十年'也。此年岁在星纪。星纪，其分也〔一八〕，岁星所在，其国有福；吴先用兵，故反受其殃。"哀二十二年，越灭吴，至此三十八岁也。李淳风曰："天下诛秦，岁星聚于东井。秦政暴虐，失岁星仁和之理，违岁星恭肃之道，拒谏信谗，是故胡亥终于灭亡。"复曰："岁星清明润泽，所在之国分大吉。君令合于时，则岁星光熹〔一九〕，年丰人安。君尚暴虐，令人不便，则岁星色芒；角而怒，则兵起。"由此言之，岁星所在，或有福德，或有灾祥，岂不皆本于人事乎？夫吴越之君，德均势敌。阖闾兴师，志于吞灭，非为拯民，故岁星福越而祸吴。秦之残酷，天下诛之，上合天意，故岁星祸秦而祚汉。荧惑，罚星也。宋景公出一善言，荧惑退移三舍，而延二十七年。以此推之，岁为善星，不福无道；火为罚星，不罚有德。举此二者，其他可知。况所临之分，随其政化之善恶，各变其本色；芒角大小，随为祸福，各随时而占之。淳风曰："夫形器著于下，精象系于上。"近取之身，耳目为肝肾之用，鼻口实心腹所资，彼此影响，岂不然欤？易曰："在天成象，在地成形，变化见矣。"盖本于人事而已矣。刑德向背之说，尤不足信。夫刑德天官之陈，背水陈者为绝地〔二〇〕，向山坂陈者为废军。武王伐纣，背济水向山坂而陈，以二万二千五百人击纣之亿万而灭之。今可目睹者，国家自元和已后至今〔二一〕三十年间，凡四伐赵寇昭义军，加以数道之众，常号十万，围之临城县，攻其南，不拔；攻其北，不拔；攻其东，不拔；攻其西，不拔。其四度围之，通有十岁。十岁之内，东西南北，岂有刑德向背、王相吉辰哉？其不拔者，岂不曰城坚、池深、粮多、人一哉？复以往事验之，秦累世战胜，竟灭六国，岂天道二百年间常在乾方，福德常居鹑首？岂不曰穆公已还，卑身趋士，务耕战，明法令而致之乎？故梁惠王问尉缭子曰：“黄帝有刑德，可以百战百胜，其有之乎？”尉缭子曰：“不然。黄帝所谓刑德者，刑以伐之，德以守之，非世之所谓刑德也。”夫举贤用能者，不时日而利；明法审令者，不卜筮而吉；贵功养劳者，不祷祠而福。周武王伐纣，师次于汜水共头山，风雨疾雷，鼓旗毁折，王之骖乘惶惧欲死。太公曰：“夫用兵者，顺天道未必吉，逆之未必凶。若失人事，则三军败亡。且天道鬼神，视之不见，听之不闻，故智者不法，愚者拘之。若乃好贤而任能，举事而得时，此则不看时日而事利，不假卜筮而事吉，不待祷祠而福从。”遂命驱之前进。周公曰：“今时逆太岁，龟灼言凶，卜筮不吉。星凶为灾，请还师。”太公怒曰：“今纣剖比干，囚箕子，以飞廉为政，伐之有何不可？枯草朽骨，安可知乎？”乃焚龟折蓍，率众先涉，武王从之，遂灭纣。宋高祖围慕容超于广固，将攻城，诸将咸谏曰：“今往亡之日，兵家所忌。”高祖曰：“我往彼亡，吉孰大焉！”乃命悉登，遂克广固。后魏太祖武帝讨后燕慕容麟，甲子晦日进军。太史令晁崇奏曰：“昔纣以甲子日亡。”帝曰：“周武岂不以甲子日胜乎？”崇无以对。遂战，破之。后魏太武帝征夏赫连昌于统万城，师次城下，昌鼓噪而前，会有风雨从贼后来，太史进曰：“天不助人，将士饥渴，愿且避之。”崔浩曰：“千里制胜一日，岂得变易？风道在人，岂有常也？”帝从之。昌军大败。或曰：“如此者，阴阳向背定不足信，孙子叙之何也？”答曰：“夫暴君昏主，或为一宝一马〔二二〕，则必残人逞志，非以天道鬼神，谁能制止？故孙子叙之，盖有深旨。”寒暑、时气，节制其行止也。周瑜为孙权数曹公四败，一曰：“今盛寒，马无槀草，驱中国士众，远涉江湖，不习水土，必生疾病。此用兵之忌也。”寒暑同归于天时，故联以叙之也。〇孟氏曰：兵者，法天运也。阴阳者，刚柔盈缩也。用阴，则沉虚固静；用阳，则轻捷猛厉。后则用阴，先则用阳。阴无蔽也，阳无察也。阴阳之象无定形，故兵法天。天有寒暑，兵有生杀。天则应杀而制物，兵则应机而制形，故曰“天”也。〇贾林曰：读“时制”为“时气”，谓从其善时，占其气候之利也。〇杜佑曰：谓顺天行诛，因阴阳四时刚柔之制〔二三〕。〇梅尧臣曰：兵必参天道，顺气候，以时制之，所谓制也。司马法曰：“冬夏不兴师，所以兼爱民也。”〇王晳曰：谓阴阳，总天道、五行、四时、风云、气象也，善消息之，以助军胜。然非异人特授其诀，则末由也。若黄石授书张良，乃太公兵法是也。意者岂天机神密，非常人所得知耶？其诸十数家纷纭〔二四〕，抑未足以取审矣。寒暑，若吴起云疾风、大寒、盛夏、炎热之类；时制，因时利害而制宜也。范蠡云“天时不作，弗为人客”，是也。○张预曰：夫阴阳者，非孤虚向背之谓也，盖兵自有阴阳耳。范蠡曰：“后则用阴，先则用阳。尽敌阳节，盈吾阴节而夺之。”又云：“设右为牝，益左为牡，早晏以顺天道。”李卫公解曰：“左右者，人之阴阳；早晏者，天之阴阳；奇正者，天人相变之阴阳。”此皆言兵自有阴阳、刚柔之用，非天官、日时之阴阳也。今观尉缭子天官之篇，则义最明矣。太白阴经亦有天无阴阳之篇，皆著为卷首，欲以决世人之惑也。太公曰：“圣人欲止后世之乱，故作为谲书，以寄胜于天道，无益于兵也。”是亦然矣。唐太宗亦曰：“凶器无甚于兵。行兵苟便于人事，岂以避忌为疑也？”寒暑者，谓冬夏兴师也。汉征匈奴，士多堕指；马援征蛮，卒多疫死，皆冬夏兴师故也。时制者，谓顺天时而制征讨也。太白阴经言天时者，乃水旱、蝗雹、荒乱之天时，非孤虚向背之天时也。

地者，远近、险易、广狭、死生也〔二五〕。

曹操曰：言以九地形势不同，因时制利也。论在九地篇中。○李筌曰：得形势之地，有死生之势。○梅尧臣曰：知形势之利害。○张预曰：凡用兵，贵先知地形。知远近，则能为迂直之计；知险易，则能审步骑之利；知广狭，则能度众寡之用；知死生，则能识战散之势也。○〔二六〕

将者，智、信、仁、勇、严也〔二七〕。

曹操曰：将宜五德备也。○李筌曰：此五者，为将之德，故师有“丈人”之称也。○杜牧曰：先王之道，以仁为首；兵家者流，用智为先。盖智者，能机权、识变通也；信者，使人不惑于刑赏也；仁者，爱人悯物、知勤劳也；勇者，决胜乘势、不逡巡也；严者，以威刑肃三军也。楚申包胥使于越，越王勾践将伐吴，问战焉，曰：“夫战，智为始，仁次之，勇次之。不智，则不能知民之极，无以诠度天下之众寡；不仁，则不能与三军共饥劳之殃；不勇，则不能断疑以发大计也〔二八〕。”○贾林曰：专任智则贼，偏施仁则懦，固守信则愚，恃勇力则暴，令过严则残。五者兼备,各适其用,则可为将帅。○梅尧臣曰:智能发谋,信能赏罚,仁能附众,勇能果断,严能立威。○王皙曰:智者,先见而不惑,能谋虑,通权变也;信者,号令一也;仁者,惠抚恻隐,得人心也;勇者,徇义不惧,能果毅也;严者,以威严肃众心也。五者相须,阙一不可,故曹公曰:"将宜五德备也。"○何氏曰:非智不可以料敌应机,非信不可以训人率下,非仁不可以附众抚士,非勇不可以决谋合战,非严不可以服强齐众。全此五才,将之体也。○张预曰:智不可乱,信不可欺,仁不可暴,勇不可惧,严不可犯。五德皆备,然后可以为大将。

法者,曲制、官道、主用也〔二九〕。

曹操曰:曲制者,部曲、旛帜、金鼓之制也。官者,百官之分也。道者,粮路也。主者,主军费用也〔三〇〕。○李筌曰:曲,部曲也。制,节度也。官,爵赏也。道,路也。主,掌也。用者,军资用也。皆师之常法,而将所治也。○杜牧曰:曲者,部曲队伍有分画也。制者,金鼓旌旗有节制也。官者,偏裨校列各有官司也。道者,营陈开阖各有道径也。主者,管库厮养职守主张其事也。用者,车马器械三军须用之物也。荀卿曰:"械用有数。"夫兵者,以食为本,须先计粮道,然后兴师。○梅尧臣曰:曲制,部曲队伍分画必有制也。官道,裨校首长统率必有道也。主用,主军之资粮百物必有用度也。○王皙曰:曲者,卒伍之属。制者,节制其行列进退也。官者,群吏偏裨也。道者,军行及所舍也。主者,主守其事。用者,凡军之用,谓辎重粮积之属。○张预曰:曲,部曲也。制,节制也。官,谓分偏裨之任。道,谓利粮饷之路。主者,职掌军资之人。用者,计度费用之物。六者用兵之要,宜处置有其法。

凡此五者,将莫不闻,知之者胜〔三一〕**,不知者不胜。**

张预曰:已上五事,人人同闻;但深晓变极之理则胜,不然则败。

③故校之以计〔三二〕**,而索其情,**

曹操曰:同闻五者,将知其变极,即胜也。索其情者,胜负之情〔三三〕。○杜牧曰:谓上五事,将欲闻知,校量计算彼我之优劣,然后搜索其情状,乃能必胜,不尔则败。○贾林曰:书云:"非知之艰,行之惟难。"○王皙曰:当尽知也。言虽周知五事,待七计以尽其情也。○张预曰:上已陈五事,自此而下,方考校彼我之得失、探索胜负之情状也。

曰：主孰有道？

曹操曰：道德智能〔三四〕。〇李筌曰：孰，实也。有道之主，必有智能之将。范增辞楚，陈平归汉，即其义也〔三五〕。〇杜牧曰：孰，谁也。言我与敌人之主，谁能远佞亲贤、任人不疑也。〇杜佑曰：主，君也；道，道德也。必先考校两国之君谁知谁否也。若荀息料虞公贪而好宝、宫之奇懦而不能强谏是也〔三六〕。〇梅尧臣曰：谁能得人心也。〇王晳曰：若韩信言项王匹夫之勇，妇人之仁，名虽为霸，实失天下心；谓汉王入武关，秋毫无所害，除秦苛法，秦民亡不欲大王王秦者是也。〇何氏曰：书曰："抚我则后，虐我则雠。"抚虐之政，孰有之也。〇张预曰：先校二国之君谁有恩信之道，即上所谓"令民与上同意"者之道也。若淮阴料项王仁勇过高祖而不赏有功，为妇人之仁，亦是也。

将孰有能？

杜牧曰：将孰有能者，上所谓"智、信、仁、勇、严"也〔三七〕。〇梅尧臣同杜牧注。〇王晳曰：若汉王问魏大将柏直曰"是口尚乳臭，不能当韩信"之类是也。〇张预曰：察彼我之将，谁有智、信、仁、勇、严之能，若汉高祖料魏将柏直不能当韩信之类也〔三八〕。

天地孰得？

曹操、李筌并曰：天时、地利。〇杜牧曰：天者，上所谓"阴阳、寒暑、时制"也；地者，上所谓"远近、险易、广狭、死生"也。〇杜佑曰：视两军所据，知谁得天时、地利。〇梅尧臣曰：稽合天时，审察地利。〇王晳同杜牧注。〇张预曰：观两军所举，谁得天时、地利，若魏武帝盛冬伐吴，慕容超不据大岘，则失天时、地利者也。

法令孰行？

曹操曰：设而不犯，犯而必诛。〇杜牧曰：县法设禁，贵贱如一。魏绛戮仆、曹公断发是也。〇杜佑曰：发号出令，校孰下不敢犯〔三九〕。〇梅尧臣曰：齐众以法，一众以令。〇王晳曰：孰能法明令便、人听而从？〇张预曰：魏绛戮扬干，穰苴斩庄贾，吕蒙诛乡人，卧龙刑马谡，兹所谓"设而不犯，犯而必诛"，谁为如此？

兵众孰强？

杜牧曰：上下和同，勇于战为强，卒众车多为强。○梅尧臣曰：内和，外附。○王晳曰：强弱足以相形而知。○张预曰：车坚、马良，士勇、兵利，闻鼓而喜，闻金而怒，谁者为然？

士卒孰练？

杜牧曰：辨旌旗，审金鼓，明开合，知进退，闲驰逐，便弓矢，习击刺也。○杜佑曰：知谁兵器强利、士卒简练者。故王子曰："士不素习，当陈惶惑；将不素习，临陈暗变。"○梅尧臣曰：车骑闲习，孰国精粗？○王晳曰：孰训之精？○何氏曰：勇怯、强弱，岂能一概？○张预曰：离合、聚散之法，坐作、进退之令，谁素闲习？

赏罚孰明？

杜牧曰：赏不僭，刑不滥。○杜佑曰：赏善罚恶，知谁分明者。故王子曰："赏无度，则费而无恩；罚无度，则戮而无威。"○梅尧臣曰：赏有功，罚有罪。○王晳曰：孰能赏必当功、罚必称情？○张预曰：当赏者，虽仇怨必录；当罚者，虽父子不舍。又，司马法曰"赏不逾时，罚不迁列"，于谁为明？

吾以此知胜负矣。

曹操曰：以七事计之，知胜负矣。○贾林曰：以上七事量校彼我之政，则胜败可见。○梅尧臣曰：能索其情，则知胜负。○张预曰：七事俱优，则未战而先胜；七事俱劣，则未战而先败，故胜负可预知也。○〔四〇〕

④将听吾计，用之必胜，留之；将不听吾计，用之必败，去之。

曹操曰：不能定计，则退而去也。○杜牧曰：若彼自备护，不从我计，形势均等，无以相加，用战必败，引而去之，故春秋传曰"允当则归"也。○陈皞曰：孙武以书干阖闾，曰："听用吾计策，必能胜敌，我当留之不去；不听吾计策，必当负败，我去之不留。"以此感动阖闾，庶必见用。故阖闾曰："子之十三篇，寡人尽观之矣。"其时，阖闾行军用师，多自为将，故不言"主"而言"将"也。

○孟氏曰:将,裨将也。听吾计画而胜,则留之;违吾计画而败,则除去之。○梅尧臣曰:武以十三篇干吴王阖闾,故首篇以此辞动之,谓:王将听我计,而用战必胜,我当留此也;王将不听我计,而用战必败,我当去此也。○王皙曰:将,行也;用,谓用兵耳。言行听吾此计,用兵则必胜,我当留;行不听吾此计,用兵则必败,我当去也。○张预曰:将,辞也。孙子谓:今将听吾所陈之计,而用兵则必胜,我乃留此矣;将不听吾所陈之计,而用兵则必败,我乃去之他国矣。以此辞激吴王而求用。

⑤计利以听,乃为之势,以佐其外。

曹操曰:常法之外也。○李筌曰:计利既定,乃乘形势之变也〔四一〕。佐其外者,常法之外也。○杜牧曰:计算利害,是军事根本。利害已见听用,然后于常法之外更求兵势,以助佐其事也。○贾林曰:计其利,听其谋,得敌之情,我乃设奇谲之势以动之。外者,或傍攻,或后蹑,以佐正陈。○梅尧臣曰:定计于内,为势于外,以助成胜。○王皙曰:吾计之利已听,复当知应变,以佐其外。○张预曰:孙子又谓:吾所计之利若已听从,则我当复为兵势,以佐助其事于外。盖兵之常法,即可明言于人;兵之利势,须因敌而为。

势者,因利而制权也。

曹操曰:制由权也,权因事制也。○李筌曰:谋因事制〔四二〕。○杜牧曰:自此便言常法之外。势〔四三〕,夫势者,不可先见,或因敌之害见我之利,或因敌之利见我之害,然后始可制机权而取胜也。○梅尧臣曰:因利行权以制之。○王皙曰:势者,乘其变者也。○张预曰:所谓势者,须因事之利,制为权谋,以胜敌耳,故不能先言也。自此而后,略言权变。

⑥兵者,诡道也。

曹操曰:兵无常形,以诡诈为道。○李筌曰:军不厌诈。○梅尧臣曰:非谲不可以行权,非权不可以制敌。○王皙曰:诡者,所以求胜敌;御众必以信也。○张预曰:用兵虽本于仁义,然其取胜必在诡诈。故曳柴扬尘,栾枝之谲也;万弩齐发,孙膑之奇也;千牛俱奔,田单之权也;囊沙壅水,淮阴之诈也,此皆用诡道而制胜也。○〔四四〕

故能而示之不能，

张预曰：实强而示之弱，实勇而示之怯，李牧败匈奴、孙膑斩庞涓之类也。

用而示之不用〔四五〕，

李筌曰：言己实用师，外示之怯也。汉将陈豨反，连兵匈奴。高祖遣使十辈视之，皆言可击。复遣娄敬，报曰："匈奴不可击。"上问其故。对曰："夫两国相制，宜矜夸其长。今臣往，徒见羸老。此必能而示之不能，臣以为不可击也。"高祖怒曰："齐虏以口舌得官，今妄沮吾众！"械娄敬于广武，以三十万众至白登。高祖为匈奴所围，七日乏食。此师外示之以怯之义也。○杜牧曰：此乃诡诈藏形。夫形也者，不可使见于敌；敌人见形，必有应。传曰："鸷鸟将击，必藏其形。"如匈奴示羸老于汉使之义也。○杜佑曰：言己实能、用，外示之以不能、不用，使敌不我备也〔四六〕，若孙膑减灶而制庞涓。○王皙曰：强示弱，勇示怯，治示乱，实示虚，智示愚，众示寡，进示退，速示迟，取示舍，彼示此。○何氏曰：能而示之不能者，如单于羸师诱高祖，围于平城是也；用而示之不用者，如李牧按兵于云中，大败匈奴是也。○张预曰：欲战而示之退，欲速而示之缓，班超击莎车、赵奢破秦军之类也。

近而示之远，远而示之近。

李筌曰：令敌失备也。汉将韩信虏魏王豹，初陈舟欲渡临晋，乃潜师浮木罂，从夏阳袭安邑，而魏失备也；耿弇之征张步，亦先攻临淄，皆示远势也。○杜牧曰：欲近袭敌，必示以远去之形；欲远袭敌，必示以近进之形。韩信盛兵临晋而渡于夏阳，此乃示以近形而远袭敌也。后汉末，曹公、袁绍相持官渡，绍遣将郭图、淳于琼、颜良等攻东郡太守刘延于白马。绍引兵至黎阳，将渡河。曹公北救延津，荀攸曰："今兵少不敌，分兵势乃可。公致兵延津将欲渡，兵向其后，绍必西应之；然后轻兵袭白马，掩其不备，颜良可擒也。"公从之。绍闻兵渡，即留，分兵西应之。公乃引军行趋白马。未至十馀里，良大惊，来战。使张辽、关羽前进击破，斩颜良，解白马围。此乃示以远形而近袭敌也。○贾林曰：去就在我，敌何由知？○杜佑曰：欲近而设其远也，欲远而设其近也。诳耀敌军，示之以远，本从其近，若韩信之袭安邑〔四七〕。○梅尧臣曰：使其不能测〔四八〕。○王晳同上注。○何氏曰：远而示之近者，韩信陈舟临晋而渡夏阳是也；近而示之远者，晋侯伐虢，假道于虞是也。○张预曰：欲近袭之，反示以远。吴与越夹水相距，越为左右句卒，相去各五里，夜争鸣鼓而进，吴人分以御之；越乃潜涉，当吴中军而袭之，吴大败是也。欲远攻之，反示以近，韩信陈兵临晋而渡于夏阳是也。○〔四九〕

利而诱之，

杜牧曰：赵将李牧大纵畜牧，人众满野。匈奴小入〔五○〕，佯北不胜，以数千人委之。单于闻之大喜，率众大至。牧多为奇陈，左右夹击，大破杀匈奴十馀万骑也。○贾林曰：以利动之，动而有形，我所以因形制胜也。○梅尧臣曰：彼贪利，则以货诱之。○何氏曰：利而诱之者，如赤眉委辎重而饵邓禹是也。○张预曰：示以小利，诱而克之。若楚人伐绞，莫敖曰："绞小而轻，请无扞采樵者以诱之。"于是绞人获楚三十人。明日，绞人争出，驱楚役徒于山中，楚人设伏兵于山下，而大败之是也。

乱而取之，

李筌曰：敌贪利，必乱也。秦王姚兴征秃发傉檀，悉驱部内牛羊，散放于野，纵秦人虏掠。秦人得利，既无行列，傉檀阴分十将，掩而击之，大败秦人，斩首七千馀级，"乱而取之"之义也。○杜牧曰：敌有昏乱，可以乘而取之。传曰："兼弱攻昧，取乱侮亡，武之善经也。"○贾林曰：我令奸智乱之，候乱而取之也。○梅尧臣曰：彼乱，则乘而取之。○王晳曰：乱，谓无节制；取，言易也。○张预曰：诈为纷乱，诱而取之，若吴越相攻，吴以罪人三千，示不整以诱越。罪人或奔或止，越人争之，为吴所败是也。言敌乱而后取者非也。春秋之法，凡书"取"者，言易也，鲁师取邿是也。

实而备之，

曹操曰：敌治实，须备之也。○李筌曰：备敌之实。蜀将关羽欲围魏之樊城，惧吴将吕蒙袭其后，乃多留备兵守荆州。蒙阴知其旨，遂诈之以疾。羽乃撤去备兵，遂为蒙所取，而荆州没吴，则其义也。○杜牧曰：对垒相持，不论虚实，常须为备。此言居常无事，邻封接境，敌若修政治实，上下相爱，赏罚明信，士卒精练，即须备之，不待交兵然后为备也。○陈皞曰：敌若不动完实，我当谨备，亦自实以备敌也。○梅尧臣曰：彼实，则不可不备。○王晳曰：彼将有以击吾之不备也。○何氏曰：彼敌但见其实，而未见其虚之形，则当蓄力而备之也。○张预曰：经曰："角之而知有馀不足之处。"有馀，则实也；不足，则虚也。言敌人兵势既实，则我当为不可胜之计以待之，勿轻举也。李靖军镜曰："观其虚则进，见其实则止。"

强而避之，

曹操曰：避其所长也。○李筌曰：量力也。楚子伐随，随之臣季梁曰："楚人上左，君必左，无与王遇；且攻其右，右无良焉，必败。偏败，众乃携矣。"少师曰："不当王，非敌也。"不从。随师败绩，随侯逸。攻强之败也。○杜牧曰：逃避所长。言敌人乘兵强气锐，则当须且回避之，待其衰懈，候其间隙而击之。晋末，岭南贼卢循、徐道覆乘虚袭建邺，刘裕御之，曰："贼若新亭直上，且当避之，回泊蔡洲，乃成擒耳。"徐道覆欲焚舟直上，循以为不可，乃泊于蔡洲，竟以败灭。○贾林曰：以弱制强，理须待变。○杜佑曰：彼府库充实，士卒锐盛，则当退避以伺其虚懈，观变而应之〔五一〕。○梅尧臣曰：彼强，则我当避其锐。○王晳曰：敌兵精锐，我势寡弱，则须退避。○张预曰：经曰"无邀正正之旗，无击堂堂之陈"，言敌人行陈修整，节制严明，则我当避之，不可轻肆也。若秦晋相攻，交绥而退，盖各防其失败也。

怒而挠之，

曹操曰：待其衰懈也。○李筌曰：将之多怒者，权必易乱，性不坚也。汉相陈平谋挠楚权，以太牢具进楚使，惊曰："是亚父使邪？乃项王使邪！"此怒挠之者也。○杜牧曰：大将刚戾者，可激之令怒；则逞志快意，志气挠乱，不顾本谋也。○孟氏曰：敌人盛怒，当屈挠之〔五二〕。○梅尧臣曰：彼褊急易怒，则挠之，使愤激轻战。○王晳曰：敌持重，则激怒以挠之。○何氏曰：怒而挠之者，汉兵击曹咎于汜水是也。○张预曰：彼性刚忿，则辱之令怒；志气挠惑，则不谋而轻进，若晋人执宛春以怒楚是也。尉缭子曰："宽不可激而怒。"言性宽者，则不可激怒而致之也。

卑而骄之〔五三〕，

李筌曰：币重而言甘，其志不小。后赵石勒称臣于王浚，左右欲击之，浚曰："石公来，欲奉我耳。敢言击者斩！"设飨礼以待之。勒乃驱牛羊数万头，声言上礼，实以填诸街巷，使浚兵不得发。乃入蓟城，擒浚于厅，斩之而并燕。卑而骄之，则其义也。〇杜牧曰：秦末，匈奴冒顿初立，东胡强，使使谓冒顿曰："欲得头曼时千里马。"冒顿以问群臣，群臣皆曰："千里马，国之宝，勿与。"冒顿曰："奈何与人邻国，爱一马乎？"遂与之。居顷之，东胡使使来，曰："愿得单于一阏氏。"冒顿问群臣，皆怒曰："东胡无道，乃求阏氏，请击之！"冒顿曰："与人邻国，爱一女子乎？"与之。居顷之，东胡复曰："匈奴有弃地千里，吾欲有之。"冒顿问群臣，群臣皆曰："与之亦可，不与亦可。"冒顿大怒曰："地者，国之本也，本何可与？"诸言与者皆斩之。冒顿上马，令国中有后者斩，东袭东胡。东胡轻冒顿，不为之备。冒顿击灭之。冒顿遂西击月氏，南并楼烦、白羊、河南，北侵燕、代，悉复收秦所使蒙恬所夺匈奴地也。〇陈皞曰：所欲必无所顾吝，子女以惑其心，玉帛以骄其志，范蠡、郑武之谋也。〇杜佑曰：彼其举国兴师，怒而欲进，则当外示屈挠，以高其志；俟惰归，要而击之。故王子曰："善用法者，如狸之与鼠，力之与智，示之犹卑，静而下之。"〇梅尧臣曰：示以卑弱，以骄其心。〇王皙曰：示卑弱以骄之，彼不虞我，而击其间。〇张预曰：或卑辞厚赂，或羸师佯北，皆所以令其骄怠。吴子伐齐，越子率众而朝，王及列士皆有赂。吴人皆喜，惟子胥惧，曰："是豢吴也！"后果为越所灭。楚伐庸，七遇皆北。庸人曰："楚不足与战矣！"遂不设备。楚子乃为二队以伐之，遂灭庸。皆其义也。

佚而劳之〔五四〕，

一本作"引而劳之"。〇曹操曰：以利劳之。〇李筌曰：敌佚而我劳之者，善功也。吴伐楚，公子光问计于伍子胥，子胥曰："可为三师以肄焉。我一师至，彼必尽众而出；彼出，我归，亟肄以疲之，多方以误之，然后三师以继之，必大克。"从之。楚于是乎始病吴矣。〇杜牧曰：吴公子光问伐楚于伍员，员曰："可为三军以肄焉。我一师至，彼必尽出；彼出，则归，亟肄以疲之，多方以误之,然后三师以继之,必大克。"从之。于是子重一岁七奔命,于是乎始病吴,终入郢。后汉末,曹公既破刘备,备奔袁绍,引兵欲与曹公战。别驾田丰曰:"操善用兵,未可轻举,不如以久持之。将军据山河之固,有四州之地,外结英豪,内修农战,然后拣其精锐,分为奇兵,乘虚迭出,以扰河南,救右则击其左,救左则击其右,使敌疲于奔命,人不安业,我未劳而彼已困矣。不及三年,可坐克也。今释庙胜之策,而决成败于一战,悔无及也。"绍不从,故败。○梅尧臣曰:以我之佚,待彼之劳。○王晳曰:多奇兵也。彼出则归,彼归则出;救左则右,救右则左,所以罢劳之也。○何氏曰:孙子有治力之法,以佚而待劳。故论敌佚,我宜多方以劳弊之,然后可以制胜。○张预曰:我则力全,彼则道敝。若晋楚争郑,久而不决,晋知武子乃分四军为三部,晋各一动,而楚三来,于是三驾,而楚不能与之争。又,申公巫臣教吴伐楚,于是子重一岁七奔命是也。

亲而离之〔五五〕。

曹操曰:以间离之。○李筌曰:破其行约,间其君臣,而后攻也。昔秦伐赵,秦相应侯间于赵王曰:"我惟惧赵用括耳,廉颇易与也。"赵王然之,乃用括代颇,为秦所坑卒四十万于长平,则其义也。○杜牧曰:言敌若上下相亲,则当以厚利啖而离间之。陈平言于汉王曰:"今项王骨鲠之臣不过亚父、锺离昧、龙且、周殷之属,不过数人。大王诚能捐数万斤金,间其君臣,彼必内相诛,汉因举兵而攻之,灭楚必矣。"汉王然之,出黄金四万斤与平,使之反间。项王果疑亚父,不急击下荥阳,汉王遁去。○陈皞曰:彼吝爵禄,此必捐之;彼啬财货,此必轻之;彼好杀罚,此必缓之。因其上下相猜,得行离间之说。由余所以归秦,英布所以佐汉也。○杜佑曰:以利诱之,使五间并入,辩士驰说,亲彼君臣,分离其形势,若秦遣反间欺诳赵君,使废廉颇而任赵奢之子,卒有长平之败。○梅尧臣同杜牧注。○王晳曰:敌相亲,当以计谋离间之。○张预曰:或间其君臣,或间其交援,使相离贰,然后图之。应侯间赵而退廉颇,陈平间楚而逐范增,是君臣相离也。秦晋相合以伐郑,烛之武夜出,说秦伯曰:"今得郑,则归于晋,无益于秦也。不如舍郑以为东道主。"秦伯悟而退师,是交援相离也。

攻其无备，出其不意。

曹操曰：击其懈怠，出其空虚。○李筌曰：击懈怠，袭空虚。○杜牧曰：击其空虚，袭其懈怠。○孟氏曰：击其空虚，袭其懈怠，使敌不知所以备也。故曰：兵者无形为妙。太公曰："动莫神于不意，谋莫善于不识。"○梅尧臣、王晳二注同上。○何氏曰：攻其无备者：魏太祖征乌桓，郭嘉曰："胡恃其远，必不设备；因其无备，卒然击之，可破灭也。"太祖行至易水，嘉曰："兵贵神速，今千里袭人，辎重多，难以趋利，不如轻兵兼道以出，掩其不意。"乃密出卢龙塞，直指单于庭，合战，大破之。唐李靖陈十策以图萧铣，总管三军之任，一以委靖。八月，集兵夔州。铣以时属秋潦，江水泛涨，三峡路危，必谓靖不能进，遂不设备。九月，靖率兵而进，曰："兵贵神速，机不可失。今兵始集，铣尚未知，乘水涨之势，倏忽至城下，所谓疾雷不及掩耳。纵使知我，仓卒无以应敌，此必成擒也。"进兵至夷陵，铣始惧，召兵江南，果不能至。勒兵围城，铣遂降。出其不意者：魏末，遣将锺会、邓艾伐蜀，蜀将姜维守剑阁，锺会攻维，未克。艾上言："请从阴平由邪径出剑阁，西入成都。奇兵冲其腹心，剑阁之军必还赴涪，则会方轨而进；剑阁之军不还，则应涪之兵寡矣。军志云：攻其无备，出其不意。今掩其空虚，破之必矣。"冬十月，艾自阴平行无人之地七百馀里，凿山通道，造作桥阁，山高谷深，至为艰险。又粮运将匮，濒于危殆。艾以毡自裹，推转而下。将士皆攀木缘崖，鱼贯而进。先登至江油，蜀守将马邈降。诸葛瞻自涪还绵竹〔五六〕，列陈相拒，大败之，斩瞻及尚书张遵等。进军至成都，蜀主刘禅降。又，齐神武为东魏将，率兵伐西魏，屯军蒲坂，造三道浮桥渡河，又遣其将窦泰趣潼关，高敖曹围洛州。西魏将周文帝出军广阳，召诸将谓曰："贼今掎吾三面，又造桥于河，示欲必渡，欲缀吾军，使窦泰得西入耳。久与相持，其计得行，非良策也。且高欢用兵，常以泰为先驱，其下多锐卒，屡胜而骄。今出其不意，袭之必克。克泰，则欢不战而自走矣。"诸将咸曰："贼在近，舍而远袭，事若蹉跌，悔无可及。"周文曰："欢前再袭潼关，吾军不过霸上。今者大来，兵未出郊，贼顾谓吾但自守耳，无远斗意；又狃于得志，有轻我心。乘此击之，何往不克！贼虽造桥，未能径渡。比五日中，吾取窦泰必矣。公等勿疑。"周文遂率骑六千还长安,声言欲往陇右。辛亥,潜出军。癸丑晨,至潼关。窦泰卒闻军至,惶惧依山为陈,未及成列,周文击破之,斩泰,传首长安。高敖曹适陷洛州,闻泰没,烧辎重,弃城而走。〇张预曰:攻无备者,谓懈怠之处、敌之所不虞者,则击之。若燕人畏郑三军,而不虞制人,为制人所败是也。出不意者,谓虚空之地、敌不以为虑者,则袭之。若邓艾伐蜀,行无人之地七百馀里是也。〇〔五七〕

此兵家之胜,不可先传也〔五八〕。

曹操曰:传,犹泄也。兵无常势,水无常形,临敌变化,不可先传也。故料敌在心,察机在目也〔五九〕。〇李筌曰:无备、不意,攻之必胜,此兵之要,秘而不传也。〇杜牧曰:传,言也。此言上之所陈,悉用兵取胜之策,固非一定之制;见敌之形,始可施为,不可先事而言也。〇梅尧臣曰:临敌应变制宜,岂可预前言之?〇王晳曰:夫校计、行兵,是谓常法;若乘机决胜,则不可预传述也。〇张预曰:言上所陈之事,乃兵家之胜策,须临敌制宜,不可以预先传言也。

⑦夫未战而庙算胜者,得算多也;未战而庙算不胜者,得算少也。多算胜,少算不胜〔六〇〕**,而况于无算乎?吾以此观之,胜负见矣**〔六一〕。

曹操曰:以吾道观之矣。〇李筌曰:夫战者,决胜庙堂,然后与人争利。凡伐叛怀远,推亡固存,兼弱攻昧,皆物情之所出。中外离心,如商周之师者,是为未战而庙算胜。太一遁甲置算之法,因六十算已上为多算,六十算已下为少算。客多算临少算,主人败;客少算临多算,主人胜,此皆胜败易见矣。〇杜牧曰:庙算者,计算于庙堂之上也。〇梅尧臣曰:多算,故未战而庙谋先胜;少算,故未战而庙谋不胜,是不可无算矣。〇王晳曰:此惧学者惑不可先传之说,故复言计篇义也。〇何氏曰:计有巧拙,成败系焉。〇张预曰:古者兴师命将,必致斋于庙,授以成算,然后遣之,故谓之"庙算"。筹策深远,则其计所得者多,故未战而先胜。谋虑浅近,则其计所得者少,故未战而先负。多计胜少计,其无计者,安得无败?故曰:胜兵先胜而后求战,败兵先战而后求胜。有计无计,胜负易见。

校 记

〔一〕孙子篇题，诸本亦稍有参差。简本漫漶，多不可识，唯从所存篇名如刑（形）、埶（势）观之，本篇亦当止有"计"字。武经孙子无"篇"字，但有篇次，本篇作"始计第一"，"始"字为编者所加。孙校本作"卷一计篇"。樱田本则作"计篇第一"。以下除篇题有异外，有关体例上的差异，一般不再出校。

〔二〕此句曹注"远近险易"四字，平津本无。孙诒让说此本乃"唐以后删定之本，注文简略不全"，此或一例也。

〔三〕查贾（隐）林乃唐德宗时人，与杜牧之祖父杜佑同时，故依时代顺序，贾当在牧之前。今仍依原本，以保持原本结构。下同。

〔四〕此句宋明诸本皆如此，樱田本同，唯"计"作"七计"。孙校本则谓"事"字乃后人因注内有"五事"之言而增，故依通典改作"经之以五校之计而索其情"。按：孙校谓"事"字乃后人臆增，可谓有见，简本正无"事"字，杜牧亦止注"五"字，是孙子本无此字，止作"经之以五，校之以计而索其情"。但孙校本据通典改作"经之以五校之计"则未妥。盖"经"者为"五"或"五事"，而非"计"也，"校"乃较量之也；如连读，则"经"者即非"五"，而是"计"矣。而孙子此篇却重在"五"或"五事"——这是量敌计险的五个基本要素或五条重要纲纪，故孙子云"经"；而所谓"计"或"七计"，皆自"五事"校之而出。故作"经之以五校之计"非唯词意不顺，亦且不全符合经义。再，通典引文所据虽系孙子古本，应予足够重视，但其所引，亦率多省并，且时杂己意，故亦不可在无有力旁证的情况下率尔据以改动经文。校释据简本作"故经之以五，校之以计，而索其情"固善，宋明古本有"事"字亦可通，故仍之，唯孙说无取。

〔五〕通典卷一四八此句经文下又有杜佑注："德化。"

〔六〕通典卷一四八此句经文下又有杜佑注："惠覆。"

〔七〕通典卷一四八此句经文下又有杜佑注:“慈爱。”

〔八〕通典卷一四八此句经文下又有杜佑注:“经略。”

〔九〕通典卷一四八此句经文下又有杜佑注:“制作。”

〔一〇〕通典卷一四八引“民”作“人”,乃避唐讳而改。以下不再一一出校。又孙校云“令民”二字原本缺,今宋本不缺,正统道藏与谈本集注同,故是其所据华阴道藏本缺也。

〔一一〕此句平津本与武经诸本作“可与之死,可与之生,而不畏危也”,樱田本同,孙校本依通典、御览改为“故可与之死,可与之生,而民不畏危”,而简本则作“故可与之死,可与之生,民弗诡也”,校释从之,唯“弗”字作“不”。按:有无“以”字与“民”字,均无关紧要,唯简本作“弗诡”,则与传本作“不畏危”相去有间矣。查曹、李等家注亦止注“危”字,而不及“畏”字,通典卷一四八引同,唯作“不佹”,孙校谓字之误,是孙氏以“佹”乃“危”字之误,而不知通典作“佹”,正与简本作“诡”同也。孟注与牧注虽有“畏”字,但孟注又云:“一作‘人不疑’……一作‘人不危’。”可知孙子故书本无“畏”字,汉魏以后始生歧异。俞樾平议补录谓曹注不释“畏”字,其所据本无“畏”字也,并说:“‘民不危’,即‘民不疑’,曹注得之。孟氏注云‘一作“人不疑”’,文异而义同也。吕氏春秋明理篇曰‘以相危’,高诱训‘危’为‘疑’。盖古有此训,后人但知有危亡之义,妄加‘畏’字于‘危’字之上,失之矣。”按:俞说与简本、平津本正合。故此句当略同简本,作“故可与之死,可与之生,而不危也”。但依原本及其他通行本作“不畏危”,于义亦可通,故并存之。

〔一二〕此句“上下”之“下”字,孙校本无。按:据经义,以无为长。

〔一三〕孟氏,据隋志乃南朝梁人,故依时代顺序,不当在杜牧之后,而应在李筌之前。今仍依原本,下同。

〔一四〕“上下同心”,谈本与道藏本作“上下同一”。孙校本同。

〔一五〕原本杜佑注皆在杜牧注之后。今亦仍之,以维持原本结构。下同。

〔一六〕“天者”,长短经天时引作“天时者”;“时制”,又引作“时节制”。御览卷二七〇引“时制”作“时利”,而卷三二八引则又作“时节”。又,此句下简本又有“顺逆兵胜”四字,乃读者批语,迨非正文。

〔一七〕“岁星三周”,十一家注宋明诸本并作“岁月三周”,孙校本已改,是。左传杜注亦正作“岁星”。“岁星”即木星,运行一周天,约经十二岁,故三周云三十六岁也。

〔一八〕“其分”,原本如此,而明本则均作“吴分”,孙校本同。按:左传杜注既称“星纪,吴、越之分也”,且传已明言“越得岁”,注亦明言“岁星所在,其国有福”,下文亦有“所在之国分大吉”,故不当为“吴”字,作“吴”者,或涉吴越之事而误耳。今仍之。

〔一九〕“熹”,原本作“喜”。按:“光喜”费解。孙校本改为“嘉”,亦于义无取。“喜”迨“熹”字之误,光亮貌。管子侈靡“有时而星熺”,“熺”同“熹”,星之明也,故当作“熹”。

〔二〇〕以上两句原作“刑德天官之陈,背水陈者为绝纪”,其说当出自尉缭子天官第一,该篇云:“背水陈,为绝纪。”但此“绝纪”二字,治要、施子美武经七书讲义与茅元仪武备志等引文均已改为“绝地”。按:改之是。孙校因之,其失察欤?

〔二一〕原本“已”下无“后”字,今据孙校补。

〔二二〕“一宝一马”,原文作“一珤一马”,孙校本改“珤”为“瑶”。按:“珤”乃古“宝”字,故当作“宝”。孙校失之。

〔二三〕此处杜佑原注只有如上两句,而通典卷一六二又有如下诸句:“故司马法曰:‘冬夏不兴师,所以兼爱吾民。若细雨沐军,临机必有捷;回风相触,道还而无功。云类群羊,必走之道;气如惊鹿,必败之势;黑云出垒,赤气临军,皆败之兆。若烟非烟,此庆云也，必胜；若雾非雾，是泣军也，必败。’是知风云之占，由来久矣。”孙校本亦已据补，唯个别字有误。

〔二四〕“其诸十数家纷纭”，宋、明诸本皆如此，孙校亦未置词。按：“诸”字无义，疑即上言“异人特授其诀”之“诀”字，言其诀乃异人特授，非常人所得知，故致十数家解之纷纭也。

〔二五〕“地者”下，简本又有“高下”二字，他本皆无，校释从补。今两存之。

〔二六〕通典卷一四八此句经文下又有杜佑注：“言以地形势不同，因时制度。”

〔二七〕此句王符潜夫论引作“将者：智也，仁也，敬也，信也，勇也，严也”，谈本序引又以“仁”为首。牧注云“先王之道，以仁为本；兵家者流，用智为先”，有理。故仍依原本次序。书钞卷一一三引亦各有“也”字，然亦止称五德，而无“敬”字，各家亦不释“敬”字，故此字盖王氏臆增。又，长短经将体虽云五德，但又作“勇、智、仁、信、必”，亦非孙子原文。故皆无取。

〔二八〕自“夫战，智为始”以下，乃申包胥答越王语，但原本上无“曰”字，今据注意并参考吴越春秋卷六补之，以醒眉目。

〔二九〕“曲制”，俞樾谓当作“典制”。按：用兵言“典”，古固有之，但简本作“曲制”，平津本同，故仍之。唯“曲制”之下，御览卷二七〇引又有“帜”字，则为他本所无。按：“帜”字在此殊觉不类，且各本皆无，故当是衍文。

〔三〇〕原本“曹操曰”下无“曲制者”三字，平津本则有之，孙校本亦有之。按：有之是。“部曲、旛帜、金鼓之制也”正释“曲制”之意，且“官道”与“主用”亦皆经传对举，故此三字当据平津本与孙校本补。又，“主军费用”，孙校谓原本“军”作“君”，并从而改为“军”。按：孙校本改为“军”是。宋本正作“军”，是其所据底本误也。

〔三一〕御览卷二七○引无“知”字，并与上连读为“将莫不闻之者胜”。按：原本与其他各本皆有此字，御览无之者，脱也。今仍之。

〔三二〕通典卷一五○引句前又有“用兵之道”四字，御览卷二七○引同，孙校已指其臆增，非原文。又，御览引“计”作“五计”，亦非是。

〔三三〕孙校谓“同闻五者”至“即胜也”三句，乃上文“凡此五者，将莫不闻”之注而误入在此，并予上移。按：孙说固有理，移之善。今姑仍依原文，并存其说。

〔三四〕孙校谓此曹注乃统释此句“主孰有道”与下句“将孰有能”之义，故不当在此句之下，而移至下句之下。查平津本与通典卷一五○杜佑注正在下句之下。孙说有理。唯为保持原本结构体制，亦不予改动，孙说存之。以下两注同。

〔三五〕孙校谓此李注亦系统释上述“主”、“将”二句之义而移至下句。

〔三六〕孙校谓此佑注亦系统释上述“主”、“将”二句之义而移至下句。

〔三七〕“严”字下，明本均有“若汉高祖料魏将柏直不能当韩信之类”十六字，孙校本同。按：有之善。

〔三八〕梅、王、张三家注，明本与孙校本无。

〔三九〕此句佑注，通典卷一五○作“设而不犯，犯而必诛。发号施令，知谁能施行者”。

〔四○〕通典卷一五○此句经文下又有佑注：“以此上七事料得情，知胜负也。”“料得情”似费解。

〔四一〕“乘形势之变”，原本“变”字作“势”。按：作“势”义不可通。下句王注云：“势者，乘其变者也。”故“乘形势之势”当作“乘形势之变”。孙校本改为“便”，虽云近之，然犹未切。

〔四二〕“谋因事制”，原本作“谋因事势”，义亦难通。此“势”字迨“制”字之讹。曹注即云“权由事制”，今据改。

〔四三〕此“势”字属上属下皆不成读，似系赘文，而诸本皆有，姑逗以存之。

〔四四〕通典卷一五三此句经文下又有佑注：“无常形，以诡诈为道，若息侯诱楚子谋宋。”按：“无”上当有“兵”字，“宋”字当为“蔡”。查左庄十年传载，息侯诱楚子所谋者为蔡，而非宋。通典未正，失之。孙校本据御览补“兵”字，是。而作“息侯诱蔡，楚子谋宋”，亦疏矣。

〔四五〕通典卷一五三合此上二句经文作“故能用示之不能用”。按：若以“能”、“用”为二义，尚可通；若作一义，即以“能”为助动词，作“能用”，则非经义矣（详下注）。通典引文常常省并，此亦一例。

〔四六〕孙校谓佑注此句乃后人所改，因而据御览又改为“言己实能用师，外示之怯也”，以下同。按：通典所引“能用示之不能用”乃以上两句之省并，且佑注亦明言“己实能、用，外示之不能、不用”，是将“能”、“用”视为二义，与经义正合。故改者恐非佑注，而是御览引文也。御览以“能用”指“能用师”，于义狭矣。盖“能”与“不能”，乃以实力言之；“用”与“不用”，则以作战意图言之，故以“能用师”解之，非唯不合经义，且亦不合注意。故孙校本未可从。

〔四七〕此句佑注，通典卷一五三于“袭安邑”下又有“陈舟临晋而度夏阳”。孙校又称前两句“欲近而设其远也，欲远而设其近也”乃“后人改之，以牵合二句，辞义浅俚，又与下文不接”，而据御览改作“欲进而理去道也，言多宜设其近”。今并存之。唯“多宜设其近”句疑有讹误。

〔四八〕“测”，原本作“赜”，孙校改为“测”，是，从之。

〔四九〕此句经文原本无曹注，明清诸本亦无，而平津本则有之，云："欲进而治去道，若韩信之袭安邑，陈舟临晋而渡于夏阳也。"

〔五〇〕"匈奴小入"，原本"入"误作"人"。史记廉蔺列传附李牧传有"匈奴小入，详北不胜"，当是牧注此语所从出。今据改。

〔五一〕此句佑注，通典卷一五五作"避其所长也。彼府库充实，士卒强盛，则当备避，以待其虚。欲以弱制强，不若变也"，与此文字小异。

〔五二〕"屈挠"，原本"挠"作"扰"，非是。各家皆言"挠"，且与"屈"连用，自当作"挠"，今改正。

〔五三〕此句与下"佚"、"亲"两句简本缺。

〔五四〕此句御览卷二七〇引作"引而劳之"。

〔五五〕御览卷二七〇于此句之下又有"佚而劳之"四字。孙校谓此节经文乃以"诱"、"取"、"备"、"避"、"挠"、"骄"与"劳"两两为韵，故不应于"亲而离之"之下复出"佚而劳之"。按：孙说是。又，总要卷四于此句之下又有"饱而饥之"、"安而动之"两句。按：此乃虚实篇文而率引于此也。

〔五六〕"绵竹"，原本误作"线竹"，明本沿而未正，孙校改"线"作"绵"，是，从之。

〔五七〕通典卷一五五此句经文下又有佑注："击其懈怠不备之处。攻其空虚，出其不意之途也。故太公曰：'动莫神于不意，胜莫大于不识'也。"唯此乃分注"攻其无备"与"出其不意"两句之文，今因原本经文未分，故亦并之。孙校本虽亦据补，唯其所引下句无"出其不意"四字，而作"攻其空虚之涂"，且无"太公"上之"故"字与句末"也"字，或其所据通典旧本无之也。又，末句"胜"字，孙校本作"谋"。查上孟注援引此语亦作"谋"，六韬龙韬正作"谋"，故当据改。

〔五八〕"先传"，御览卷二七〇引作"豫传"，总要卷四"不可先传"又作“所以为神也”，皆无取。

〔五九〕如上曹注，平津本止有“传，犹泄也”四字，而无“兵无常势”以下各句。御览卷二七〇引则有之，唯“兵无常势，水无常形”作“兵无成势，无常形”。孙校谓御览误，但御览所引却与简本正合，唯简本“常”作“恒”，乃避汉文帝讳而改，宋本亦因避真宗讳而未回改。故御览不误，今两存之。又，御览末句“故”下又有“曰”字，孙校本据补。按有否均可，今亦仍之。

〔六〇〕此句书钞卷一一三引作“多算胜少算”，御览卷三二二引同。汉书赵充国传所引亦无“不胜”二字，张预注释为“多计胜少计”，似无“不胜”二字义长。通典卷一四八引“不胜”原作“败”（今本已据十一家注孙子回改），孙校谓臆改。唯据简本“少”下只空三字即接下文“无算”观之，或即“算”、“败”、“况”。今并存之。

〔六一〕“胜负见矣”，通典卷一四八引作“胜负易见也”，御览卷三二二引作“胜势见也”，今均仍之。

作战篇〔一〕

曹操曰:欲战,必先算其费,务因粮于敌也。〇李筌曰:先定计,然后修战具,是以战次计之篇也。〇王晳曰:计以知胜,然后兴战,而具军费,犹不可以久也。〇张预曰:计算已定,然后完车马、利器械、运粮草、约费用,以作战备,故次计。

①孙子曰:凡用兵之法,驰车千驷〔二〕,革车千乘,带甲十万,

曹操曰:驰车,轻车也,驾驷马〔三〕;革车,重车也,言万骑之重。车驾四马,率三万军〔四〕,养二人,主炊;家子一人,主保固守衣装;厩二人,主养马,凡五人。步兵十人,重以大车驾牛。养二人,主炊;家子一人,主守衣装,凡三人也。带甲十万,士卒数也。〇李筌曰:驰车,战车也;革车,轻车也;带甲,步卒。车一两,驾以驷马,步卒七十人,计千驷之军,带甲七万,马四千匹。孙子约以军资之数,以十万为率,则百万可知也。〇杜牧曰:轻车,乃战车也。古者车战,革车、辎车、重车也,载器械、财货、衣装也。司马法曰:"一车,甲士三人,步卒七十二人,炊家子十人,固守衣装五人,厩养五人,樵汲五人,轻车七十五人,重车二十五人。"故二乘兼一百人为一队,举十万之众,革车千乘,校其费用支计,则百万之众皆可知也。〇梅尧臣曰:驰车,轻车也;革车,重车也。凡轻车一乘,甲士、步卒二十五人;重车一乘,甲士、步卒七十五人。举二车各千乘,是带甲者十万人。〇王晳曰:曹公曰:"轻车也,驾驷马,凡千乘。"晳谓驰车,谓驾革车也。一乘四马为驷,千驷则革车千乘。曹公曰:"重车也。"晳谓

革车，兵车也。有五戎千乘之赋，诸侯之大者。曹公曰："带甲十万，步卒数也。"晢谓井田之法：甸出兵车一乘，甲士三人，步卒七十二人，千乘总七万五千人。此言带甲十万，岂当时权制欤？○何氏曰：十万，举成数也。○张预曰：驰车，即攻车也；革车，即守车也。按曹公新书云：攻车一乘，前拒一队，左右角二队，共七十五人。守车一乘，炊子十人，守装五人，厩养五人，樵汲五人，共二十五人。攻守二乘，凡一百人。兴师十万，则用车二千，轻重各半，与此同矣。

千里馈粮，

曹操曰：越境千里。○李筌曰：道理县远。

则内外之费，宾客之用，胶漆之材，车甲之奉，日费千金，然后十万之师举矣〔五〕。

曹操曰：谓购赏犹在外〔六〕。○李筌曰：夫军出于外，则帑藏竭于内。举千金者，言多费也。千里之外赢粮，则二十人奉一人也。○杜牧曰：军有诸侯交聘之礼，故曰"宾客"也。车甲器械完缉修缮，言胶漆者，举其微细。千金者，言费用多也，犹赠赏在外也。○贾林曰：计费不足，未可以兴师动众。故李太尉曰："三军之门，必有宾客论议。"○梅尧臣曰：举师十万，馈粮千里，日费如此，师久之戒也。○王晢曰：内，谓国中；外，谓军所也。宾客，若诸侯之使及军中宴飨吏士也。胶漆、车甲，举细与大也。○何氏曰：老师费财，智者虑之。○张预曰：去国千里，即当因粮；若须供饷，则内外骚动，疲困于路、蠹耗无极也。宾客者，使命与游士也。胶漆者，修饰器械之物也。车甲者，膏辖金革之类也。约其所费，日用千金，然后能兴十万之师。千金，言重费也，购赏犹在外。

②其用战也胜，久则钝兵挫锐〔七〕，攻城则力屈，

曹操曰：钝，弊也；屈，尽也。○杜牧曰：胜久，谓淹久而后能胜也。言与敌相持，久而后胜，则甲兵钝弊，锐气挫衄，攻城则人力殚尽屈折也。○贾林曰：战虽胜人，久则无利。兵贵全胜，钝兵挫锐，士伤马疲，则屈。○梅尧臣曰：虽胜且久，则必兵仗钝弊，而军气挫锐；攻城而久，则力必殚屈。○王晢曰：屈，穷也。求胜以久，则钝弊折挫，攻城则益甚也。○张预曰：及交兵合战也，久而后

能胜，则兵疲气沮矣。千里攻城，力必困屈。

久暴师则国用不足。

孟氏曰：久暴师露众千里之外，则军国费用不足相供。○梅尧臣曰：师久暴于外，则输用不给。○张预曰：日费千金，师久暴，则国用岂能给？若汉武帝穷征深讨，久而不解，及其国用空虚，乃下哀痛之诏是也。

夫钝兵挫锐，屈力殚货〔八〕，则诸侯乘其弊而起，虽有智者，不能善其后矣。

李筌曰：十万众举，日费千金，非唯顿挫于外，亦财殚于内，是以圣人无暴师也。隋大业初，炀帝重兵好征，力屈雁门之下，兵挫辽水之上，疏河引淮，转输弥广，出师万里，国用不足。于是杨玄感、李密乘其弊而起，纵苏威、高颎，岂能为之谋也？○杜牧曰：盖以师久不胜，财力俱困，诸侯乘之而起，虽有智能之士，亦不能于此之后善为谋画也。○贾林曰：人离财竭，虽伊、吕复生，亦不能救此亡败也。○杜佑曰：虽当时有用兵之术，不能防其后患。○梅尧臣曰：取胜攻城，暴师且久，则诸侯乘此弊而起袭我；我虽有智将，不能制也。○王皙曰：以其弊甚，必有危亡之忧。○何氏曰：其后，谓兵不胜而敌乘其危殆，虽智者不能尽其善计而保全。○张预曰：兵已疲矣，力已困矣，财已匮矣，邻国因其罢弊，起兵以袭之，则纵有智能之人，亦不能防其后患。若吴伐楚入郢，久而不归，越兵遂入吴。当是时，虽有伍员、孙武之徒，何尝能为善谋于后乎？

故兵闻拙速，未睹巧之久也〔九〕。

曹操、李筌曰：虽拙，有以速胜。未睹者，言其无也。○杜牧曰：攻取之间，虽拙于机智，然以神速为上，盖无老师、费财、钝兵之患，则为巧矣。○孟氏曰：虽拙，有以速胜。○陈皞曰：所谓疾雷不及掩耳，卒电不及瞬目。○杜佑注同孟氏。○梅尧臣曰：拙尚以速胜，未见工而久可也。○王皙曰：皙谓久则师老财费，国虚人困，巧者保无斯患也。○何氏曰：速虽拙，不费财力也；久虽巧，恐生后患也。后秦姚苌与苻登相持，苌将苟曜据逆万堡，密引苻登。苌与登战，败于马头原，收众复战。姚硕德谓诸将曰："上慎于轻战，每欲以计取之；今战既失利，而更逼贼，必有由也。"苌闻而谓硕德曰："登用兵迟缓，不识虚实；今轻兵直进,径据吾东,必苟曜与之连结也。事久变成,其祸难测。所以速战者,欲使苟曜竖子谋之未就,好之未深耳。”果大败之。武后初,徐敬业举兵于江都,称匡复皇家。以盩厔尉魏思恭为谋主,问计于思恭。对曰:“明公既以太后幽絷少主,志在匡复,兵贵拙速,宜早渡淮北,亲率大众,直入东都。山东将士,知公有勤王之举,必以死从,此则指日刻期,天下必定。”敬业欲从其策,薛璋又说曰:“金陵之地,王气已见,宜早应之。兼有大江设险,足可以自固,请且攻取常、润等州,以为王霸之业,然后率兵北上,鼓行而前,此则退有所归,进无不利,实良策也。”敬业以为然,乃自率兵四千人,南渡以击润州。思恭密谓杜求仁曰:“兵势宜合,不可分。今敬业不知并力渡淮,率山东之众以合洛阳,必无能成事。”果败。○张预曰:但能取胜,则宁拙速,而无巧久。若司马宣王伐上庸,以一月图一年,不计死伤,与粮竞者,斯可谓欲拙速也。

夫兵久而国利者〔一〇〕,未之有也。

李筌曰:春秋曰:“兵犹火也,弗戢将自焚。”○贾林曰:兵久无功,诸侯生心。○杜佑曰:兵者凶器,久则生变。若智伯围赵,逾年不归,卒为襄子所擒,身死国分。故新序传曰:“好战穷武,未有不亡者也。”○梅尧臣曰:力屈货殚,何利之有?○张预曰:师老财竭,于国何利?

故不尽知用兵之害者,则不能尽知用兵之利也〔一一〕。

李筌曰:利害相依之所生,先知其害,然后知其利也。○杜牧曰:害之者,劳人费财;利之者,吞敌拓境。苟不顾己之患,则舟中之人尽为敌国,安能取利于敌人哉?○贾林曰:将骄卒惰,贪利忘变,此害最甚也。○杜佑曰:言谋国、动军、行师,不先虑危亡之祸,则不足取利也〔一二〕。若秦伯见袭郑之利,不顾崤函之败;吴王矜伐齐之功,而忘姑苏之祸也。○梅尧臣曰:不再籍,不三载,利也;百姓虚,公家费,害也。苟不知害,又安知利?○王皙曰:久而能胜,未免于害;速,则利斯尽也。○张预曰:先知老师殚货之害,然后能知擒敌制胜之利。

③善用兵者,役不再籍,粮不三载〔一三〕。

曹操曰:籍,犹赋也。言初赋民而便取胜,不复归国发兵也。始载粮〔一四〕,后遂因食于敌,还兵入国,不复以粮迎之也。○李筌曰:籍,书也;不再籍书,恐人劳怨生也。秦发关中之卒,是以有陈、吴之难也。军出,度远近馈之;军入〔一五〕,载粮迎之,谓之三载。越境,则馆谷于敌,无三载之义也。○杜牧曰:审敌可攻,审我可战,然后起兵,便能胜敌而还。郑司农周礼注曰:役,谓发兵起役;籍,乃伍籍也。比参为伍,因内政寄军令,以伍籍发军起役也。○陈皞曰:籍,借也,不再借民而役也。粮者,往则载焉,归则迎之,是不三载也。不困乎兵,不竭乎国,言速而利也。○梅尧臣同陈皞注。○王皙同曹操注。○张预曰:役,谓兴兵动众之役。故师卦注曰:"任大役重,无功则凶。"籍,谓调兵之符籍。故汉制有尺籍伍符,言一举则胜,不可再籍兵役于国也。粮始出则载之,越境则掠之,归国则迓之,是不三载也。此言兵不可久暴也。

取用于国,因粮于敌,故军食可足也。

曹操曰:兵甲战具,取用国中,粮食因敌也。○李筌曰:具我戎器,因敌之食,虽出师千里,无匮乏也。○杜佑曰:兵甲战具,取用国中,粮食因敌也。取资用于我国,因粮食于敌家也。晋师馆谷于楚是也。○梅尧臣曰:军之须用取于国,军之粮饷因于敌。○何氏曰:因,谓兵出境,抄聚掠野,至于克敌、拔城,得其储积也。○张预曰:器用取于国者,以物轻而易致也;粮食因于敌者,以粟重而难运也。夫千里馈粮,则士有饥色,故因粮则食可足。

④国之贫于师者远输,远输则百姓贫〔一六〕。

李筌曰:兵役数起,而赋敛重。○杜牧曰:管子曰:"粟行三百里,则国无一年之积;粟行四百里,则国无二年之积;粟行五百里,则众有饥色。"此言粟重物轻也,不可推移;推移之,则农夫耕牛俱失南亩,故百姓不得不贫也。○贾林曰:远输则财耗于道路,弊于转运,百姓日贫。○孟氏曰:兵车转运千里之外,财则费于道路,人有困穷者。○张预曰:以七十万家之力,供饷十万之师于千里之外,则百姓不得不贫。

近于师者贵卖,贵卖则百姓财竭〔一七〕,

曹操曰:军行已出界,近师者贪财,皆贵卖,则百姓虚竭也。○李筌曰:夫近军,必有货易,百姓徇财殚产而从之,竭也。○贾林曰:师徒所聚,物皆暴贵。

人贪非常之利，竭财物以卖之，初虽获利殊多，终当力疲货竭。又云：既有非常之敛，故卖者求价无厌，百姓竭力买之，自然家国虚尽也。〇杜佑曰：言近军师，市多非常之卖，当时贪贵以趋末利，然后财货殚尽，家国虚也。〇梅尧臣曰：远者供役以转馈，近者贪利而贵卖，皆贫国匮民之道也。〇王皙曰：夫远输则人劳费，近市则物腾贵，是故久师则为国患也。曹公曰："军行已出界，近于师者贪财，皆贵卖。"皙谓将出界也。〇张预曰：近师之民，必贪利而贵货其物于远来输饷之人，则财不得不竭。

财竭则急于丘役。

张预曰：财力殚竭，则丘井之役急迫而不易供也。或曰：丘役，谓如鲁成公作丘甲也。国用急迫，乃使丘出甸赋，违常制也。丘，十六井；甸，六十四井。

力屈、财殚，中原内虚于家。百姓之费，十去其七〔一八〕；

曹操曰：丘，十六井也。百姓财殚尽而兵不解，则运粮尽力于原野也。十去其七者，所破费也〔一九〕。〇李筌曰：兵久不止，男女怨旷，困于输挽丘役，力屈财殚，而百姓之费，十去其七。〇杜牧曰：司马法曰："六尺为步，步百为亩，亩百为夫，夫三为屋，屋三为井，四井为邑，四邑为丘，四丘为甸。丘盖十六井也。丘有戎马一匹，牛四头；甸有戎马四匹，牛十六头。丘车一乘，甲士三人，步卒七十二人。"今言兵不解，则丘役益急，百姓粮尽财竭，力尽于原野，家业十耗其七也。〇陈皞曰：丘，聚也。聚敛赋役，以应军须，如此则财竭于人，人无不困也。〇王皙曰：急者，暴于常赋也。若鲁成公作丘甲是也。如此，则民费太半矣。要见公费差减，故云十七。曹公曰："丘，十六井。兵不解，则运粮尽力于原野。"〇何氏曰：国以民为本，民以食为天。居人上者，宜乎重惜。〇张预曰：运粮则力屈，输饷则财殚。原野之民，家产内虚，度其所费，十无其七也。

公家之费，破车罢马，甲胄矢弩，戟楯蔽橹，丘牛大车，十去其六〔二〇〕。

一本作"十去其七"。〇曹操曰：丘牛，谓丘邑之牛；大车，乃长毂车也〔二一〕。〇李筌曰：丘，大也。此数器者，皆军之所须。言远近之费，公家之物，十损于七也。〇梅尧臣曰:百姓以财粮力役奉军之费,其资十损乎七;公家以牛马器仗奉军之费,其资十损乎六。是以竭赋穷兵,百姓弊矣;役急民贫,国家虚矣。〇王晳曰:楯,干也。蔽,可以屏蔽。橹,大楯也。丘牛,古所谓匹马丘牛也。大车,牛车也。易曰:"大车以载。"〇张预曰:兵以车马为本,故先言车马。疲,敝也。蔽橹,楯也。今谓之彭排。丘牛,大牛也。大车,必革车也。始言破车疲马者,谓攻战之驰车也;次言丘牛大车者,即辎重之革车也。公家车马器械,亦十损其六。

⑤故智将务食于敌,食敌一锺,当吾二十锺;萁秆一石,当吾二十石。

曹操曰:六斛四斗为锺。萁,豆秸也。秆,禾藁也。石者,一百二十斤也。转输之法,费二十石得一石。一云:萁音忌,豆也。七十斤为一石。当吾二十,言远费也〔二二〕。〇杜牧曰:六石四斗为一锺。一石,一百二十斤。萁,豆秸也。秆,禾藁也。或言:萁,秆藁也。秦攻匈奴,使天下运粮,起于黄腄、琅邪负海之郡,转输北河,率三十锺而致一石。汉武建元中,通西南夷,作者数万人。千里负担馈粮,率十馀锺致一石。今校孙子之言"食敌一锺,当吾二十锺",盖约平地千里转输之法,费二十石得一石,不约道里,盖漏阙也。黄腄,音直瑞反,又音谁,在东莱。北河,即今之朔方郡。〇李筌曰:远师转一锺之粟,费二十锺方可达军。将之智也,务食于敌,以省己之费也。〇孟氏曰:十斛为锺。计千里转运,道路耗费,二十锺可致一锺于军中矣。〇梅尧臣注同曹操。〇王晳曰:曹公曰:"萁,豆秸也。秆,藁也。石者,百二十斤也。转输之法,费二十乃得一。"晳谓上文"千里馈粮",则转输之法,谓千里耳。萁,今作"萁"。秆,故书为"芊",当作"秆"。〇张预曰:六石四斗为锺。一百二十斤为石。萁,豆秸也。秆,禾藁也。千里馈粮,则费二十锺、石,而得一锺、石到军所。若越险阻,则犹不啻。故秦征匈奴,率三十锺而致一石。此言能将必因粮于敌也。

⑥故杀敌者,怒也;

曹操曰:威怒以致敌。〇李筌曰:怒者,军威也。〇杜牧曰:万人非能同心皆怒,在我激之以势使然也。田单守即墨,使燕人劓降者,掘城中人坟墓之类是也。○贾林曰:人之无怒,财不肯杀。○王晳曰:兵主威怒。○何氏曰:燕围齐之即墨,齐之降者尽劓。齐人皆怒,愈坚守。田单又纵反间曰:"吾惧燕人掘吾城外冢墓,戮辱先人,可为寒心。"燕军尽掘垅墓,烧死人。即墨人从城上望见,皆泣涕,其欲出战,怒自十倍。单知士卒可用,遂破燕师。后汉班超使西域,到鄯善,会其吏士三十六人,与共饮。酒酣,因激怒之曰:"今俱在绝域,欲立大功,以求富贵。虏使到裁数日,而王礼貌即废。如收吾属送匈奴,骸骨长为豺狼食矣〔二三〕。"官属皆曰:"今在危亡之地,死生从司马。"超曰:"不入虎穴,不得虎子。当今之计,独有因夜以火攻虏,使彼不知我多少,必大震怖,可殄尽也。灭此虏,则功成事立矣。"众曰:"善。"初夜,将吏士奔虏营。会天大风,超令十人持鼓,藏虏舍后,约曰:"见火燃,皆当鸣鼓大呼。"馀人悉持弓弩,夹门而伏。超顺风纵火,虏众惊乱,众悉烧死。蜀庞统劝刘备袭益州收刘璋,备曰:"此大事,不可仓卒。"及璋使备击张鲁,乃从璋求万兵及资宝,欲以东行。璋但许兵四千,其馀皆给半。备因激怒其众曰:"吾为益州征强敌,师徒勤瘁,不遑宁居。今积帑藏之财,而吝于赏功,望士大夫为出死力战,其可得乎!"由是相与破璋。○张预曰:激吾士卒,使上下同怒,则敌可杀。尉缭子曰"民之所以战者,气也",谓气怒则人人自战。

取敌之利者,货也〔二四〕。

曹操曰:军无财,士不来;军无赏,士不往。○李筌曰:利者,益军实也。○杜牧曰:使士见取敌之利者,货财也。谓得敌之货财,必以赏之,使人皆有欲,各自为战。后汉荆州刺史度尚,讨桂州贼帅卜阳、潘鸿等,入南海,破其三屯,多获珍宝。而鸿等党聚犹众,士卒骄富,莫有斗志。尚曰:"卜阳、潘鸿,作贼十年,皆习于攻守,当须诸郡并力,可攻之。今军恣听射猎。"兵士喜悦,大小相与从禽。尚乃密使人潜焚其营,珍积皆尽。猎者来还,莫不泣涕。尚曰:"卜阳等财货足富数世,诸卿但不并力耳。所亡少少,何足介意!"众闻,咸愤踊愿战。尚令秣马蓐食,明晨径赴贼屯。阳、鸿不设备,吏士乘锐,遂破之。此乃是也。○孟氏同杜牧注。○杜佑曰:人知胜敌有厚赏之利,则冒白刃、当矢石而乐以进战者,皆货财酬勋赏劳之诱也。○梅尧臣曰:杀敌,则激吾人以怒；取敌，则利吾人以货。〇王晳曰：谓设厚赏耳。若使众贪利自取，则或违节制耳。〇张预曰：以货啖士，使人自为战，则敌利可取。故曰："重赏之下，必有勇夫。"皇朝太祖命将伐蜀，谕之曰："所得州邑当与我，倾竭帑库以飨士卒；国家所欲，惟土疆耳。"于是将吏死战，所至皆下，遂平蜀。

故车战，得车十乘已上，赏其先得者，

曹操曰：以车战，能得敌车十乘已上，赏赐之。不言车战得车十乘已上者赏之，而言赏得者何？言欲开示赏其所得车之卒也。陈车之法，五车为队，仆射一人；十车为官，卒长一人；车满十乘，将吏二人。因而用之，故别言赐之，欲使将恩下及也。或曰：言使自有车十乘已上与敌战，但取其有功者赏之，其十乘已下，虽一乘独得，馀九乘皆赏之，所以率进励士也〔二五〕。〇李筌曰：重赏而劝进也。〇杜牧曰：夫得车十乘已上者，盖众人用命之所致也。若遍赏之，则力不足。与其所获之车，公家仍自以财货赏其唱谋先登者，此所以劝励士卒，故上文云："取敌之利者，货也。"言十乘者，举其纲目也。〇贾林曰：劝未得者，使自勉也。〇梅尧臣曰：遍赏则难周，故奖一而劝百也。〇王晳曰：以财赏其所先得之卒。〇张预曰：车一乘，凡七十五人。以车与敌战，吾士卒能获敌车十乘已上者，吾士卒必不下千馀人也。以其人众，故不能遍赏，但以厚利赏其陷陈先获者，以劝馀众。古人用兵，必使车夺车，骑夺骑，步夺步，故吴起与秦人战，令三军曰："若车不得车，骑不得骑，徒不得徒，虽破军，皆无功。"

而更其旌旗，

曹操曰：与吾同也。〇李筌曰：令色与吾同〔二六〕。〇贾林曰：令不识也。〇张预曰：变敌之色，令与己同。

车杂而乘之，

曹操曰：不独任也。〇李筌曰：夫降虏之旌旗，必更其色而杂其事，车乃可用也。〇杜牧曰：士卒自获敌车，任杂然自乘之，官不录也。〇梅尧臣曰：车许杂乘，旗无因故。〇王晳曰：谓得敌车，可与我车杂用之也。〇张预曰：己车与敌车参杂而用之，不可独任也。

卒善而养之〔二七〕，

张预曰：所获之卒，必以恩信抚养之，俾为我用。

是谓胜敌而益强。

曹操曰：益己之强。〇李筌曰：后汉光武破铜马贼于南阳，虏众数万，各配部曲，然人心未安。光武令各归本营，乃轻行其间以劳之。相谓曰："萧王推赤心置人腹中，安得不投死乎！"于是汉益振，则其义也。〇杜牧曰：得敌卒也，因敌之资，益己之强。〇梅尧臣曰：获卒，则任其所长，养之以恩，必为我用也。〇王晳曰：得敌卒则养之，与吾卒同。善者，谓勿侵辱之也。若厚抚初附，或失人心。〇何氏曰：因敌以胜敌，何往不强？〇张预曰：胜其敌，而获其车与卒，既为我用，则是增己之强。光武推赤心，人人投死之类也。

⑦故兵贵胜，不贵久。

曹操曰：久则不利。兵犹火也，不戢将自焚也。〇孟氏曰：贵速胜疾还也。〇梅尧臣曰：上所言皆贵速也。速则省财用、息民力也。〇何氏曰：孙子首尾言兵久之理，盖知兵不可玩、武不可黩之深也。〇张预曰：久则师老财竭，易以生变，故但贵其速胜疾归。

⑧故知兵之将，生民之司命，国家安危之主也〔二八〕。

曹操曰：将贤则国安也。〇李筌曰：将有杀伐之权，威欲却敌，人命所系，国家安危在于此矣。〇杜牧曰：民之性命，国之安危，皆由于将也。〇梅尧臣曰：此言任将之重。〇王晳曰：将贤，则民保其生，而国家安矣；否，则民被毒杀，而国家危矣。明君任属，可不精乎？〇何氏曰：民之性命，国之治乱，皆主于将；将之材难，古今所患也。〇张预曰：民之死生，国之安危，系乎将之贤否。

校 记

〔一〕本篇篇题，孙校本作"卷二计篇"，平津本及武经各本均作"作战第二"，樱田本作"战篇第二"，李注亦止称"战"。诸本虽篇题有异，但其顺序则均为第二。唯清邓廷罗集注列为第三，而将下篇谋攻列为第二。李注云："先定计，然后修战具，是以战次计之篇也"，是，故当仍之。

〔二〕“千驷”，御览卷三〇六引作“千乘”，与下句重文，非是。诸本皆作“千驷”，故仍之。

〔三〕“驾驷马”下，孙校本据御览与王注增补“凡千乘”三字，而平津本则无。今并存之。

〔四〕“车驾驷马，率三万军”，孙校本据御览改为“一车驾四马，卒十骑一重”。今亦存之。

〔五〕简本与十一家注本“内外之费”上皆有“则”字，而平津本与武经则无，樱田本同。校释谓上文语气至此并未转折，乃一直贯下，故当无。此说可参考。又，通典卷一四八引无自上“驰车千驷”至此处“车甲之奉”数句，乃佑省并之也。至于末句“十万之师”，诸本皆如此，唯通典卷一四八引“师”作“众”，御览卷三〇六引同，且“胶漆之材”又误作“胶漆之财”。

〔六〕孙校本改“购赏”为“赠赏”，并称牧注亦云“赠赏”。按：“购”字即有悬赏之义。史记淮阴传称韩信令军中勿杀广武君，曰“有能生得者，购千金”，即言赏千金。故原本作“购”不误，而“赠赏”之说则所未闻。故仍之。

〔七〕御览卷二九三引“其用战也”下无“胜”字，简本及其他通行诸本皆有之，孙校本同。赵注则谓“胜”上脱“贵”字，原文当作“其用战也贵胜”。清朱墉武经汇解引沈友注亦有“贵”字。而清左枢笺校本曹注则谓“胜”字乃衍文，当作“其用战也”，易培基从之。按：斟酌诸说，依沈注与赵说增补“贵”字，或依御览与左、易说删“胜”字，于文意之疏通，固可称善。但简本有“胜”字，杜牧等家亦注“胜久”，且下文亦有“兵贵胜，不贵久”之言，故亦未可遽予增删。今两存之。唯觉“胜久”费解，故属上读，作“其用战也胜，久则……”。俞樾古书疑义举例谓“胜”字在此当读如“速”。“胜”、“速”双声，例可通假。但“胜”字古属纽蒸韵，而“速”字则属纽屋韵，似非双声，故此说亦似有疑。今并存之，以资参较。

〔八〕“屈力殚货”，通典卷一四八引作“力屈货殚”，御览卷二九三引同。

〔九〕此句长短经惧诫引作“兵以拙速,不闻巧迟”。御览卷二九三引“睹”字亦作“闻”。“巧久”,亦有引作“工久”或“工迟之久”者,文字虽稍有差异,而文意则无不同,故不具述。

〔一〇〕御览卷二九三引“兵久”二字作“久兵”,“国”字作“图”,皆非是。

〔一一〕以上两句,樱田本脱“害者则不能尽知用兵之”十字。“不能尽知”,通典卷一四八引作“不能得”,御览卷三三二又引作“不得尽知”,皆非是。

〔一二〕“取利”,通典卷一四八引作“使利”。

〔一三〕“三载”,御览卷三三二引作“再载”,菁华录从之。按:“三”字在此,非如某些注家所说“往则随”、“缺则继”与“归则迎”,乃“三思”、“三复”之“三”,亦即不可执之虚数,而非实指,泛言其多也,故与“不再”实异词同义,皆言一次而足,不可再也。故原本作“三”不误。又御览引“籍”字作“藉”,孙校谓字之讹。按:二字古通,常互用,如汉书义纵传“治敢往,少温籍”,史记本传作“藉”,故作“藉”亦无不可,唯原本固作“籍”也。

〔一四〕“始载粮”,平津本“载”作“用”。

〔一五〕“人”,原本作“人”,孙校本已正,是。

〔一六〕此句诸通行本无异文,唯俞樾改“贫于师”为“远于师”,菁华录又改“百姓贫”为“国贫”。按:此句文意似有未顺,唯如此改动,虽不无一定道理,但缺乏版本依据,故未可遽从。且主要问题尚不在此,而在“远输”。通典卷一五六引二“远输”并作“远师远输”,御览卷三三二引同,简本前一“远输”作“远者”,即作“远者远输”。因简身残缺,不知此处是否有重文号,若有,则与通典所引略同,唯“远师”作“远者”。校释则参酌简本与通典,改此句为“国之贫于师者:远师者远输,还输则百姓贫”,如此非唯文意明析,且亦可与下文“近于师者贵卖”相对应。今仍依原文,并存上说。

〔一七〕“近于师”,诸本皆如此,唯通典卷一五六与御览卷三三二引无

"于"字,简本同,校释从之,以与上"远师"对应。但简本"师"作"市",则或涉"贵卖"而讹。又"百姓财竭",御览卷三三二引作"百姓虚,虚则竭",于鬯则谓"财竭"乃指军中财竭,非指百姓,因若贵卖,正百姓之利,何竭之有?故谓"百姓"二字为衍文。校释又参酌简文此处作"近市者贵□□□□则□及丘役"的事实,谓其间必无"百姓"二字,并依于说删之。按:当以无"百姓"为是。

〔一八〕财殚,武经本无,御览卷三三二引同,简本亦无,且"力屈"作"屈力"。但十一家注本、平津本、直解本、樱田本等则皆有之。按:上文言"屈力殚货",既"力"、"货"并提,注家亦并及之,故当以有"财殚"为善。"十去其七",诸本亦皆如此,而简本则"七"作"六"。按:此句之"七"与下句"十去其六"之"六",乃错综其词以成其义,皆言其太半也,故先言"七"后言"六",或先言"六"而后言"七",义无不同,故仍之。

〔一九〕如上曹注,平津本只有"丘,十六井也"五字。是宋本十一家注所据曹注本当系未经删定者。

〔二〇〕"公家之费",御览引"费"作"用"。"甲胄矢弩,戟楯蔽橹",十一家注本皆如此,而平津与武经各本则作"甲胄弓矢,戟楯矛橹",御览卷三三二引与樱田本同,校释从之,善。今两存之,以相参校。

〔二一〕"丘牛",平津本无"牛"字,脱。

〔二二〕如上曹注、平津本无"六斛四㪷为锺"与"一云"以下诸句。孙校本复据御览于"四㪷为锺"之下增补"计千里转运二十锺,而致一锺于军中也"十馀字。

〔二三〕"犲",孙校本改为"豺"。按:"豺"亦作"犲",原文不误。

〔二四〕此句诸本无异,唯直解作"取敌之货者,利也"。按:"货"在此乃赏义,言凡取敌之利者,则我有财货之赏也,非指士卒因贪利而取敌之财货。故当仍之,直解未可从。

〔二五〕以上曹注,平津本无,或尽删之也。

〔二六〕"令",原本作"恶",谈本同,而孙校本则作"令"。按:据各家注意，当作“令”，故从之。

〔二七〕简本“善”作“共”，按“共”有掺杂之义，故亦可通。

〔二八〕“知兵之将”，御览卷二七二引误作“知兵之术”。又“生民之司命”，原本如此，明本同，孙校本则据通典、御览删“生”字，校释从之，是。平津、武经与樱田等本亦皆无此字。又，“国家安危之主”，潜夫论劝将“国家”作“而国”，御览卷二七二引“安危”又作“安民”，皆无取。

谋攻篇〔一〕

曹操曰:欲攻敌,必先谋。○李筌曰:合陈为战,围城曰攻。以此篇次战之下。○杜牧曰:庙堂之上,计算已定,战争之具,粮食之费,悉已用备,可以谋攻,故曰"谋攻"也。○王晳曰:谋攻敌之利害,当全策以取之,不锐于伐兵、攻城也。○张预曰:计议已定,战具已集,然后可以智谋攻,故次作战。

①孙子曰:凡用兵之法:全国为上,破国次之;

曹操曰:兴师深入长驱,距其城郭〔二〕,绝其内外,敌举国来服为上。以兵击破,败而得之,其次也。○李筌曰:不贵杀也。韩信虏魏王豹、擒夏说、斩成安君,此为破国者。及用广武君计,北首燕路,遣一介之使,奉咫尺之书,燕从风而靡,则全国也。○贾林曰:全得其国,我国亦全,乃为上。○杜佑曰:敌国来服为上,以兵击破为次〔三〕。○王晳曰:若韩信举燕是也。○何氏曰:以方略气势,令敌人以国降,上策也。○张预曰:尉缭子曰:"讲武料敌,使敌气失而师散,虽形全而不为之用,此道胜也。破军杀将,乘堙发机,会众夺地,此力胜也。"然则所谓道胜、力胜者,即全国、破国之谓也。夫吊民伐罪,全胜为上;为不得已而至于破,则其次也。

全军为上,破军次之〔四〕;

曹操、杜牧曰:司马法曰:"一万二千五百人为军〔五〕。"○何氏曰:降其城邑,不破我军也。

全旅为上,破旅次之〔六〕;

曹操曰:五百人为旅。

全卒为上,破卒次之;

曹操曰:一校已下至一百人也〔七〕。○李筌曰:百人已上为卒。○杜佑曰:一校下至百人也。

全伍为上,破伍次之。

曹操曰:百人已下至五人。○李筌曰:百人已下为伍。○杜牧曰:五人为伍。○梅尧臣曰:谋之大者,全得之。○王晳曰:国、军、卒、伍,不间小大,全之则威德为优,破之则威德为劣〔八〕。○何氏曰:自军至伍,皆次序上下言之。此意以策略取之为妙,不惟一军,至于一伍,不可不全。○张预曰:周制:万二千五百人为军,五百人为旅,百人为卒,五人为伍。自军至伍,皆以不战而胜之为上。

是故百战百胜,非善之善者也;

曹操曰:未战而战自屈,胜善也〔九〕。○李筌曰:以计胜敌也〔一○〕。○陈皞曰:战必杀人故也。○贾林曰:兵威远振,全来降伏,斯为上也;诡诈为谋,摧破敌众,残人伤物,然后得之,又其次也。○杜佑曰:未战而敌自屈服〔一一〕。○梅尧臣曰:恶乎杀伤残害也。○张预曰:战而后能胜,必多杀伤,故云非善。

不战而屈人之兵,善之善者也。

曹操曰:未战而敌自屈服。○杜牧曰:以计胜敌。○陈皞曰:韩信用李左车之计,驰咫尺之书,不战而下燕城也。○孟氏曰:重庙胜也。○王晳曰:兵贵伐谋,不务战也。○何氏曰:后汉王霸讨周建、苏茂,既战归营,贼复聚挑战,霸坚卧不出。方飨士作倡乐,茂雨射营中,中霸前酒樽,霸安坐不动。军吏曰:"茂已破,今易击。"霸曰:"不然。茂客兵远来,粮食不足,故挑战,以徼一切之胜。今闭营休士,所谓不战而屈人兵,善之善也。"茂乃引退。○张预曰:明赏罚,信号令,完器械,练士卒,暴其所长,使敌从风而靡,则为大善。若吴王黄池之会〔一二〕,晋人畏其有法而服之者是也。

②故上兵伐谋,

曹操曰：敌始有谋，伐之易也。○李筌曰：伐其始谋也。后汉寇恂围高峻，峻遣谋臣皇甫文谒恂，辞礼不屈。恂斩之，报峻曰："军师无礼，已斩之。欲降，急降；不欲，固守。"峻即日开壁而降。诸将曰："敢问杀其使而降其城何也？"恂曰："皇甫文，峻之心腹，其取谋者。留之，则文得其计；杀之，则峻亡其胆，所谓上兵伐谋。"诸将曰："非所知也。"○杜牧曰：晋平公欲攻齐，使范昭往观之，景公觞之。酒酣，范昭请君之樽酌。公曰："寡人之樽进客。"范昭已饮，晏子彻樽更为酌。范昭佯醉，不悦而起舞，谓太师曰："能为我奏成周之乐乎？吾为舞之。"太师曰："瞑臣不习。"范昭趋出。景公曰："晋，大国也，来观吾政。今子怒大国之使者，将奈何？"晏子曰："观范昭非陋于礼者，且欲慚于国，臣故不从也。"太师曰："夫成周之乐，天子之乐也，惟人主舞之。今范昭人臣，而欲舞天子乐，臣故不为也。"范昭归，报晋平公曰："齐未可伐。臣欲辱其君，晏子知之；臣欲犯其礼，太师识之。"仲尼曰："不越樽俎之间，而折冲千里之外，晏子之谓也。"春秋时，秦伐晋，晋将赵盾御之，上军佐臾骈曰："秦不能久，请深垒固军以待之。"秦人欲战，秦伯谓士会曰："若何而战？"对曰："赵氏新出其属曰臾骈，必实为此谋，将以老我师也。赵有侧室曰穿，晋君之婿也，有宠而弱，不在军事，好勇而狂，且恶臾骈之佐上军。若使轻者肆焉，其可。"秦军掩晋上军，赵穿追之不及，返，怒曰："裹粮坐甲，固敌是求；敌至不击，将何俟焉？"军吏曰："将有待也。"穿曰："我不知谋，将独出。"乃以其属出。赵盾曰："秦获穿也，获一卿矣！秦以胜归，我何以报？"乃皆出战，交绥而退。夫晏子之对，是敌人将谋伐我，我先伐其谋，故敌人不得而伐我。士会之对，是我将谋伐敌，敌人有谋拒我，乃伐其谋，敌人不得与我战。斯二者，皆伐谋也。故敌欲谋我，伐其未形之谋；我若伐敌，败其已成之计，固非止于一也。○孟氏曰：九攻九拒，是其谋也。○杜佑曰：敌方设谋，欲举众师，伐而抑之，是其上。故太公云"善除患者，理于未生；善胜敌者，胜于无形"也〔一三〕。○梅尧臣曰：以智胜。○王皙曰：以智谋屈人最为上。○何氏曰：敌始谋攻我，我先攻之，易也。揣知敌人谋之趣向，因而加兵，攻其彼心之发也。○张预曰：敌始发谋，我从而攻之，彼必丧计而屈服，若晏子之沮范昭是也。或曰：伐谋者，用谋以伐人也，言以奇策秘算，取胜于不战，兵之上也。

其次伐交，

曹操曰：交，将合也。○李筌曰：伐其始交也。苏秦约六国不事秦，而秦闭关十五年，不敢窥山东也。○杜牧曰：非止将合而已，合之者，皆可伐也。张仪愿献秦地六百里于楚怀王，请绝齐交。随何于黥布坐上杀楚使者，以绝项羽。曹公与韩遂交马语，以疑马超。高洋以萧深明请和于梁，以疑侯景，终陷台城。此皆伐交。权道变化，非一途也。○陈皞曰：或云敌已兴师交合，伐而胜之，是其次也。若晋文公敌宋，携离曹、卫也。○孟氏曰：交合强国，敌不敢谋。○梅尧臣曰：以威胜。○王皙曰：谓未能全屈敌谋，当且间其交，使之解散。彼交，则事钜敌坚；彼不交，则事小敌脆也。○何氏曰：杜称已上四事，乃亲而离之之义也。伐交者，兵欲交合，设疑兵以惧之，使进退不得，因来屈服。旁邻既为我援，敌不得不孤弱也。○张预曰：兵将交战，将合则伐之。传曰："先人有夺人之心。"谓两军将合，则先薄之，孙叔敖之败晋师、厨人濮之破华氏是也。或曰：伐交者，用交以伐人也，言欲举兵伐敌，先结邻国为掎角之势，则我强而敌弱。○〔一四〕

其次伐兵，

曹操曰：兵形已成也。○李筌曰：临敌对陈，兵之下也。○贾林曰：善于攻取，举无遗策，又其次也。故太公曰："争胜于白刃之前者，非良将也。"○梅尧臣曰：以战胜。○王皙曰：战者危事。○张预曰：不能败其始谋，破其将合，则犀利兵器以胜之。兵者，器械之总名也。太公曰："必胜之道，器械为宝。"

其下攻城〔一五〕。

曹操曰：敌国已收其外粮城守，攻之为下政也〔一六〕。○李筌曰：夫王师出境，敌则开壁送款，举棕辕门，百姓怡悦，政之上也。若顿兵坚城之下，师老卒惰，攻守势殊，客主力倍，以此政之为下也〔一七〕。○杜佑曰：言攻城屠邑，政之下者，所害者多〔一八〕。○梅尧臣曰：费财役为最下。○王皙曰：士卒杀伤，城或未克。○张预曰：夫攻城屠邑，不惟老师费财，兼亦所害者多，是为攻之下者。

攻城之法，为不得已〔一九〕，

张预曰：攻城则力屈，所以必攻者，盖不获已耳。

修橹轒辒，具器械，三月而后成；距闉，又三月而后已〔二〇〕。

曹操曰：修，治也。橹，大楯也。轒辒者，轒床也。轒床其下四轮，从中推之至城下也。具，备也。器械者，机关攻守之总名，飞楼、云梯之属。距闉者，踊土积高而前，以附其城也〔二一〕。○李筌曰：橹，楯也，以蒙首而趋城下。轒辒者，四轮车也，其下藏兵数十人，填隍推之，直就其城，木石所不能坏也。器械，飞楼、云梯、板屋、木幔之类也。距闉者，土木山乘城也〔二二〕。东魏高欢之围晋州，侯景之攻台城，则其器也。役约三月，恐兵久而人疲也。○杜牧曰：橹，即今之所谓彭排。轒辒，四轮车，排大木为之，上蒙以生牛皮，下可容十人，往来运土填堑，木石所不能伤，今俗所谓木驴是也。距闉者，积土为之，即今之所谓垒道也。三月者，一时也。言修治器械，更其距闉，皆须经时精好成就，恐伤人之甚也。管子曰："不能致器者困。"言无以应敌也。太公曰："必胜之道，器械为宝。"汉书志曰："兵之伎巧，一十有三家，习手足，便器械机关，以立攻守之胜者。"夫攻城者，有撞车、划钩车、飞梯、虾蟆木、解合车、狐鹿车、影车、高障车、马头车、独行车、运土豚鱼车。○陈皞曰：杜称橹为彭排，非也。若是彭排，即当用此樐字。曹云大楯，庶或近之。盖言候器械全具须三月，距闉又三月，已计六月；将若不待此而生忿速，必多杀士卒。故下云"将不胜其忿而蚁附之"，"灾也"。○杜佑曰：轒辒，上汾下温。修橹，长橹也。轒辒，四轮车。皆可推而往来，冒以攻城。器械，谓云梯、浮格衡、飞石、连弩之属。攻城总名，言修其攻具，经一时乃成也〔二三〕。距闉者，踊土积高而前，以附于城也。积土为山曰堙，以距敌城，观其虚实，春秋传曰"楚司马子反乘堙而窥宋城"也。梅尧臣曰：威智不足以屈人，不获已而攻城也，治攻具须经时也。曹公曰："橹，大楯也。轒辒者，轒床也，其下四轮，从中推至城下也。器械，机关攻守之总名，蜚梯之属也。"谓橹为大楯，非也。兵之具甚众，何独言修大楯耶？今城上守御楼曰橹，橹是轒床上革屋，以蔽矢石者欤？○张预曰：修橹，大楯也。传曰："晋侯登巢车以望楚军。"注云："巢车，车上为橹。"又："晋师围偪阳，鲁人建大车之轮，蒙之以甲，以为橹，左执之，右拔戟，以成一队。"注云："橹，大楯也。"以此观之，修橹为大楯明矣。轒辒，四轮车，其下可覆数十人，运土以实隍者。器械,攻城总名也。三月者,约经时成也。或曰:孙子戒心忿而亟攻之,故权言以三月成器械,三月起距堙,其实不必三月也。城尚不能下,则又积土与城齐,使士卒上之,或观其虚实,或毁其楼橹,欲必取也。土山曰堙,楚子反乘堙而窥宋城是也。器械言成者,取其久而成就也。距堙言已者,以其经时而毕上也。皆"不得已"之谓。

将不胜其忿而蚁附之,杀士三分之一,而城不拔者,此攻之灾也〔二四〕。

曹操曰:将忿,不待攻器成,而使士卒缘城而上,如蚁之缘墙,必杀伤士卒也〔二五〕。○李筌曰:将怒而不待攻城,而使士卒肉薄登城,如蚁之所附墙,为木石所杀之者,三有一焉,而城不拔者,此攻之灾也。○杜牧曰:此言为敌所辱,不胜忿怒也。后魏太武帝率十万众,寇宋臧质于盱眙。太武帝始就质求酒,质封溲便与之。太武大怒,遂攻城。乃命肉薄登城,分番相代;坠而复升,莫有退者,尸与城平,复杀其高梁王。如此三旬,死者过半。太武闻彭城断其归路,见疾疫甚众,乃解退。传曰:"一女乘城,可敌十夫。"以此校之,尚恐不啻。○贾林曰:但使人心外附,士卒内离,城乃自拔。○杜佑曰:守过二时,敌人不服,将不胜心之忿,多使士卒蚁附其城,杀伤我士民三分之一也。言攻趣不拔〔二六〕,还为己害。故韩非曰:"夫一战不胜,则祸暨矣〔二七〕。"○何氏曰:将心忿急,使士卒如蚁缘而登,死者过半,城且不下,斯害也已。○张预曰:攻逾二时,敌犹不服,将心忿躁,不能持久,使战士蚁缘而登城,则其士卒为敌人所杀三中之一,而坚城终不可拔,兹攻城之害也已。或曰:将心忿速,不俟六月之久,而亟攻之,则其害如此。

③故善用兵者,屈人之兵而非战也,

李筌曰:以计屈敌,非战之屈者。晋将郭淮围麹城,蜀将姜维来救。淮趋牛头山,断维粮道及归路。维大震,不战而遁,麹城遂降。则不战而屈之义也。○杜牧曰:周亚夫敌七国,引兵东北,壁昌邑,以梁委吴,使轻兵绝吴饷道。吴、梁相弊而食竭,吴遁去,因追击,大破之。蜀将姜维使将句安、李韶守麹城,魏将陈泰围之。姜维来救,出自牛头山,与泰相对。泰曰:"兵法贵在不战而屈人,今绝牛头,维无返道,则我之擒也。诸军各守勿战,绝其还路。"维惧,遁走,安等遂降。○梅尧臣曰:战则伤人。○王晳曰:若李左车说成安君,请以奇兵三万人扼韩信于井陉之策是也。○何氏曰:言伐谋、伐交,不至于战。故司马法曰:"上谋不斗。"其旨见矣。○张预曰:前所陈者,庸将之为耳。善用兵者则不然,或破其计,或败其交,或绝其粮,或断其路,则可不战而服之。若田穰苴明法令,拊士卒,燕晋闻之,不战而遁亦是也。

拔人之城而非攻也,

李筌曰:以计取之。后汉酂侯臧宫围妖贼于原武,连月不拔,士卒疾疠。东海王谓宫曰:"今拥兵围必死之虏,非计也。宜撤围,开其生路而示之,彼必逃散,一亭长足擒也。"从之,而拔原武。魏攻壶关,亦其义也。○杜牧曰:司马文王围诸葛诞于寿春,议者多欲急攻之。文王以诞城固众多,攻之力屈,若有外救,表里受敌,此至危之道也。吾当以全策縻之,可坐制也。诞二年五月反,三年二月破灭。六军按甲,深沟高垒,而诞自困。十六国前燕将慕容恪率兵讨段龛于广固〔二八〕,恪围之。诸将劝恪急攻之,恪曰:"军势有缓而克敌,有急而取之。若彼我势既均,外有强援,力足制之,当羁縻守之,以待其毙。"乃筑室反耕,严固围垒,终克广固,曾不血刃也。○孟氏曰:言以威刑服敌,不攻而取,若郑伯肉袒以迎楚庄王之类。○梅尧臣曰:攻则伤财。○王晳曰:若唐太宗降薛仁杲是也。○张预曰:或攻其所必救,使敌弃城而来援,则设伏取之。若耿弇攻临淄而克西安、胁巨里而斩费邑是也。或外绝其强援,以久持之,坐俟其毙,若楚师筑室反耕以服宋是也。兹皆不攻而拔城之义也。

毁人之国而非久也〔二九〕。

曹操曰:毁灭人国,不久露师也。○李筌曰:以术毁人国,不久而毙。隋文问仆射高颎伐陈之策,颎曰:"江外田收,与中国不同。伺彼农时,我正暇豫,征兵掩袭,彼释农守御,候其聚兵,我便解退。再三若此,彼农事疲矣。又南方地卑,舍悉茅竹,仓库储积,悉依其间,密使行人因风纵火,候其营立,更为之。"行其谋,陈始病也。○杜牧曰:因敌有可乘之势,不失其机,如摧枯朽。沛公入关,晋降孙皓,隋取陈氏,皆不久之。○贾林曰:兵不可久,久则生变。

但毁灭其国,不伤残于人,若武王伐殷,殷人称为父母。○杜佑曰:若诛理暴逆,毁灭敌国,不暴师众也。○梅尧臣曰:久则生变。○王晳同梅尧臣注。○何氏曰:善攻者,不以兵攻,以计困之,令其自拔,令其自毁,非劳久守而取之也。○张预曰:以顺讨逆,以智伐愚,师不久暴,而敌国灭,何假六月之稽乎!

必以全争于天下〔三〇〕,故兵不顿而利可全,此谋攻之法也。

曹操曰:不与敌战,而必完全得之,立胜于天下,不顿兵血刃也。○李筌曰:以全胜之计争天下,是以不顿收利也。○梅尧臣曰:全争者,兵不战,城不攻,毁不久,皆以谋而屈敌,是曰"谋攻",故不钝兵利自完。○张预曰:不战则士不伤,不攻则力不屈,不久则财不费。以完全立胜于天下,故无顿兵血刃之害,而有国富兵强之利,斯良将计攻之术也。

④故用兵之法,十则围之,

曹操曰:以十敌一则围之,是将智勇等而兵利钝均也;若主弱客强,不用十也〔三一〕。操所以倍兵围下邳生擒吕布也。○杜牧曰:围者,谓四面垒合,使敌不得逃逸。凡围四合,必须去敌城稍远,占地既广,守备须严,若非兵多,则有阙漏,故用兵有十倍也。吕布败,是上下相疑,侯成执陈宫委布降,所以能擒,非曹公兵力而能取之。若上下相疑,政令不一,设使不围,自当溃叛,何况围之?固须破灭。孙子所言"十则围之",是将勇智等而兵利钝均,不言敌人自有离叛。曹公称倍兵降布,盖非围之力穷也,此不可以训也。○李筌曰:愚智、勇怯等,十倍于敌则围之,攻守殊势也。○杜佑曰:以十敌一则围之,是为将智勇等而兵利钝均也。若主弱客劲,不用十也。曹公操所以倍兵围下邳,生擒吕布。若敌坚垒固守〔三二〕,依附险阻,彼一我十,乃可围也。敌虽盛,所据不便,未必十倍然后围之。○梅尧臣曰:彼一我十,可以围。○何氏曰:围者,四面合兵以围城。而校量彼我兵势,将才愚智、勇怯等,而我十倍胜于敌人,是以十对一,可以围之,无令越逸也。○张预曰:吾之众十倍于敌,则四面围合以取之,是为将智勇等而兵利钝均也。若主弱客强,不必十倍然后围之。尉缭子曰:"守法:一而当十,十而当百,百而当千,千而当万。"言守者十人,而当围者百人，与此法同。

五则攻之，

曹操曰：以五敌一，则三术为正，二术为奇〔三三〕。○李筌曰：五则攻之，攻守势殊也。○杜牧曰：术，犹道也，言以五敌一，则当取己三分为三道，以攻敌之一面；留己之二，候其无备之处，出奇而乘之。西魏末，梁州刺史宇文仲和据州，不受代。魏将独孤信率兵讨之，仲和婴城固守，信夜令诸将以冲梯攻其东北，信亲帅将士袭其西南，遂克之也。○陈皞曰：兵既五倍于敌〔三四〕，自是我有馀力，彼之势分也，岂止分为三道以攻敌？此独说攻城，故下文云："小敌之坚，大敌之擒也。"○杜佑曰：若敌并兵自守，不与我战，彼一我五，乃可攻战也。或无敌人内外之应〔三五〕，未必五倍然后攻。○梅尧臣同杜佑注。○王晳曰：谓十围而取五，则攻者皆势力有馀，不待其虚懈也。此以下亦谓智勇、利钝均耳。○何氏曰：愚智勇怯等〔三六〕，量我五倍多于敌人，可以三分攻城，二分出奇以取胜。张预曰：吾之众五倍于敌，则当惊前掩后，冲东击西；无五倍之众，则不能为此计。曹公谓三术为正，二术为奇，不其然乎？若敌无外援，我有内应，则不须五倍然后攻之。

倍则分之，

曹操曰：以二敌一，则一术为正，一术为奇。○李筌曰：夫兵者倍于敌，则分半为奇；我众彼寡，动而难制。苻坚至淝水，不分而败；王僧辩至张公洲，分而胜也。○杜牧曰：此言非也。此言以二敌一，则当取己之一，或趣敌之要害，或攻敌之必救，使敌一分之中，复须分减相救，因以一分而击之。夫战法，非论众寡，每陈皆有奇正，非待人众，然后能设奇。项羽于乌江，二十八骑尚不聚之，犹设奇正，循环相救，况于其他哉！○陈皞曰：直言我倍于敌，分兵趋其所必救，即我倍中更倍，以击敌之中分也。杜虽得之，未尽其说也。○杜佑曰：己二敌一，则一术为正，一术为奇。彼一我二，不足为变，故疑兵分离其军也。故太公曰："不能分移，不可以语奇。"○梅尧臣曰：彼一我二，可分其势。○王晳曰：谓分者，分为二军，使其腹背受敌，则我得一倍之利也。○何氏曰：兵倍于敌，则分半为奇；我众彼寡，足可分兵；主客力均，善战者胜也。○张预曰：吾之众一倍于敌,则当分为二部;一以当其前,一以冲其后。彼应前,则后击之;应后,则前击之。兹所谓"一术为正,一术为奇"也。杜氏不晓兵分则为奇,聚则为正,而遽非曹公,何误也!

敌则能战之〔三七〕,

曹操曰:己与敌人众等,善者犹当设伏奇以胜之。○李筌曰:主客力敌,惟善者战。○杜牧曰:此说非也。凡己与敌人兵众多少、智勇利钝一旦相敌,则可以战。夫伏兵之设,或在敌前,或在敌后,或因深林丛薄,或因暮夜昏晦,或因隘厄山阪,击敌不备,自名伏兵,非奇兵也。○陈皞曰:料己与敌人众寡相等,先为奇兵可胜之计,则战之。故下文云:"不若则能避之。"杜说奇伏,得之也。○梅尧臣曰:势力均,则战。○王皙曰:谓能者能感士卒心,得其死战耳。若设奇伏以取胜,是谓智优,不在兵敌也。○何氏曰:敌,言等敌也。唯能者可以战胜耳。○张预曰:彼我相敌,则以正为奇,以奇为正,变化纷纭,使敌莫测,以与之战。兹所谓设奇伏以胜之也。杜氏不晓凡置陈皆有扬奇备伏,而云伏兵当在山林,非也。

少则能逃之〔三八〕,

曹操曰:高壁坚垒,勿与战也。○李筌曰:量力不如,则坚壁不出,挫其锋,待其气懈,而出奇击之。齐将田单守即墨,烧牛尾,即杀骑劫,则其义也。○杜牧曰:兵不敌,且避其锋,当俟隙〔三九〕,便奋决求胜。言能者,谓能忍忿受耻,敌人求挑不出也,不似曹咎汜水之战也。○陈皞曰:此说非也。但敌人兵倍于我,则宜避之,以骄其志,用为后图,非谓忍忿受耻。太宗辱宋老生以虏其众,岂是兵力不等也?○贾林曰:彼众我寡,逃匿兵形,不令敌知,当设奇伏以待之,设诈以疑之,亦取胜之道。又,一云:逃匿兵形,敌不知所备,惧其变诈,全军亦逃。○杜佑曰:高壁坚垒,勿与战也。彼之众,我之寡,不可敌,则当自逃,守匿其形〔四〇〕。○梅尧臣曰:彼众我寡,去而勿战。○王皙曰:逃,伏也,谓能倚固逃伏以自守也。传曰:"师逃于夫人之宫。"或兵少而有以胜者,盖将优卒强耳。○何氏曰:兵少固壁,观变潜形,见可则进。○张预曰:彼众我寡,宜逃去之,勿与战,是亦为将智勇等而兵利钝均也。若我治彼乱,我奋彼怠,则敌虽众,亦可以合战。若吴起以五百乘破秦五十万众,谢玄以八千卒败苻坚一百万,岂须逃之乎?

不若则能避之。

曹操曰:引兵避之也。○杜牧曰:言不若者,势力、交援俱不如也,则须速去之,不可迁延也。如敌人守我要害,发我津梁,合围于我,则欲去,不复得也。○杜佑曰:引兵备之〔四一〕,强弱不敌,势不相若,则引军避,待利而动。○梅尧臣曰:势力不如,则引而避。○王晳曰:将与兵俱不若,遇敌攻,必败也。○张预曰:兵力、谋勇皆劣于敌,则当引而避之,以伺其隙。

故小敌之坚,大敌之擒也。

曹操曰:小不能当大也。○李筌曰:小敌不量力而坚战者,必为大敌所擒也。汉都尉李陵以步卒五千之众对十万之军,而见殁匈奴也。○杜牧曰:言坚者,将性坚忍,不能逃,不能避,故为大者之所擒也。○孟氏曰:小不能当大也,言小国不量其力,敢与大邦为雠,虽权时坚城困守,然后必见擒获。春秋传曰:"既不能强,又不能弱,所以败也。"○梅尧臣曰:不逃、不避,虽坚亦擒。○王晳注同梅尧臣。○何氏曰:如右将军苏建、前将军赵信将兵三千馀人,与大将军卫青分行,独逢单于兵数万,力战一日,汉兵且尽。前将军信胡人,降为翕侯;匈奴诱之,遂将其馀骑可八百馀奔降单于。右将军苏建遂尽亡其军,独以身得亡自归。大将军问其正闳、长史安、议郎周霸等,建为云何?霸曰:"自大将军出,未尝斩一裨将。今建弃军,可斩以明威重。"闳、安曰:"不然。兵法:'小敌之坚,大敌之擒也。'今建独以数千当单于数万,力战一日,馀士尽不敢有二心,自归而斩之,是示后人无归意也。"○张预曰:小敌不度强弱而坚战,必为大敌之所擒,息侯屈于郑伯、李陵降于匈奴是也。孟子曰:"小固不可以敌大,弱固不可以敌强,寡固不可以敌众。"

⑤夫将者,国之辅也,辅周则国必强,

曹操曰:将周密,谋不泄也。○李筌曰:辅,犹助也。将才足,则兵必强。○杜牧曰:才周也。○贾林曰:国之强弱,必在于将。将辅于君而才周,其国则强;不辅于君,内怀其贰,则弱。择人授任,不可不慎。○何氏曰:周,谓才智具

也。得才智周备之将,国乃安强也。

辅隙则国必弱。

曹操曰:形见于外也。○李筌曰:隙,缺也。将才不备,兵必弱。○杜牧曰:才不周也。○梅尧臣曰:得贤则周备,失士则隙缺。○王皙曰:周,谓将贤则忠才兼备;隙,谓有所缺也。○何氏曰:言其才不可不周,用事不可不周知也。故将在军,必先知五事、六行、五权之用,与夫九变、四机之说,然后可以内御士众,外料战形;苟昧于兹,虽一日,不可居三军之上矣。○张预曰:将谋周密,则敌不能窥,故其国强;微缺,则乘衅而入,故其国弱。太公曰:"得士者昌,失士者亡。"

⑥故君之所以患于军者三〔四二〕:

梅尧臣曰:患君之所不知。○孟氏曰:已下语是。○张预曰:下三事也。

不知军之不可以进,而谓之进;不知军之不可以退,而谓之退,是谓縻军〔四三〕。

曹操曰:縻,御也。○李筌曰:縻,绊也。不知进退者,军必败,如绊骥足,无驰骋也。楚将龙且逐韩信而败,是不知其进;秦将苻融挥军少却而败,是不知其退。○杜牧曰:犹驾御縻绊,使不自由也。君,国君也。患于军者,为军之患害也。夫授钺凶门、推毂、阃外之事,将军裁之。如赵充国欲为屯田,汉宣必令决战;孙皓临灭,贾充尚请班师,此不知进退之谓也。○贾林曰:军之进退,将可临时制变,君命内御,患莫大焉。故太公曰:"国不可以从外治,军不可以从中御。"○杜佑曰:縻,御也,靡为反。君不知军之形势,而欲从中御也。故太公曰:"国不可以从外治,军不可以从中御〔四四〕。"○梅尧臣曰:君不知进退之宜,而专进退,是縻系其军,六韬所谓"军不可以从中御"。○王皙曰:縻,系也。去此患,则当托以不御之权,故必忠才兼备之臣为之将也。○张预曰:军未可以进,而必使之进;军未可以退,而必使之退,是谓縻绊其军也。故曰:进退由内御,则功难成。

不知三军之事,而同三军之政者,则军士惑矣〔四五〕。

曹操曰:"军容不入国,国容不入军",礼不可以治兵也。○李筌曰:任将不以其人也。燕将慕容评出军，所在因山泉卖樵水，贪鄙积货，为三军帅，不知其政也。○杜牧曰：盖谓礼度法令，自有军法从事，若使同于寻常治国之道，则军士生惑矣。至如周亚夫见天子不拜，汉文知其勇不可犯。魏尚守云中，上首级，为有司所劾，冯唐所以发愤也。○杜佑曰："军容不入国，国容不入军"，礼不可以治兵也〔四六〕。夫治国尚礼义，兵贵于权诈，形势各异，教化不同，而君不知其变，军国一政，以用治民，则军士疑惑，不知所措。故兵经曰"在国以信，在军以诈"也。○陈皞曰：言不知三军之事，违众沮议。左传称晋彘季不从军师之谋，而以偏师先进，终为楚之所败也。○梅尧臣曰：不知治军之务，而参其政，则众惑乱也。曹公引司马法曰"军容不入国，国容不入军"是也。○何氏曰：军、国异容，所治各殊。欲以治国之法以治军旅，则军旅惑乱。○张预曰：仁义可以治国，而不可以治军；权变可以治军，而不可以治国，理然也。虢公不修慈爱，而为晋所灭；晋侯不守四德，而为秦所克，是不以仁义治国也。齐侯不射君子，而败于晋，宋公不擒二毛，而衄于楚，是不以权变治军也。故当仁义而用权谲，则国必危，晋虢是也；当变诈而尚礼义，则兵必败，齐宋是也。然则治国之道，固不可以治军也。

不知三军之权，而同三军之任，则军士疑矣〔四七〕。

曹操曰：不得其人也〔四八〕。○杜牧曰：谓将无权智，不能铨度军士，各任所长，而雷同使之，不尽其材，则三军生疑矣。黄石公曰："善任人者，使智、使勇、使贪、使愚，智者乐立其功，勇者好行其志，贪者邀趋其利，愚者不顾其死。"○陈皞曰：将在军，权不专制，任不自由，三军之士自然疑也。○杜佑曰：不得其人也。君之任将，当精择焉。将若不知权变，不可付以势位。苟授非其人，则举措失所，军覆败也。若赵不用广武君而用成安君〔四九〕。○梅尧臣曰：不知权谋之道，而参其任用，则众疑贰也。○王皙曰：政也，权也，使不知者同之，则动有违异，必相牵制也，是则军众疑惑矣。裴度所以奏去监军平蔡州也，此皆由君上不能专任贤将，则使同之，故通谓之三患。○何氏曰：不知用兵权谋之人，用之为将，则军不治而士疑。○张预曰：军吏中有不知兵家权谋之人，而使同居将帅之任，则政令不一，而军疑矣。若邲之战，中军帅荀林父欲还，裨将先縠不从，为楚所败是也。近世以中官监军，其患正如此。高崇文伐蜀，因罢之，遂能成功。

三军既惑且疑，则诸侯之难至矣，是谓乱军引胜〔五〇〕。

曹操曰：引，夺也。○李筌曰：引，夺也。兵，权道也，不可谬而使处。赵上卿蔺相如言赵括徒能读其父书，然未知合变，王今以名使括，如胶柱鼓瑟。此则"不知三军之权〔五一〕，而同三军之任"。赵王不从，果有长平之败，诸侯之难至也。○杜牧曰：言我军疑惑，自致扰乱，如引敌人使胜我也。○孟氏曰：三军之众，疑其所任，惑其所为，则邻国诸侯因其乖错，作难而至也。太公曰："疑志不可以应敌。"○梅尧臣曰：君徒知制其将，不能用其人，而乃同其政、任，俾众疑惑，故诸侯之难作，是自乱其军，自去其胜。○王皙曰：引诸侯胜己也。○何氏曰：士疑惑而无畏则乱，故敌国得以乘我隙衅而至矣。○张预曰：军士疑惑，未肯用命，则诸侯之兵乘隙而至，是自溃其军、自夺其胜也。

⑦故知胜有五：

李筌曰：谓下五事也。○张预曰：下五事也。

知可以战与不可以战者胜〔五二〕；

○孟氏曰：能料知敌情、审其虚实者胜也。○李筌曰：料人事逆顺，然后以太一遁甲算三门遇奇五将无关格，迫胁主客之计者，必胜也。○杜牧曰：下文所谓"知彼知己"是也。○梅尧臣曰：知可不可之宜。○王皙曰：可则进，否则止，保胜之道也。○何氏曰：审己与敌。○张预曰：可战则进攻，不可战则退守。能审攻守之宜，则无不胜。

识众寡之用者胜〔五三〕；

李筌曰：量力也。○杜牧曰：先知敌之众寡，然后起兵以应之，如王翦伐荆，曰"非六十万不可"是也。○杜佑曰：言兵之形，有众而不可击寡，或可以弱制强，而能变之者胜也，故春秋传曰"师克在和，不在众"是也。○梅尧臣曰：量力而动。○王皙曰：谓我对敌兵之众寡，围、攻、分、战是也。○张预曰：用兵之法，有以少而胜众者，有以多而胜寡者，在乎度其所用，而不失其宜则善，如吴子所谓"用众者务易，用少者务隘"是也。

上下同欲者胜〔五四〕；

曹操曰：君臣同欲。○李筌曰：观士卒心，上下同欲，如报私仇者胜。○陈皞曰：言上下共同其利欲，则三军无怨，敌可胜也。传曰"以欲从人则可，以人从欲鲜济"也。○杜佑曰：言君臣和同，勇而战者胜。故孟子曰："天时不如地利，地利不如人和。"○梅尧臣曰：心齐一也。○王晳曰：上下一心。若先縠刚愎以取败，吕布违异以致亡，皆上下不同欲之所致。○何氏曰：书云："受有亿兆夷人，离心离德；予有乱臣十人，同心同德。"商灭而周兴。○张预曰：百将一心，三军同力，人人欲战，则所向无前矣。

以虞待不虞者胜；

李筌、杜牧曰：有备预也。○孟氏曰：虞，度也。左传曰"不备不虞，不可以师"，待敌之可胜也。○陈皞曰：谓先为不可胜之师，待敌之可胜也。○杜佑曰：虞，度也。以我有法度之师，击彼无法度之兵。故春秋传曰"不备不虞，不可以师"是也〔五五〕。○梅尧臣曰：慎备非常。○王晳曰：以我之虞，待敌之不虞也。○何氏曰：春秋时，城濮之后，晋无楚备，以败于邲。邲之后〔五六〕，楚无晋备，以败于鄢。自鄢已来，晋不失备，而加之以礼，重之以睦，是以楚弗能加晋。又，周末，荆人伐陈，吴救之，军行三十里，雨十日夜，不见星。左史倚相谓大将子期曰："雨十日夜，甲辑兵聚，吴人必至，不如备之。"乃为陈。而吴人至，见荆有备而反。左史曰："其反覆六十里，其君子休，小人为食；我行三十里，击之必克。"从之，遂破吴军。魏大将军南征吴，到积湖。魏将满宠帅诸军在前，与敌隔水相对。宠令诸将曰："今夕风甚猛，贼必来烧营，宜豫为之备。"诸军皆警。夜半，贼果遣十部来烧营，宠掩击破之。又，春秋卫人以燕师伐郑，郑祭足、原繁、洩驾以三军军其前，使曼伯与子元潜军军其后。燕人畏郑三军，而不虞制人。六月，郑二公子以制人败燕师于北制。君子曰："不备不虞，不可以师。"又，楚子重自陈伐莒，围渠丘。渠丘城恶，众溃奔莒，楚入渠丘。莒人囚楚公子平。楚人曰："勿杀，吾归而俘。"莒人杀之，楚师围莒，莒城亦恶。庚申，莒溃，楚遂入郓。莒无备故也。君子曰："恃陋而不备，罪之大者也；备豫不虞，善之大者也。"莒恃其陋而不修城郭，浃辰之间，而楚克其三都，无备也夫！○张预曰：常为不可胜以待敌，故吴起曰："出门如见敌。"士季曰："有备不败。"

将能而君不御者胜。

曹操曰：司马法曰"进退惟时，无曰寡人"也。○李筌曰：将在外，君命有所不受者胜，真将军也。吴伐楚，吴公子光弟夫概王至，请击楚子常，不许。夫概曰："所谓见义而行，不待命也。今日我死，楚可入也。"以其属五千，先击子常，败之。审此，则将能而君不能御也。晋宣帝拒诸葛于五丈原，天子使辛毗仗节军门，曰："敢问战者，斩！"亮闻，笑曰："苟能制吾，岂千里请战？假言天子不许，示武于众，此是不能之将。"○杜牧曰：尉缭子曰："夫将者，上不制乎天，下不制乎地，中不制乎人。故兵者，凶器也；将者，死官也。"○杜佑曰：司马法曰："进退唯时，无曰寡人〔五七〕。"将既精能，晓练兵势；君能专任，事不从中御。故王子曰"指授在君，决战在将"也。○梅尧臣曰：自阃以外，将军制之。○王皙曰：君御能将者，不能绝疑忌耳。若贤明之主，必能知人，固当委任以责成效，推毂授钺，是其义也。攻战之事，一以专之，不从中御，所以一威，且尽其才也。况临敌乘机，间不容发，安可遥制之乎？○何氏曰：古者，遣将于太庙，亲操钺，持其首，授其柄，曰："从是以上至天者，将军制之。"乃复操柄，授与刃，曰："从是以下至渊者，将军制之。"故李牧之为赵将，居边，军市之租皆自用飨士，赏赐决于外，不从中御也。周亚夫之军细柳，军中唯闻将军之命，不闻天子之诏也。盖用兵之法，一步百变，见可则进，知难而退。而曰：有王命焉，是白大人以救火也，未及反命，而煨烬久矣！曰：有监军焉，是作舍道边也，谋无适从，而终不可成矣。故御能将而责平猾虏者，如绊韩卢而求获狡兔者，又何异焉？○张预曰：将有智勇之能，则当任以责成功，不可从中御也，故曰："阃外之事，将军裁之。"

此五者，知胜之道也。

曹操曰：此上五事也。

⑧故曰：知彼知己者，百战不殆〔五八〕；

李筌曰：量力而拒敌，有何危殆乎？○杜牧曰：以我之政，料敌之政；以我之将，料敌之将；以我之众，料敌之众；以我之食，料敌之食；以我之地，料敌之地。校量已定，优劣短长皆先见之，然后兵起，故有百战百胜也。○孟氏曰：审知彼己强弱、利害之势，虽百战，实无危殆也。○梅尧臣曰：彼己五者尽知之，故无败。○王皙曰：殆，危也。谓校尽彼我之情，知胜而后战，则百战不危。○张预曰：知彼知己者，攻守之谓也。知彼则可以攻，知己则可以守。攻是守之机，守是攻之策。苟能知之，虽百战不危也。或曰：士会察楚师之不可敌，陈平料刘项之长短，是知彼知己也。

不知彼而知己，一胜一负；

李筌曰：自以己强，而不料敌，则胜负未定。秦主苻坚以百万之众南伐，或谓曰："彼有人焉。谢安、桓冲，江表伟才，不可轻之。"坚曰："我以八州之众，士马百万，投鞭可断江水，何难之有？"后果败绩，则其义也。○杜牧曰：恃我之强，不知敌不可伐者，一胜一负。王猛将终，谏苻坚曰："晋氏虽在江表，而正朔所禀；谢安、桓冲，江表伟人，不可伐也。"及坚南伐，曰："吾士马百万，投鞭可济。"遂有淝水之败也。○陈皞曰：杜说乃是出兵无名，而伐无罪，所以败也，非"一胜一负"之义。○杜佑曰：虽不知敌之形势，恃己能克之者，胜负各半。○梅尧臣曰：自知己者，胜负半也。○王皙曰：但能计己，不知敌之强弱，则或胜或负。○张预曰：唐太宗曰："今之将臣，虽未能知彼，苟能知己，则安有不利乎？"所谓知己者，守吾气而有待焉者也。故知守而不知攻，则胜负之半。

不知彼，不知己，每战必殆〔五九〕。

李筌曰：是谓狂寇，不败何待也？○杜佑曰：外不料敌，内不知己，用战必殆。○梅尧臣曰：一不知，何以胜？○王皙曰：全昧于计也。○张预曰：攻守之术皆不知，以战则败。

校　记

〔一〕本篇平津本与武经各本作"谋攻第三"，樱田本无"谋"字，邓廷罗集注又将此篇列为第二，此皆无取。

〔二〕“城郭”，平津本作“都邑”。

〔三〕“兵”，原本脱，据通典卷一四八补。

〔四〕“破军”，御览卷二七〇引作“破国”，非是。

〔五〕“一万二千五百”，原本误作“一万五千五百”，孙校本已正，是。穀梁传襄公十一年注引司马法即云“万有二千五百人为军”。

〔六〕通典卷一四八引无此句，御览卷二七〇引同，非是。

〔七〕“一校已下”，原本作“一校已上”，明本同，平津本亦同，孙校则谓字之讹，而改为“一旅以下”。按：各本皆作“校”，通典佑注亦然，且古部曲之制亦确有校（见通典卷一四八与势篇“治众如治寡”句张注），故曹以“校”作注，虽非古制，迨亦可信，未可据谓字讹。唯原本作“一校已上”确有字讹。据通典，二“部”为“校”共八百人，远较“旅”大，岂可称“一校已上至一百人”？必当如佑注作“一校已下至百人”而后可，故改“上”为“下”。唯孙校本作“一旅已下”，于理亦可通，亦予存之。

〔八〕以上王注，孙校谓书钞引之，如此则非王注矣。此或系王氏引书钞之文以述已意，亦未可知。

〔九〕此句曹注，孙校本未见，亦无校语。查平津本亦无，而详审注意，则与下句“不战而屈人之兵”之旨正合，且与该句曹注“未战而敌自屈服”全同（此句之“战自屈”迨即“敌自屈”之误），故可删。

〔一〇〕此句李注，孙校本亦无，而与下句杜注全同，且皆合该句之旨，故此句无之亦可。

〔一一〕此句佑注，孙校本亦无，而与下句曹注全同，且通典卷一四八即在“不战而屈人之兵”句之下，故此句亦可无之。

〔一二〕“黄池”，原本误作“黄地”，今改正。

〔一三〕此句佑注，孙校本同，而通典卷一五八引则只有“敌始有设谋伐之易”八字。

〔一四〕通典卷一五八此句经文下又有佑注“不令合”三字。

〔一五〕此句诸本皆如此，孙校本据通典作“下政攻城”，御览卷三一七引作“下攻攻城”，上“攻”字或“政”字之讹。按：作“下政”，言策之下者，义固可通，唯查简本亦作“其下”，故两存之。

〔一六〕“攻之为下政”，原本“政”作“攻”，孙校本改为“政”，而平津本则无此字，直作“攻之为下”。查此句李注亦称“攻之为下”，故无“政”字亦可通。唯孙校本改“攻”为“政”，亦可为有理有据，通典卷一六〇佑注即明言“政之下者”。“下攻”迨即“下政”之讹，今亦两存之。

〔一七〕“政之上”与“以此政之为下”两“政”字，原本均作“攻”。按：孙子既主“不战而屈人之兵”，且又明言“上兵伐谋”，故“攻”固不可言“上”；且据注意，敌既“开壁送款”、“百姓怡悦”，岂可再言“攻”乎？故“攻之上”当即“政之上”之讹误，而攻城则实政之为下也。故当依孙校本改。

〔一八〕“政之下者”，原本作“攻之下者”。今据通典卷一六〇改。

〔一九〕“为不得已”，御览卷一九三引无，而通典卷一六〇引有，今仍之。又总要卷一〇“为”作“必”，非是。

〔二〇〕以上诸句，各本文字稍有参差，或“轒辒”作“枌榅”，或“距闉”作“距堙”，简本“三月而后成”作“三月而止”，皆无碍文意，故不具列。

〔二一〕此处曹注，平津本无“轒床也，轒床”五字。“踊土积高而前”，原本“积”作“稍”，平津本同，孙校本据御览与通典佑注改，是，从之。

〔二二〕“土木山乘城也”，意不可晓，疑当作“积土为山，以乘城也”，因无旁证，故存疑待详。

〔二三〕以上自“修橹”至“经一时乃成也”，据通典卷一六〇补。盖佑注原分在“轒辒”、“而后成”与“而后已”之下，是原本编者编辑时误脱“而后成”句之注耳。孙校本已补，是，从之。

〔二四〕通行诸本无大歧异，唯通典卷一六〇引“其忿”作“心之忿”，御览卷三一七又引作“心怒”，“杀士”作“杀士卒”。樱田本“忿”作

“怒”,“此攻之灾”又作“此攻城之灾”。

〔二五〕“不待攻器成”,原本作“不待攻城器”,且末句上脱“必”字。孙校本未正,今据平津本正之。

〔二六〕“攻趣不拔”,孙校本改作“攻取不拔”,而通典卷一六〇引仍作“趣”。按“取”、“趣”古通,不改亦可。

〔二七〕“祸”,原本误作“过”,孙校本已据通典改,是,从之。

〔二八〕“段”,原本误作“叚”,今亦从孙校本改。

〔二九〕简本“毁”作“破”。通典卷一六〇引“非久”作“不久”。

〔三〇〕菁华录“争”下无“于”字,非是。

〔三一〕“不用十也”,原本脱,平津本同,致使上下文意不接,孙校本据通典佑注引补,是,从之。

〔三二〕“敌坚垒固守”,原本与通典卷一六〇引俱无“坚”字,孙校补之,善,今亦从之。

〔三三〕“二术”,原本误作“一术”,孙校本已据牧注与张注正之,查平津本曹注固作“二”也。

〔三四〕此句原本作“兵说五倍于敌”,明本同,孙校本改“说”为“既”,今从之。

〔三五〕“或无”,原本作“或无”,通典卷一六〇作“或与”。

〔三六〕“勇怯”,原本“怯”作“恃”。按:“勇恃”二字于义难通,孙校本改“恃”为“怯”,是。今亦从之。

〔三七〕此句与上句,诸本无异,唯后人引录稍有不同。如后汉书袁绍传作“敌则能战”,但史记淮阴侯传则作“倍则战”。校释谓当作“倍则战之,敌则能分之”,详该书第四二页。今并存之。

〔三八〕通典卷一五五引此句作“少而逃之”,各本亦多作“逃”,但亦有作“守”者,四库、孙吴司马法本曹注即作“守”。校释据经文有“守则不足”与该句曹注,谓当作“守”。

〔三九〕“当”,原本作“尚”。按:二字虽古通,而隋、唐以还,尚未见有以“尚”为“当”者。杜牧唐人,何用借为?故当为“当”。孙校本作

“当”,是。

〔四〇〕“高壁坚垒”,原本脱“坚”字,通典卷一五五同。孙校本与中华本补之,是。“彼之众,我之寡,不可敌”,通典作“彼众,我之师寡,不可敌”,孙校本“不可敌”又作“不可战”。今均予存之。“之”犹“若”也,见王引之经传释词,故原本作“之”固无不可。

〔四一〕“引兵备之”,孙校本“备”作“避”。查通典卷一五五固作“备”也。“备”亦有避义,故仍之。

〔四二〕此句诸本皆如此,唯直解“君”、“军”互倒。按:此句言“君”对“军”造成的危害或者说是军所受君之危害,其义一也,唯说法不同而已,今仍之。又,御览卷二七二引“三”字下又有“三者何也曰”五字,迨非经文,故无取。

〔四三〕如上诸句,赵注两“不知军”均作“不知三军”,通典卷一四八引“谓”下又有“之”字。

〔四四〕如上佑注,自“故太公曰”以下原本无,孙校本据通典补,从之。

〔四五〕以上二“三军”,晋写残卷与通典卷一四八引并作“军中”,“同”上又有“欲”字,下句同。易培基杂记又谓“同”当作“司”,今并存之。

〔四六〕以上两句,原本无,孙校本据通典补,从之,唯今本通典卷一四八删“容不入军”四字而连读为“国礼不可以治兵也”。按:“军容不入国,国容不入军”乃曹注所引司马法成文,而佑注多常先引曹注再附以己意。故“军容不入国,国容不入军”乃所引成语,而“礼不可以治军也”乃是杜佑之私意。而今改作“国礼不可以治军”,虽于理可通,唯既破坏了成语,又错乱了注意,故删之非善也。

〔四七〕御览卷二七二引“权”作“任权”,“同”作“欲同”,“则军士疑矣”作“则军事覆疑”,皆无取。又,樱田本句末又有“是谓乱军”四字,是其将“是谓乱军引胜”分置于此也。

〔四八〕原本“人”下衍“意”字,今据平津本删。

〔四九〕此处佑注,孙校本同原本,而通典卷一四八则作“不得其人之意志知之，君既暗于用臣，不知权变，而谬以为势位，授非其人，则举措失所，军覆败也。若赵不用广武君而任成安君”。该书校勘记亦谓语意不够明晰。故此佑注或非原文，今仍依原本。

〔五〇〕“既惑且疑”，御览卷二七二“且”亦作“既”，总要又“既”、“且”互倒，皆非是。又，樱田本无“乱军”二字，是其将此句分置于前也。

〔五一〕“知”，原本作“如”，孙校改作“知”，是。

〔五二〕此句十一家注各本均如此，通典卷一五〇引同，而平津本与武经诸本则作“知可以与战、不可以与战者胜”，简本两“以”字均作“而”，御览卷三二二引同，今并存之。

〔五三〕通典卷一五〇引“识”作“知”，御览卷三二二引同。

〔五四〕御览卷三二二引脱“欲”字。

〔五五〕“故春秋传曰”以下，原本无，孙校本据通典、御览补，从之。

〔五六〕此句“邲之后”与上句“城濮之后”之二“后”字，原本均误作“役”，孙校本已正，是。

〔五七〕以上两句原本无，今亦依孙校本据通典、御览补。又，通典卷一五〇“专任”二字下又有一“任”字，且句末“也”字上又有“者是”二字。

〔五八〕通典卷一五〇引“彼”、“己”互倒，孙校本已正，并删“者”字，是。

〔五九〕平津本与武经诸本“必殆”作“必败”，樱田本同，而十家注各本与通典、御览引则作“必殆”。按：上句既言“不殆”，则此句亦当如此，故仍之。

形　篇〔一〕

曹操曰：军之形也。我动彼应，两敌相察情也。〇李筌曰：形，谓主客、攻守、八陈、五营、阴阳、向背之形。〇杜牧曰：因形见情。无形者情密，有形者情疏；密则胜，疏则败也。〇王晳曰：形者，定形也，谓两敌强弱有定形也。善用兵者，能变化其形，因敌以制胜。〇张预曰：两军攻守之形也。隐于中，则人不可得而知；见于外，则敌乘隙而至。形因攻守而显，故次谋攻。

①孙子曰：昔之善战者〔二〕，先为不可胜，

张预曰：所谓"知己"者也。

以待敌之可胜。

梅尧臣曰：藏形内治，伺其虚懈。〇张预曰：所谓"知彼"者也。

不可胜在己，可胜在敌〔三〕。

曹操曰：守固备也〔四〕。自修理，以待敌之虚懈也。〇李筌曰：夫善用兵者，守则深壁，多具军食，善其教练；攻其城，则尚橦棚、云梯、土山、地道；陈，则左川泽、右丘陵〔五〕，背孤向虚，从疑击间；善战者，掎角势连，首尾相应者，为不可胜也。夫善战者，能为不可胜，不能使敌之必可胜，故曰："胜可知而不可为，不可胜者守也，可胜者攻也。"此数者，以为可胜也。〇杜牧曰：自整军事，长有待敌之备；闭迹藏形，使敌人不能测度，因伺敌人有可乘之便，然后出而攻之。〇杜佑曰：先咨之庙堂，虑其危难，然后高垒深沟，使兵士练习，以此守备

之固,待敌之阙,则可胜之。言守备之固,制敌在外。守备之固自修理,以俟敌之虚懈;已见敌有阙漏之形,然后可胜〔六〕。○王皙曰:不可胜者,修道保法也;可胜者,有所隙耳。○张预曰:守之故在己,攻之故在彼。

故善战者〔七〕,能为不可胜,

杜牧曰:不可胜者,上文注解所谓修整军事、闭形藏迹是也。此事在己,故曰"能为"。○张预曰:藏形晦迹,居常严备,则己能焉。

不能使敌之可胜〔八〕。

杜牧曰:敌若无形可窥,无虚懈可乘,则我虽操可胜之具,亦安能取胜敌乎?○贾林曰:敌有智谋,深为己备,不能强令不己备〔九〕。○杜佑曰:若敌晓练兵事,策与道合,深为己备者,亦不可强胜之〔一〇〕。○梅尧臣曰:在己故能为,在敌故无必。○王皙曰:在敌不在我也。○张预曰:若敌强弱之形不显于外,则我岂能必胜于彼?

故曰:胜可知,

曹操曰:见成形也。○杜牧曰:知者,但能知己之力,可以胜敌也。○陈皞曰:取胜于形,胜可知也。

而不可为。

曹操曰:敌有备故也。○杜牧曰:言我不能使敌人虚懈,为我可胜之资。○贾林曰:敌若隐而无形,不可强为胜败。○杜佑曰:敌有备也。已料敌,见敌形者,则胜负可知;若敌密而无形,亦不可强使为败,故范蠡曰:"时不至,不可强生;事不究,不可强成。"○梅尧臣曰:敌有阙,则可知;敌无阙,则不可为。○何氏曰:可知之胜在我,我有备也;不可为之胜在敌,敌无形也。○张预曰:己有备,则胜可知;敌有备,则不可为。

不可胜者,守也;

曹操曰:藏形也。○杜牧曰:言未见敌人有可胜之形,己则藏形,为不可胜之备,以自守也。○杜佑曰:藏形也。若未见其形,彼众我寡,则自守也。○梅尧臣曰:且有待也。○何氏曰:未见敌人形势虚实有可胜之理,则宜固守。○张预曰:知己未可以胜,则守其气而待之。

可胜者，攻也〔一一〕。

曹操曰：敌攻己，乃可胜。○李筌曰：夫善用兵者：守，则高垒坚壁也；攻其城，则尚橦棚、云梯、土山、地道；陈，左川泽、右丘陵，背孤向虚，从疑击间，识辨五令以节众，犄角势连、首尾相应者，为不可胜也。无此数者，以为可胜也〔一二〕。○杜牧曰：敌人有可胜之形，则当出而攻之。○杜佑曰：敌攻己，乃可胜也。已见其形，彼寡我众，则可攻〔一三〕。○梅尧臣曰：见其阙也。○王晳曰：守者，以于胜不足；攻者，以于胜有馀。○张预曰：知彼有可胜之理，则攻其心而取之。

守则不足，攻则有馀〔一四〕。

曹操曰：吾所以守者，力不足也；所以攻者，力有馀也。○李筌曰：力不足者，可以守；力有馀者，可以攻也。○梅尧臣曰：守则知力不足，攻则知力有馀。○张预曰：吾所以守者，谓取胜之道有所不足，故且待之；吾所以攻者，谓胜敌之事已有其馀，故出击之。言非百胜不战，非万全不斗也。后人谓"不足"为弱、"有馀"为强者非也。

善守者，藏于九地之下；善攻者，动于九天之上，故能自保而全胜也〔一五〕。

曹操曰：因山川、丘陵之固者，藏于九地之下；因天时之变者，动于九天之上〔一六〕。○李筌曰：天一遁甲经云："九天之上可以陈兵，九地之下可以伏藏。"常以直符加时干，后一所临宫为九天，后二所临宫为九地。地者，静而利藏；天者，运而利动。故魏武不明二遁，以九地为山川、九天为天时也。夫以天一、太一之遁幽微，知而用之，故全也。经云："知三避五，魁然独处；能知三五，横行天下。"以此法出，不拘诸咎，则其义也〔一七〕。○杜牧曰：守者，韬声灭迹，幽比鬼神，在于地下，不可得而见之；攻者，势迅声烈，疾若雷电，如来天上，不可得而备也。九者，高深，数之极。○陈皞曰：春三月，寅功曹为九天之上，申传送为九地之下；夏三月，午胜先为九天之上，子神后为九地之下；秋三月，申传送为九天之上，寅功曹为九地之下；冬三月，子神后为九天之上，午胜先为九地之下也。○杜佑曰：善守备者，务因其山川之阻、丘陵之固，使不知所攻，言其深密，藏于九地之下；善攻者，务因天时、地利，为水火之变，使敌不知所备，言其雷震发动，若动于九天之上也〔一八〕。○梅尧臣曰：九地，言深不可知；九天，言高不可测。盖守备密而攻取迅也。○王晳曰：守者，为未见可攻之利，当潜藏其形，沉静幽默，不使敌人窥测之也；攻者，为见可攻之利，当高远神速，乘其不意，惧敌人觉我而为之备也。九者，极言之耳。○何氏曰：九地、九天，言其深微。尉缭子曰："治兵者，若秘于地，若邃于天。"言其秘密邃远之甚也。后汉，凉州贼王国围陈仓，左将军皇甫嵩督前军董卓救之。卓欲速进赴陈仓，嵩不听。卓曰："智者不后时，勇者不留决。速救则城全，不救则城灭。全、灭之势，在于此也。"嵩曰："不然。百战百胜，不如不战而屈人之兵。是以先为不可胜，以待敌之可胜。不可胜在我，可胜在彼。彼守不足，我攻有馀。有馀者，动于九天之上；不足者，陷于九地之下。今陈仓虽小，城守固备，非九地之陷也。王国虽强，而攻我之所不救，非九天之势也。夫势非九天，攻者受害；陷非九地，守者不拔。国今已陷受害之地，而陈仓保不拔之城，我可不烦兵动众，而取全胜之功，将何救焉？"遂不听。王国围陈仓，自冬迄春，八十馀日，城坚守固，竟不能拔。贼众疲弊，果自解去。○张预曰：藏于九地之下，喻幽而不可知也；动于九天之上，喻来而不可备也。尉缭子曰"若秘于地，若邃于天"是也。守则固，是自保也；攻则取，是全胜也。

②见胜不过众人之所知，非善之善者也；

曹操曰：当见未萌。○李筌曰：知不出众知，非善也。韩信破赵，未餐而出井陉，曰："破赵会食。"时诸将呒然，佯应曰："喏。"乃背水陈。赵乘壁望见，皆大笑，言汉将不便兵也。乃破赵，食，斩成安君。此则众所不知也。○杜牧曰：众人之所见，破军杀将，然后知胜；我之所见，庙堂之上，樽俎之间，已知胜负者矣。○贾林曰：守必固，攻必克，能自保全，而常不失胜；见未然之胜，善知将然之败，谓实微妙通玄，非众人之所见也。○孟氏曰：当见未萌。言两军已交，虽料见胜负，策不能过绝于人，但见近形非远。太公曰："智与众同，非国师也。"○梅尧臣曰：人所见而见，故非善。○王晳曰：众常之人，见所以胜，而不知制胜之形。○张预曰：众人所知，已成已著也；我之所见，未形未萌也。

战胜而天下曰善，非善之善者也〔一九〕。

曹操曰：争锋也〔二〇〕。○李筌曰：争锋力战，天下易见，故非善也。○杜牧曰：天下，犹上文言众也。言天下人皆称战胜者，故破军杀将者也；我之善者，阴谋潜运，攻必伐谋，胜敌之日，曾不血刃。○陈皞曰：潜运其智，专伐其谋，未战而屈人之兵，乃是善之善者也。○梅尧臣曰：见不过众，战虽胜，天下称之，犹不曰善。○王皙曰：以谋屈人，则善矣。○张预曰：战而后能胜，众人称之曰善，是有智名、勇功也，故云"非善"；若见微察隐，取胜于无形，则真善者也。

故举秋毫不为多力，见日月不为明目〔二一〕，闻雷霆不为聪耳。

曹操曰：易见闻也。○李筌曰：易见闻也。以为攻战胜，而天下不曰善也。夫智能之将，人所莫测，为之深谋，故孙武曰"难知如阴"也。○王皙曰：众人之所知，不为智；力战而胜人，不为善。○何氏曰：此言众人之所见所闻，不足为异也。昔乌获举千钧之鼎为力，离朱百步睹纤芥之物为明，师旷听蚊行蚁步为聪也。兵之成形而见之，谁不能也？故胜于未形，乃为知兵矣。○张预曰：人皆能也。引此以喻众人之见胜也。秋毫，谓兔毛至秋而劲细，言至轻也。

古之所谓善战者，胜于易胜者也〔二二〕。

曹操曰：原微易胜，攻其可胜，不攻其不可胜也。○杜牧曰：敌人之谋，初有萌兆，我则潜运以能攻之，用力既少，制胜既微，故曰"易胜"也。○梅尧臣曰：力举秋毫，明见日月，聪闻雷霆，不出众人之所能也。故见于著则胜于艰，见于微则胜于易。○何氏曰：言敌人之谋，初有萌兆，我则潜运已能攻之，用力既少，制敌甚微，故曰"易胜"也。○张预曰：交锋接刃，而后能制敌者，是其胜难也；见微察隐，而破于未形者，是其胜易也。故善战者，常攻其易胜，而不攻其难胜也。

故善战者之胜也，无智名，无勇功〔二三〕。

曹操曰：敌兵形未成〔二四〕，胜之无赫赫之功也。○李筌曰：胜敌而天下不知，何智名之有？○杜牧曰：胜于未萌，天下不知，故无智名；曾不血刃，敌国已服，故无勇功也。○梅尧臣曰：大智不彰，大功不扬，见微胜易，何勇何智？○何氏曰：患销未形，人谁称智？不战而服人，谁言勇？汉之子房、唐之裴度能之。○张预曰：阴谋潜运，取胜于无形，天下不闻料敌制胜之智，不见搴旗斩将之功，若留侯未尝有战斗功是也。

故其战胜不忒〔二五〕，

李筌曰：百战百胜，有何疑贰也？此筌以"忒"字为"贰"也。○陈皞曰：筹不虚运，策不徒发。○张预曰：力战而求胜，虽善者亦有败时；既见于未形，察于未成，则百战百胜，而无一差忒矣。

不忒者，其所措必胜〔二六〕，**胜已败者也。**

曹操曰：察敌必可败，不差忒也。○李筌曰：置胜于已败之师，何忒焉？师老卒惰，法令不一，谓"已败"也。○杜牧曰：措，犹置也。忒，差忒也。我能置胜不忒者何也？盖先见敌人已败之形，然后攻之，故能致必胜之功，不差忒也。○贾林曰：读"措"为"错"，错杂也。取敌之胜，理非一途，故杂而料之也。常于胜未形〔二七〕，已见敌之败。○梅尧臣曰：睹其可败，胜则不差。○何氏曰：善料也。○张预曰：所以能胜而不差者，盖察知敌人有必可败之形，然后措兵以胜之云耳〔二八〕。

故善战者，立于不败之地，而不失敌之败也〔二九〕。

李筌曰：兵得地者昌，失地者亡。地者，要害之地。秦军败赵，先据北山者胜；宋师伐燕，过大岘而胜，皆得其地也。○杜牧曰：不败之地者，为不可胜之计，使敌人必不能败我也。不失敌人之败者，言窥伺敌人可败之形，不失毫发也。○陈皞注同李筌。○杜佑注同杜牧。○梅尧臣曰：善候敌隙，我则常胜。○王皙曰：常为不可胜，待敌可胜，不失其机。○何氏曰：自恃有备，则无患；常伺敌隙，则胜之不失也。立于不败之地利也，言我常为胜所。○张预曰：审吾法令，明吾赏罚，便吾器用，养吾武勇，是立于不败之地也。我有节制，则彼将自衄，是不失敌之败也。

是故胜兵先胜而后求战，败兵先战而后求胜〔三〇〕。

曹操曰：有谋与无虑也。○李筌曰：计与不计也。是以薛公知黥布之必败,田丰知魏武之必胜,是其义也。○杜牧曰:管子曰:“天时、地利,其数多少,其要必出于计数。故凡攻伐之道,计必先定于内,然后兵出乎境。不明敌人之政,不能加也;不明敌人之积,不能约也;不明敌人之将,不见先军;不明敌人之士,不见先陈。故以众击寡,以治击乱〔三一〕,以富击贫,以能击不能,以教士练卒击殴众白徒,故能百战百胜。”此则先胜而后求战之义也。卫公李靖曰:“夫将之上务,在于明察而众和,谋深而虑远,审于天时,稽乎人理。若不料其能,不达权变,及临机对敌,方始趑趄,左顾右盼,计无所出,信任过说,一彼一此,进退狐疑,部伍狼藉,何异趣苍生而赴汤火、驱牛羊而啖狼虎者乎?”此则先战而后求胜之义也。○贾林曰:不知彼我之情,陈兵轻进,意虽求胜,而终自败也。○梅尧臣曰:可胜而战,战则胜矣;未见可胜,胜可得乎?○何氏曰:凡用兵,先定必胜之计,而后出军。若不先谋,唯欲恃强,胜未必也。○张预曰:计谋先胜,然后兴师,故以战则克。尉缭子曰:“兵不必胜,不可以言战;攻不必拔,不可以言攻。”谓危事不可轻举也。又曰:“兵贵先胜于此,则胜彼矣;弗胜于此,则弗胜彼矣。”此之谓也。若赵充国常先计而后战,亦是也。不谋而进,欲幸其成功,故以战则败。

善用兵者,修道而保法,故能为胜败之政〔三二〕。

曹操曰:善用兵者,先自修治,为不可胜之道,保法度,不失敌之败乱也。○李筌曰:以顺讨逆,不伐无罪之国;军至,无虏掠,不伐树木、污井灶;所过山川、城社、陵祠,必涤而除之,不习亡国之事,谓之道法也。军严肃〔三三〕,有死无犯,赏罚信义,立将若此者,能胜敌之败政也。○杜牧曰:道者,仁义也;法者,法制也。善用兵者,先修治仁义,保守法制,自为不可胜之政;伺敌有可败之隙,则攻能胜之。○贾林曰:常修用兵之胜道,保赏罚之法度,如此则常为胜,不能则败,故曰“胜败之政”也。○梅尧臣曰:攻守自修,法令自保,在我而已。○王晳曰:法者,下之五事也。○张预曰:修治为战之道,保守制敌之法,故能必胜。或曰:先修饰道义,以和其众;后保守法令,以戢其下,使民爱而畏之,然后能为胜败。

③兵法〔三四〕:一曰度,

贾林曰:度土地也。○王晳曰:丈尺也。

二曰量,

贾林曰:量人力多少,仓廪虚实。○王晳曰:斗斛也。

三曰数,

贾林曰:算数也,以数推之,则众寡可知,虚实可见。○王晳曰:百千也。

四曰称,

贾林曰:既知众寡,兼知彼我之德业轻重、才能之长短。○王晳曰:权衡也。

五曰胜。

曹操曰:胜败之政,用兵之法,当以此五事称量,知敌之情。○张预曰:此言安营布陈之法也。李卫公曰:"教士犹布棋于盘,若无画路,棋安用之?"

地生度,

曹操曰:因地形势而度之。○李筌曰:既度有情,则量敌而御之。○杜牧曰:度者,计也。言度我国土大小,人户多少,征赋所入,兵车所籍,山河险易,道里迂直,自度此事与敌人如何,然后起兵。夫小不能谋大,弱不能击强,近不能袭远,夷不能攻险,此皆生于地,故先度也。○梅尧臣曰:因地以度军势。○王晳曰:地,人所履也。举兵攻战,先本于地,由地故生度。度,所以度长短、知远近也。凡行军临敌,先须知远近之计。○何氏曰:地者,远近、险易也。度,计也。未出军,先计敌国之险易,道路迂直,兵甲孰多,勇怯孰是,计度可伐,然后兴师动众,可以成功。

度生量,

杜牧曰:量者,酌量也。言度地已熟,然后能酌量彼我之强弱也。○梅尧臣曰:因度地以量敌情。○王晳曰:谓量有大小。言既知远近之计,则须更量其敌之大小也。○何氏曰:量酌彼己之形势。

量生数,

曹操曰:知其远近、广狭,知其人数也。○李筌曰:量敌远近、强弱,须备士卒、军资之数而胜也。○杜牧曰:数者,机数也。言强弱已定,然后能用机变数也。〇贾林曰：量地远近、广狭，则知敌人人数多少也。〇梅尧臣曰：因量以得众寡之数。〇王皙曰：数，所以纪多少。言既知敌之大小，则更计其精劣、多少之数。曹公曰："知其人数。"〇何氏曰：数，机变也。先酌量彼我强弱、利害，然后为机数。〇张预曰：地有远近、广狭之形，必先度知之，然后量其容人多少之数也。

数生称。

曹操曰：称量己与敌孰愈也〔三五〕。〇李筌曰：分数既定，贤智之多少，得贤者重，失贤者轻，如韩信之论楚汉也，须知轻重、别贤愚而称之，锱铢则强。〇杜牧曰：称，校也。机权之数已行，然后可以称校彼我之胜负也。〇梅尧臣曰：因数以权轻重。〇王皙曰：称所以知重轻，喻强弱之形势也。能尽知远近之计、大小之举、多少之数，以与敌相形，则知重轻所在。〇何氏同杜牧注。

称生胜。

曹操曰：称量之，故知其胜负所在〔三六〕。〇李筌曰：称知轻重，胜败之数可知也。〇杜牧曰：称校既熟，我胜敌败，分明见也。〇梅尧臣曰：因轻重以知胜负。〇王皙曰：重胜轻也。〇陈皞、杜佑同杜牧上"五事"注〔三七〕。〇何氏曰：上五事，未战先计必胜之法，故孙子引古法，以疏胜败之要也〔三八〕。〇张预曰：称，宜也。地形与人数相称，则疏密得宜，故可胜也。尉缭子曰："无过在于度数。"度谓尺寸，数谓什伍。度以量地，数以量兵；地与兵相称则胜。五者皆因地形而得，故自地而生之也。李靖"五陈"，随地形而变是也。

④故胜兵若以镒称铢，

梅尧臣曰：力易举也。

败兵若以铢称镒。

曹操曰：轻不能举重也。〇李筌曰：二十两为镒。铢之于镒，轻重异位，胜败之数，亦复如之。〇梅尧臣曰：力难制也。〇王皙曰：言铢镒者，以明轻重之至也。张预曰：二十两为镒，二十四铢为两。此言有制之兵对无制之兵，轻重不侔也。

胜者之战民也〔三九〕，若决积水于千仞之谿者，形也。

曹操曰：八尺曰仞。决水千仞，其势疾也〔四〇〕。〇李筌曰：八尺曰仞，言其势也。杜预伐吴，言兵如破竹，数节之后，皆迎刃自解，则其义也。〇杜牧曰：夫积水在千仞之谿，不可测量，如我之守不见形也。及决水下，湍浑奔注，如我之攻，不可御也。〇梅尧臣曰：水决千仞之谿莫测其迅；兵动九天之上，莫见其迹，此军之形也。〇王皙曰：千仞之谿，至陗绝也。喻不可胜对可胜之形，乘机攻之，决水是也。〇张预曰：水之性避高而趋下，决之赴深谿，固湍浚而莫之御也。兵之形象水，乘敌之不备，掩敌之不意，避实而击虚，亦莫之制也。或曰：千仞之谿谓不测之渊，人莫能量其浅深。及决而下之，则其势莫之能御。如善守者匿形晦迹，藏于九地之下，敌莫能测其强弱；及乘虚而出，则其锋莫之能当也。

校 记

〔一〕简本"形"借作"刑"。

〔二〕长短经先胜"善战者"作"善用兵者"。

〔三〕长短经"已"、"敌"作"此"、"彼"。

〔四〕此四字原本无，孙校本同，今据平津本补，唯原文"守固备也"疑当作"守备固也"。又，此注本原在上句经文"不可胜在己"句下，今原本将其与"可胜在敌"句连属，故两句注文亦予合并。

〔五〕"左川泽、右丘陵"，原本作"在山川丘陵"，孙校本据下"可胜者攻也"句李注改。按：孙校善，从之。

〔六〕此处佑注，原系编者综合上述诸句之注文而成，故文意多不衔接，且有错漏。"使兵士练习"脱"士"字，"以此守备之固"作"以此守备之故"，"制敌在外"上又脱"守备之固"，"守备之固自修理"又作"故自修理"。今均据通典卷一五二补正。

〔七〕简本无"战"字。

〔八〕"敌之可胜"，简本无"之"字，平津本与武经本"之"下有"必"字，樱田本同。通典卷一五二与御览卷三二二引"之"则作"必"。御览卷三一九又引作“必不可胜己”。孙校本据通典改“之”为“必”，校释从之，善。据各家注意，当作“必”。

〔九〕“强令”，原本误作“强今”，孙校本已正，是。

〔一〇〕此处佑注首句原本作“在己故练兵士”，非唯语意不明，且与经意亦有未合，故据通典卷一五二改。又，原文“备”上脱“己”字，今亦据补。

〔一一〕以上两句，御览卷三一九引作“不可胜则守，可胜则攻”。

〔一二〕此处李注“攻其城，则尚橦棚……”，原文作“攻则橦棚……”，无“其”、“城”、“尚”三字，孙校本据上“不可胜在己，可胜在敌”句李注增改。“犄角势连”之“犄角”亦然。按：孙校本增改之，善，非唯使注文前后一致，且亦可使文意更加明晰，从之。

〔一三〕“彼寡我众”，孙校说原本误作“彼众我寡”，因予改之。唯此宋本则固作“彼寡我众”，不误，是其所据本误也。

〔一四〕此句通行诸本无异，简本则作“守则有馀，攻则不足”，校释从改。按：汉人言兵，固有以“攻不足”而“守有馀”立说者，如汉书赵充国传即称“臣闻兵法：攻不足者守有馀”。但亦有言“守不足”而“攻有馀”者，如后汉书皇甫嵩传即称“彼守不足，我攻有馀”。此句曹注亦如此。按此二说皆可通，唯角度不同而已，今两存之。

〔一五〕此处经文简本误脱“善攻者”三字，如此则“藏于九地”与“动于九天”两句之主语即皆为“善守者”矣。按：此节皆以“攻”、“守”相对成文，而“动于九天之上”又显系以“善攻者”为言，故当有此三字。

〔一六〕以上曹注，平津本止存“喻其深微”四字。而由下佑注观之，原注似不止此，故并存之。

〔一七〕如上李注“魏武不明二遁”，孙校本改“二”为“于”，是其疏于“遁甲”之术矣。又，“知三避五”，原文“知”作“之”，孙校本正之，是。

〔一八〕以上佑注“为水火之变”，原本脱“为”字；“若动于九天之上”，原本又脱“动”字，今均据通典卷一六〇补。

〔一九〕以上两句之“非善之善者也”，简本无“善之”二字，御览卷三二二引无“者”字，且“曰”下又有“军”字，皆无取。

〔二〇〕此处曹注，平津本同，唯多一“者”字，孙校本据御览改为“交争胜也”，且下又补“故太公曰：‘争胜于白刃之□，非良将也’”十馀字。今仍之，并存孙说。

〔二一〕“见”，简本作“视”。

〔二二〕“胜于易胜”，诸通行本无异，简本无“于”字，御览卷三二二引“于”亦作“胜”，孙校本从之，作“胜胜易胜”。按：“胜”字重文，迨有字误，似未足据，今仍之。

〔二三〕“善战者之胜也”，简本作“善者之战”，御览卷三二二引“之胜”作“之所胜”。“无智名”前简本又有“无奇胜”三字，校释据补。“无勇功”，御览引“功”作“攻”，亦非是。

〔二四〕“敌兵形未成”，孙校说原本作“敌兵形未形”，是孙氏所据本如此，此宋本则固作“未成”也。

〔二五〕简本无“战”字。

〔二六〕平津本与武经各本无“必”字，樱田本同。

〔二七〕“常于胜未形”，原本如此，孙校本同。按：此句文意不顺，似当作“常胜于未形”。

〔二八〕“措兵以胜之”，原本“胜”作“能”，孙校本改为“胜”，是，从之。

〔二九〕“立于不败之地”，御览卷三二二引作“立于不敢败之地”，且于“不失敌之败也”下又有“胜者”二字。

〔三〇〕此处简本上句无“求”字，长短经料敌与御览卷三二二引同。“胜兵”、“败兵”，御览又作“胜者之兵”、“败者之兵”。

〔三一〕“治”，原本作“理”，乃避唐讳而改，今予正之，下同，不另出校。

〔三二〕简本“善用兵者”作“故善者”，“胜败之政”作“胜败正”，校释从之。按：原文固可通，且诸通行本亦皆如此，故并存之。

〔三三〕“军严肃”，疑作“军令严肃”，语意方为完足。

〔三四〕“兵法”，简本无“兵”字，校释从之。

〔三五〕原本脱"己与"二字,今据平津本补。

〔三六〕"故",原本误作"数",今亦据平津本改。

〔三七〕原本"杜佑"下又有"李筌"二字。按:李注上文已见,此处不当再出,孙校本与中华本均予删之,是。

〔三八〕"胜败之要",原本"败"误作"则",孙校本已正,是。

〔三九〕此句简本作"称胜者战民也",校释从之,善。平津本与武经诸本作"胜者之战",亦可通;唯御览二九一引作"胜之战者",则似有误。

〔四〇〕"其势疾也",原本作"其高势疾也",而平津本曹注本则无"高"字。按"高"字追涉"千仞"之义而衍,孙校本删,是,从之。

十一家注孙子卷中

势　篇〔一〕

曹操曰：用兵任势也。○李筌曰：陈以形成，如决建瓴之势，故以是篇次之。○王皙曰：势者，积势之变也。善战者，能任势以取胜，不劳力也。○张预曰：兵势已成，然后任势以取胜，故次形。

①孙子曰：凡治众如治寡，分数是也；

曹操曰：部曲为分，什伍为数。○李筌曰：善用兵者，将鸣一金，举一旗，而三军尽应；号令既定，如寡焉。○杜牧曰：分者，分别也；数者，人数也。言部曲行伍，皆分别其人数多少，各任偏裨长伍，训练升降，皆责成之〔二〕，故我所治者寡也，韩信曰"多多益办"是也。○陈皞曰：若聚兵既众，即须多为部伍。部伍之内，各有小吏以主之。故分其人数，使之训齐决断；遇敌临陈，授以方略，则我统之虽众，治之益寡。○孟氏曰：分，队伍也；数，兵之大数也。分数多少，制置先定。○梅尧臣曰：部伍、奇正之分数，各有所统。○王皙曰：分数，谓部曲也。偏裨各有部，分与其人数，若师、旅、卒、两之属。○张预曰：统众既多，必先分偏裨之任，定行伍之数，使不相乱，然后可用。故治兵之法：一人曰独，二人曰比，三人曰参，比参为伍，五人为列，二列为火，五火为队，二队为官，二官为曲，二曲为部，二部为校，二校为裨，二裨为军。递相统属，各加训练，虽治百万之众，如治寡也。

斗众如斗寡〔三〕，形名是也；

曹操曰：旌旗曰形，金鼓曰名。○杜牧曰：旌旗、钟鼓〔四〕，敌亦有之，我安得独为形名？斗众如斗寡也。夫形者，陈形也；名者，旌旗也。战法曰："陈间容陈，足曳白刃。"故大陈之中，复有小陈，各占地分，皆有陈形。旗者，各依方色，或认以鸟兽，某将某陈，自有名号。形名已定，志专势孤，人自为战，败则自败，胜则自胜，战百万之兵，如战一夫，此之是也。○陈皞曰：夫军士既众，分布必广，临陈对敌，递不相知，故设旌旗之形，使各认之。进退迟速，又不相闻，故设金鼓以节之。所以令之曰："闻鼓则进，闻金则止。"曹说是也。○梅尧臣曰：形以旌旗，名以采章；指麾应速，无有后先。○王晳曰：曹公曰："旌旗曰形，金鼓曰名。"晳谓：形者，旌旗、金鼓之制度；名者，各有其名号也。○张预曰：军政曰："言不相闻，故为鼓铎；视不相见，故为旌旗。"今用兵既众，相去必远，耳目之力，所不闻见。故令士卒望旌旗之形而前却，听金鼓之号而行止，则勇者不得独进，怯者不得独退，故曰："此用众之法也。"

三军之众，可使必受敌而无败者，奇正是也〔五〕；

曹操曰：先出合战为正，后出为奇。○李筌曰：当敌为正，傍出为奇。将三军，无奇兵，未可与人争利。汉吴王濞拥兵入大梁，吴将田伯禄说吴王曰："兵屯聚而西，无他奇道，难以立功。臣愿得五万人，别循江淮而上，收淮南、长沙，入武关，与大王会。此亦一奇也。"不从。遂为周亚夫所败。此则有正无奇。○杜牧曰：解在下文。○贾林曰：当敌以正陈，取胜以奇兵，前后左右俱能相应，则常胜而不败也。○梅尧臣曰：动为奇，静为正；静以待之，动以胜之。○王晳曰："必"当作"毕"，字误也。奇正还相生，故毕受敌而无败也。○何氏曰：兵体万变，纷纭混沌，无不是正，无不是奇。若兵以义举者，正也；临敌合变者，奇也。我之正，使敌视之为奇；我之奇，使敌视之为正。正亦为奇，奇亦为正。大抵用兵皆有奇正；无奇正而胜者，幸胜也，浪战也。如韩信背水而陈，以兵循山，而拔赵帜，以破其国，则背水正也，循山奇也。信又盛兵临晋，而以木罂从夏阳袭安邑，而虏魏王豹，则临晋正也，夏阳奇也。由是观之，受敌无败者，奇正之谓也。尉缭子曰："今以镆铘之利、犀兕之坚，三军之众有所奇正，则天下莫当其战矣。"○张预曰：三军虽众，使人人皆受敌而不败者,在乎奇正也。奇正之说,诸家不同。尉缭子则曰:“正兵贵先,奇兵贵后。”曹公则曰:“先出合战为正,后出为奇。”李卫公则曰:“兵以前向为正,后却为奇。”此皆以正为正,以奇为奇,曾不说相变循环之义。唯唐太宗曰:“以奇为正,使敌视以为正,则吾以奇击之;以正为奇,使敌视以为奇,则吾以正击之。混为一法,使敌莫测。”兹最详矣。

兵之所加,如以碫投卵者,虚实是也〔六〕。

曹操曰:以至实击至虚。〇李筌曰:碫实卵虚,以实击虚,其势易也。〇孟氏曰:碫,石也。兵若训练至整,部领分明,更能审料敌情,委知虚实,后以兵而加之,实同以碫石投卵也。〇梅尧臣曰:碫,石也,音遐。以实击虚,犹以坚破脆也。〇王晳曰:锻,治铁也。〇何氏曰:用兵识虚实之势,则无不胜。〇张预曰:下篇曰“善战者,致人而不致于人”,此虚实彼我之法也。引致敌来,则彼势常虚;不往赴彼,则我势常实。以实击虚,如举石投卵,其破之必矣。夫合军聚众,先定分数;分数明,然后习形名;形名正,然后分奇正;奇正审,然后虚实可见矣。四事所以次序也。

②凡战者,以正合,以奇胜〔七〕。

曹操曰:正者当敌,奇兵从傍击不备也。〇李筌曰:战无其诈,难以胜敌。〇杜佑曰:正者当敌,奇者从傍击不备。以正道合战,以奇变取胜也。〇梅尧臣曰:用正合战,用奇胜敌。〇何氏曰:如战国廉颇为赵将,秦使间曰:“秦独畏赵括耳,廉颇易与,且降矣。”会颇军多亡失,数败,坚壁不战。又闻秦反间之言,使括代颇。至,则出军击秦。秦军佯败而走,张二奇兵以劫之。赵军逐胜,追造秦壁,壁坚拒不得入。而秦奇兵二万五千绝赵军后,又五千骑绝赵壁间。赵兵分为二,粮道绝〔八〕,括卒败。又,隋突厥犯塞〔九〕,炀帝令唐高祖与马邑太守王仁恭率众备边〔一〇〕。会虏寇马邑,仁恭以众寡不敌,有惧色。高祖曰:“今主上遐远,孤城绝援,若不死战,难以图全。”于是亲选精骑四千,出为游军,居处饮食,随逐水草,一同于突厥。见虏候骑,但驰骋猎耳,若轻之。及与虏相遇,则掎角置陈,选善射者为别队,持满以待之。虏莫能测,不敢决战。因纵奇兵击走之,获其特勒所乘骏马,斩首千馀级。又,太宗选精锐千馀骑为奇兵，皆黑衣玄甲，分为左右队，建大旗，令骑将秦叔宝、程咬金等分统之。每临寇，太宗躬被玄甲，先锋率之，候机而进，所向摧殄，常以少击众，贼徒气慑。又，五代汉高祖在晋阳，郭进往依之，汉祖壮其材。会北虏屠安阳城，因遣进攻拔之，戎人遁去，授坊州刺史。虏主道毙，高祖出奇兵井陉，进以间道先入洺北，因定河北。此皆以奇胜之迹也。○张预曰：两军相临，先以正兵与之合战，徐发奇兵或捣其旁、或击其后以胜之，若郑伯御燕师，以三军军其前，以潜军军其后是也。

故善出奇者〔一一〕，无穷如天地，

李筌曰：动静也。

不竭如江河〔一二〕。

李筌曰：通流不绝。○杜佑曰：言应变出奇，无穷竭。○张预曰：言应变出奇，无有穷竭。

终而复始，日月是也；死而复生〔一三〕，四时是也。

李筌曰：奇变如日月、四时，亏盈、寒暑不停。○杜佑曰：日月运行，入而复出；四时更王〔一四〕，兴而复废。言奇正变化，或若日月之进退、四时之盛衰也。○张预曰：日月运行，入而复出；四时更王〔一五〕，盛而复衰。喻奇正相变，纷纭浑沌，终始无穷也。

声不过五〔一六〕，

李筌曰：宫、商、角、徵、羽也。

五声之变，不可胜听也〔一七〕。

李筌曰：变入八音，奏乐之曲，不可尽听。

色不过五，

李筌曰：青、黄、赤、白、黑也。

五色之变，不可胜观也〔一八〕。味不过五，

李筌曰：酸、辛、醎、甘、苦也。

五味之变，不可胜尝也。

曹操曰：自"无穷如天地"已下，皆以喻奇正之无穷也。○李筌曰：五味之

变，庖宰鼎饪也。○杜牧曰：自“无穷如天地”已下，皆喻八陈奇正也。○张预曰：引五声、五色、五味之变，以喻奇正相生之无穷。

战势不过奇正〔一九〕，奇正之变，不可胜穷也。

李筌曰：邀截掩袭，万途之势，不可穷尽也。○梅尧臣曰：奇正之变，犹五声、五色、五味之变，无尽也。○王晳曰：奇正者，用兵之钤键、制胜之枢机也。临敌运变，循环不穷，穷则败也。○孟氏曰：六韬云：“奇正发于无穷之源。”○张预曰：战陈之势，止于奇正一事而已；及其变而用之，则万途千辙，乌可穷尽？

奇正相生，如循环之无端〔二〇〕，孰能穷之？

李筌曰：奇正相依而生，如环团圆，不可穷端倪也。○梅尧臣曰：变动周旋之不极。○王晳曰：敌不能穷我也。○何氏曰：奇正生而转相为变，如循历其环，求首尾之莫穷也。○张预曰：奇亦为正，正亦为奇，变化相生，若循环之无本末，谁能穷诘？

③激水之疾，至于漂石者，势也〔二一〕；

孟氏曰：势峻，则巨石虽重，不能止。○杜佑曰：言水性柔弱，石性刚重，至于漂转大石，投之洿下，皆由急疾之流，激得其势。○张预曰：水性柔弱，险径要路，激之疾流，则其势可以转巨石也。

鸷鸟之疾，至于毁折者，节也〔二二〕。

曹操曰：发起击敌。○李筌曰：柔势可以转刚，况于兵者乎？弹射之所以中飞鸟者，善于疾而有节制。○杜牧曰：势者，自高注下，得险疾之势，故能漂石也。节者，节量远近则搏之，故能毁折物也。○杜佑曰：发起讨敌，如鹰鹯之攫撮也〔二三〕，必能挫折禽兽者，皆由伺候之明，邀得屈折之节也。王子曰：“鹰隼一击，百鸟无以争其势；猛虎一奋，万兽无以争其威。”○梅尧臣曰：水虽柔，势迅则漂石；鸷虽微，节劲则折物。○王晳曰：鸷鸟之疾，亦势也，由势然后有搏击之节。下要云险，故先取漂石以喻也。○何氏曰：水能动石，高下之势也；鸷能搏物，能节其远近也。○张预曰：鹰鹯之擒鸟雀，必节量远近，伺候审而后击，故能折物。尉缭子曰：“便吾器用，养吾武勇，发之如鸟击。”李靖曰：

"鸷鸟将击,卑飞敛翼。"皆言待之而后发也。

是故善战者,其势险,

曹操、李筌曰:险,犹疾也。○杜牧曰:险者,言战争之势,发则杀人,故下文喻如彍弩。○王皙曰:险者,折以致其疾也,如水得险隘而成势。

其节短〔二四〕。

曹操、李筌曰:短,近也。○杜牧曰:言以近节也。如鸷鸟之发,近则搏之,力全志专,则必获也。○杜佑曰:短,近也;节,断也。短近,言能因危取胜,以卒击近也。○梅尧臣曰:险则迅,短则劲,故战之势,当险疾而短近也。○王皙曰:鸷之能搏者,发必中,来势远,而所搏之节至短也。兵之乘机,当如是耳。曹公曰:"短者,近也。"○孟氏同杜牧注。○张预曰:险,疾;短,近也。言善战者,先度地之远近、形之广狭,然后立陈,使部伍行列相去不远。其进击,则以五十步为节,不可过远,故势迅则难御,节近则易胜。

势如彍弩,节如发机。

曹操曰:在度不远,发则中也。○李筌曰:弩不疾,则不远;矢不近,则不中。势尚疾,节务速。○杜牧曰:彍,张也。如弩已张,发则杀人,故上文云"其势险"也。机者,固须以近节量之,然后必能中,故上文云"其节短"。短,乃近也。此言战陈不可远逐敌人,恐有队伍离散断绝,反为敌所乘也。故牧野誓曰"六步、七步,四伐、五伐",是以近也。○陈皞曰:弩之发机,近则易中;战之遇敌,疾则易捷。若趋驰不速,奋击不近,则不能克敌而全胜。○贾林曰:战之势,如弩之张;兵之势,如机之发。○梅尧臣曰:彍,音霍,彍张也。如弩之张,势不逡巡;如机之发,节近易中也。○王皙曰:战势如弩之张者,所以有待也;待其有可乘之势,如发其机。○何氏曰:险,疾也;短,近也。此言击战得形,便如张弩发机,势宜疾速,仍利于便近,不得追击过差也。故太公曰:"击如发机者,所以破精微也。"○张预曰:如弩之张,势不可缓;如机之发,节不可远。言趋利尚疾,奋击贵近也。故太公曰:"击如发机者,所以破精微也。"○〔二五〕

④纷纷纭纭,斗乱而不可乱也;浑浑沌沌,形圆而不可败也〔二六〕。

曹操曰:旌旗乱也;示敌若乱,以金鼓齐之。车骑转而形圆者,出入有道,齐整也〔二七〕。○李筌曰：纷纭而斗，示如可乱；建旌有部，鸣金有节，是以不可乱也。浑沌，合杂也。形圆，无向背也。示敌可败而不可败者，号令齐整也。○杜牧曰：此言陈法也。风后握奇文曰："四为正，四为奇，馀奇为握。奇音机，或总称之。先出游军定两端。"此之是也。奇者，零也。陈数有九，中心有零者，大将握之不动，以制四面八陈，而取准则焉。其人之列，面面相向，背背相承也。周礼："蒐苗狝狩，车骤徒趋，及表乃止；进退疾徐，疏密之节，一如战陈。"表，乃旗也。旗者，盖与民期于下也。握奇文曰："先出游军定两端。"盖游军执本方旗，先定地界，然后军士赴之，兵于旗下，乃出奇正，变为陈也。周礼"蒐苗狝狩，车骤徒趋，及表乃止"，此则八陈遗制。握奇之文，止此而已；其馀之词，乃后之作者增加之，以重难其事耳。夫五兵之利，无如弧矢之利，以威天下。五兵同致，天独有弧矢星。圣人独言弧矢能威天下，不言他兵，何也？盖战法利于弧矢者，非得陈不见其利。故黄帝胜于蚩尤，以中夏车徒制夷虏骑士，此乃弧矢之利也。在于近代，可以验之者，晋武时，羌陷凉州，司马督马隆请募勇士三千平之，募腰引弩三十六钧，弓四钧，立标简试。军西渡温水，虏树机能以众万计遏隆。隆依八陈法，且战且前，弓矢所及〔二八〕，人皆应弦而倒，诛杀万计，凉州遂平。隋时，突厥入寇，杨素击之。先是诸将与虏战，每虞胡骑奔突，皆戎车徒步相参，舁鹿角为方陈，骑在其内。素至，悉除旧法，令诸军各为步骑。突厥闻之，以手加额，仰天曰："天赐我也〔二九〕。"大率精骑十馀万而至。素一战大破之。此乃以徒步制骑士，若非有陈法，知开阖首尾之道，安能致胜也？曲礼曰："行前朱雀而后玄武，左青龙而右白虎，招摇在上，急缮其怒。"郑司农云："以四兽为军陈，象天也。"孔疏曰："此言军行象天文而作陈法，但不知作之何如耳。"何徇云："画此四兽于旌旗上，以标前后左右之陈也。'急缮其怒'，言其卒之劲利威怒如天之怒也。'招行'，北斗杓第七星也。举此，则六星可知也。陈象天文，即北斗也。"复曰："进退有度。"郑司农注曰："度，谓伐与步数也。"孔疏曰："如牧野誓云'六步、七步，四伐、五伐'是也。"复曰："左右有局。"郑司农注曰："局是步分。"孔疏曰："言军之左右各有部分，进则就敌，退则就列，不相差滥也。"下文复曰："父之仇，弗与共戴天；兄弟之仇，不返兵；交游之仇，不同国。四郊多垒，此卿大夫之辱也。"此言仇辱至于战争,期在必胜,固不可不知陈法也。其文故相次而言,乃圣贤之深旨矣。军志曰:"陈间容陈,足曳白刃;队间容队,可与敌对。前御其前,后当其后;左防其左,右防其右。行必鱼贯,立必雁行;长以参短,短以参长。回军转陈,以前为后,以后为前。进无奔进,退无违走。四头八尾,触处为首;敌冲其中,两头俱救。"此亦与曲礼之说同。数起于五,而终于八。今夔州州前,诸葛武侯以石纵横八行,布为方陈,奇正之出,皆生于此,奇亦为正之正,正亦为奇之奇,彼此相用,循环无穷也。诸葛出斜谷,以兵少,但能正用六数。今盩厔司竹园乃有旧垒。司马懿以十万步骑不敢决战,盖知其能也。○杜佑曰:旌旗乱也;示敌若乱,以金鼓齐之。纷纷,旌旗像;纭纭,士卒貌。言旌旗翻转,一合一离。士卒进退,或往或来。视之若散,扰之若乱。然其法令素定,度职分明,各有分数,扰而不乱者也。车骑齐转,形圆者,出入有道,齐整也。浑浑,车轮转行;沌沌,步骤奔驰。视其行陈纵横,圆而不方,然而指趋各有所应。故王子曰:"将欲内明而外暗,内治而外混,所以示敌之轻己者也〔三〇〕。"○梅尧臣曰:分数已定,形名已立,离合散聚,似乱而不能乱。形无首尾,应无前后,阳旋阴转,欲败而不能败。○王皙曰:曹公曰:"旌旗乱也;示敌若乱,以金鼓齐之矣。"皙谓纷纭,斗乱之貌也;不可乱者,节制严明耳。又,曹公曰:"车骑转而形圆者,出入有道,齐整也。"皙谓浑沌,形圆不测之貌也;不可败者,无所隙缺,又不测故也。○何氏曰:此言斗势也。善将兵者,进退纷纷,似乱;然士马素习,旌旗有节,非乱也。浑沌,形势乍离乍合,人以为败;而号令素明,离合有势,非可败也。形圆,无行列也。○张预曰:此八陈法也。昔黄帝始立丘井之法,因以制兵,故井分四道,八家处之。"井"字之形,开方九焉,五为陈法,四为闲地,所谓"数起于五"也。虚其中,大将居之,环其四面,诸部连绕,所谓"终于八"也。及乎变化制敌,则纷纭聚散,斗虽乱而法不乱;浑沌交错,形虽圆而势不散。所谓分而成八、复而为一也。后世武侯之方陈,李靖之"六花",唐太宗之破陈乐舞,皆其遗制也。

⑤乱生于治,怯生于勇,弱生于强。

曹操曰:皆毁形匿情也。○李筌曰:恃治之整,不抚其下而多怨,其乱必生。秦并天下，销兵焚书，以列国为郡县，而秦自称始皇，都关中，以为至万代有之。至胡亥矜骄，陈胜、吴广乘弊而起，所谓"乱生于治"也。以勇陵人，为敌所败。秦王苻坚鼓行伐晋，勇也；及其败，闻风声鹤唳，以为晋军，是其怯也，所谓"怯生于勇"也。吴王夫差兵无敌于天下，陵齐于黄池，陵越于会稽，是其强也；为越所败，城门不守，兵围王宫，杀夫差而并其国，所谓"弱生于强"也。○杜牧曰：言欲伪为乱形以诱敌人，先须至治，然后能为伪乱也。欲伪为怯形以伺敌人，先须至勇，然后能为伪怯也。欲伪为弱形以骄敌人，先须至强，然后能为伪弱也。○贾林曰：恃治则乱生，恃勇强则怯弱生。○梅尧臣曰：治则能伪为乱，勇则能伪为怯，强则能伪为弱。○王皙同梅尧臣注。○何氏曰：言战时为奇正形势以破敌也。我兵素治矣，我士素勇矣，我势素强矣，若不匿治、勇、强之势，何以致敌？须张似乱、似怯、似弱之形，以诱敌人，彼惑我诱之之状，破之必矣。○张预曰：能示敌以纷乱，必己之治也；能示敌以懦怯，必己之勇也；能示敌以羸弱，必己之强也。皆匿形以误敌人。

治乱，数也；

曹操曰：以部分名数为之，故不可乱也〔三一〕。○李筌曰：历数也。百六之灾，阴阳之数，不由人兴，时所会也。○杜牧曰：言行伍各有分画，部曲皆有名数，故能为治，然后能为伪乱也。夫为伪乱者，出入不时，樵采纵横，刁斗不严是也。○贾林曰：治乱之分，各有度数。○梅尧臣曰：以治为乱，存之乎分数。○王皙曰：治乱者，数之变。数，谓法制。○张预曰：实治而伪示以乱，明其部曲行伍之数也，上文所谓"治众如治寡，分数是也"。

勇怯，势也；

李筌曰：夫兵，得其势则怯者勇，失其势则勇者怯。兵法无定，惟因势而成也。○杜牧曰：言以勇为怯者也。见有利之势而不动，敌人以我为实怯也。○陈皞曰：勇者，奋速也；怯者，淹缓也。敌人见我欲进不进，即以我为怯也。必有轻易之心，我因其懈惰，假势以攻之。龙且轻韩信，郑人诱我师是也。○孟氏注同陈皞。○梅尧臣曰：以勇为怯，示之以不取。○王皙曰：勇怯者，势之变。○张预曰：实勇而伪示以怯，因其势也。魏将庞涓攻韩，齐将田忌救之。

孙膑谓忌曰："彼三晋之兵，素悍勇而轻齐，齐号为怯。善战者，因其势而利导之，使齐军入魏地，日减其灶。"涓闻之大喜，曰："吾素知齐怯。"乃倍日并行逐之，遂败于马陵。

强弱，形也。

曹操曰：形势所宜。○杜牧曰：以强为弱，须示其形，匈奴冒顿示娄敬以羸老是也。○陈皞曰：楚王毁中军以张随人，用为后图，此类也。○梅尧臣曰：以强为弱，形之以羸懦。○王晳曰：强弱者，形之变。○何氏曰：形势暂变，以诱敌战，非怯非弱也。示乱不乱，队伍本整也。○张预曰：实强而伪示以弱，见其形也。汉高祖欲击匈奴，遣使觇之。匈奴匿其壮士肥马，见其弱兵羸畜。使者十辈，皆言可击。惟娄敬曰："两国相攻，宜矜夸所长；今徒见老弱，必有奇兵，不可击也。"帝不从，果有白登之围。

⑥故善动敌者，形之，敌必从之〔三二〕；

曹操曰：见羸形也。○李筌曰：善诱敌者，军或强，能进退其敌也。晋人伐齐，斥山泽之险，虽所不至，必旆而疏陈之，舆曳柴从之。齐人登山而望晋师，见旌旗扬尘，谓其众而夜遁。则晋弱齐为强也。齐伐魏，将田忌用孙膑谋，减灶而趋大梁。魏将庞涓逐之，曰："齐虏何其怯也〔三三〕！入吾境，亡者半矣。"及马陵，为齐人所败，杀庞涓，虏魏太子而旋。形以弱，而敌从之也。○杜牧曰：非止于羸弱也。言我强敌弱，则示以羸形，动之使来；我弱敌强，则示之以强形，动之使去。敌之动作，皆须从我。孙膑曰："齐国号怯，三晋轻之。令入魏境为十万灶，明日为五万灶。"魏庞涓逐之，曰："齐虏何怯也！入吾境土，亡者太半。"因急追之。至马陵，道狭，膑乃斫木书之曰："庞涓死此树下。"伏弩于侧，令曰："见火始发。"涓至，钻燧读之；万弩齐发，庞涓死。此乃示以羸形，能动庞涓，遂来从我而杀之也。隋炀帝于雁门为突厥始毕可汗所围，太宗应募救援，隶将军云定兴营。将行，谓定兴曰："必多赍旗鼓，以设疑兵。且始毕可汗敢围天子，必以我仓卒无援；我张吾军容，令数十里〔三四〕，昼则旌旗相续，夜则钲鼓相应，虏必以为救兵云集，睹尘而遁。不然，彼众我寡，不能久矣。"定兴从之，师次崞县，始毕遁去。此乃我弱敌强，示之以强，动之令去。故敌之来去，一皆从我之形也。〇梅尧臣曰：形乱弱而必从。〇王皙曰：诱敌使必从。〇何氏曰：移形变势，诱动敌人；敌昧于战，必落我计中而来，力足制之。〇张预曰：形之以羸弱，敌必来从。晋楚相攻，苗贲皇谓晋侯曰："若栾、范易行以诱之，中行、二郤必克二穆。"果败楚师。又，楚伐随〔三五〕，羸师以张之。季良曰："楚之羸，诱我也。"皆此二义也〔三六〕。

予之，敌必取之。

曹操曰：以利诱敌，敌远离其垒，而以便势击其空虚孤特也。〇杜牧曰：曹公与袁绍相持官渡，曹公循河而西，绍于是渡河追公。公营南阪，下马解鞍。时白马辎重就道，诸将以为敌骑多，不如还营。荀攸曰："此所以饵敌也，安可去之？"绍将文丑与刘备将五六千骑，前后继至，或分趋辎重。公曰："可矣。"乃皆上马。时骑不满六百人，遂大破之，斩文丑。〇梅尧臣曰：示畏怯而必取。〇王皙曰：饵敌使必取。"予"、"与"同。〇张预曰：诱之以小利，敌必来取。吴以囚徒诱越，楚以樵者诱绞是也。

以利动之，以卒待之〔三七〕。

曹操曰：以利动敌也。〇李筌曰：后汉大司马邓禹之攻赤眉也，赤眉佯北，弃辎重而遁，车皆载土，覆之以豆。禹军乏食，竞趋之，不为行列。赤眉伏兵奄至，击之，禹大败，则其义也。〇杜牧曰：以利动敌，敌既从我，则严兵以待之。上文所解是也。〇梅尧臣曰：以上数事，动诱敌而从我〔三八〕，则以精卒待之。〇王皙曰：或使之从，或使之取，必先严兵以待之也。〇何氏曰：敌贪我利，则失行列；利既能动，则以所待之卒击之，无不胜也。如曹公西征马超，与超夹关为军。公急持之，而潜遣徐晃、朱灵等夜渡蒲坂津，据河西为营。公自潼关北渡，未济。超赴船急战，公放牛马以饵贼。贼乱取牛马，公得渡，循河为甬道而南。贼退距渭口，公乃多设疑兵，潜以舟载兵入渭，为浮桥，夜分兵结营于渭南。贼夜攻营，伏兵奋击，破之。十六国南凉秃发傉檀守姑臧〔三九〕，后秦姚兴遣将姚弼等至于城下，傉檀驱牛羊于野，弼众采掠；傉檀分兵击，大破之。后魏末，大将广阳王元深伐北狄，使于谨单骑入贼中，示以恩信。于是西部铁勒酋长乜列河等三万馀户并款附，相率南迁。广阳欲与谨至折敷岭迎接之，谨曰：

"破六汗拔陵兵众不少,闻乜列河等归附,必来邀击。彼若先据险要,则难与争锋。今以乜列河等饵之,当竞来抄掠,然后设伏而待,必指掌破之。"广阳然其计。拔陵果来邀击,破乜列河于岭上,部众皆没。谨伏兵发,贼遂大败,悉收得乜列河之众。○张预曰:形之既从,予之又取,是能以利动之而来也,则以劲卒待之。李靖以"卒"为"本","以本待之"者,谓正兵节制之师。

⑦故善战者〔四〇〕,求之于势,不责于人,

杜佑曰:言胜负之道,自图于中,不求之下,责怒师众,强使力进也,若秦穆悔过,不替孟明也。

故能择人而任势。

一作"故能择人而任之"。诸家作"任势"者多矣。○曹操曰:求之于势者,专任权也;不责于人者,权变明也〔四一〕。○李筌曰:得势而战,人怯者能勇,故能择其所能任之。夫勇者可战,谨慎者可守,智者可说,无弃物也。○杜牧曰:言善战者,先料兵势,然后量人之材,随短长以任之,不责成于不材者也。曹公征张鲁于汉中,张辽、李典、乐进将七千馀人守合淝〔四二〕,教与护军薛悌,署函边曰:"贼至乃发。"俄而吴孙权十万人众围合淝,乃共发教曰:"若孙权至者,张、李将军出战,乐将军守,护军勿得与战。"诸将皆疑。辽曰:"公征在外,比救至,彼破我必矣。是以教及其未合逆击之,折其威势,以安众心,然后可守。成败之机,在此一举。"典与辽同出,果大破孙权。吴人夺气,还修守备,众心乃安。权攻城,十日不拔,乃退。孙盛论曰:"夫兵,诡道也。至于合淝之守,悬弱无援,专任勇者,则好战生患;专任怯者,则惧心难保。且彼众我寡,众者必怀贪惰;我以致命之师,击贪惰之卒,其势必胜。胜而后守,则必固矣。是以魏武杂选武力,参以异同,为之密教,节宣其用,事至而应,若合符契也。"○贾林曰:读为"择人而任势",言示以必胜之势,使人从之,岂更外责于人,求其胜败?择勇怯之人,任进退之势。○陈皞曰:善战者专求于势,见利速进,不为敌先,专任机权,不责成于人。苟不获已而用人,即须择而任之。○杜佑曰:权变之明,能简置于人,任己之形势也。○梅尧臣曰:用人以势则易,责人以力则难;能者,当在择人而任势。○何氏曰:得势自胜,不专责人以力也。○王皙

曰：谓将能择人任势以战，则自然胜矣。人者，谓偏裨与？〇张预曰：任人之法，使贪、使愚、使智、使勇，各任自然之势，不责人之所不能，故随材大小，择而任之。尉缭子曰："因其所长而用之。"言三军之中，有长于步者，有长于骑者，因能而用，则人尽其材。又，晋侯类能而使之是也。

任势者〔四三〕，其战人也，如转木石；木石之性，安则静，危则动，方则止，圆则行。

曹操曰：任自然势也。〇李筌曰：任势御众，当如此也。〇杜佑曰：言投之安地则安，投之危地则危，不知有所回避也。任势，自然也。方圆之形，犹兵胜负之形。〇梅尧臣曰：木石，重物也，易以势动，难以力移；三军，至众也，可以势战，不可以力使，自然之道也。〇何氏同梅尧臣注。〇张预曰：木石之性，置之安地则静，置之危地则动，方正则止，圆斜则行，自然之势也。三军之众，甚陷则不惧，无所往则固，不得已则斗，亦自然之道。

故善战人之势〔四四〕，如转圆石于千仞之山者，势也。

李筌曰：蒯通以为坂上走丸，言其易也。〇杜牧曰：转石于千仞之山，不可止遏者，在山不在石也；战人有百胜之勇，强弱一贯者，在势不在人也。杜公元凯曰："昔乐毅藉济西一战，能并强齐，今兵威已成，如破竹数节之后，迎刃自解，无复著手，此势也。势不可失。"乃东下建邺，终灭吴。此篇大抵言兵贵任势，以险迅疾速为本，故能用力少而得功多也。〇梅尧臣曰：圆石在山，屹然其势；一人推之，千人莫制也。〇王皙曰：石不能自转，因山之势而不可遏也；战不能妄胜，因兵之势而不可支也。〇张预曰：石转于山而不可止遏者，由势使之也；兵在于险而不可制御者，亦势使之也。李靖曰："兵有三势：将轻敌，士乐战，志励青云，气等飘风，谓之气势；关山狭路，羊肠狗门，一夫守之，千人不过，谓之地势；因敌怠慢，劳役饥渴，前营未舍，后军半济，谓之因势。故用兵任势，如峻坂走丸，用力至微，而成功甚博也。"

校　记

〔一〕本篇篇题，平津本与武经诸本作"兵势第五"，樱田本作"势篇第五”。孙校本改“势”为“埶”，简本亦正作“埶”。按：“埶”与“势”乃古今字，孙校本虽确，唯“埶”已不用，故仍依原本。

〔二〕“责”，原本讹作“贵”，孙校本已正，是。

〔三〕御览卷二七〇引“寡”作“少”。

〔四〕“镗”，原本误作“锺”，今亦依孙校本改正。

〔五〕“可使必受敌而无败”，此句诸本皆如此，唯简本“必”作“毕”，校释从之。王注亦谓当作“毕”，张注亦云“皆受敌”。按：作“毕”善，唯作“必”亦可通，故两存之。

〔六〕“碫”，孙子诸本皆如此，唯御览卷二七〇引作“瑕”。孙校谓当作“碬”。简本作“段”，当为“碫”之假。校释从之。菁华录则谓孙校误，仍当作“碬”。按：菁华录误也。清孙志祖读书脞录对此字致讹之由有详考，谓说文本有“碫”、“碬”二字，今本脱去“碫”字之注，又脱去“碬”字，而以“碫”字之注入于“碬”字之下；楚金不考，而误因之，反以左传郑公孙段作“段”为误，谬矣。其说甚碻，故当据改。孙校谓当从“段”作“碫”，颇为有见，唯其又谓诸本作“碬”者，乃唐以后多“遐”音，因字之讹而作音，则似牵附。故无论经文、注文，凡作“碬”者，皆当为“碫”。

〔七〕此句长短经奇正作“兵以正合，事以奇胜”，非是。诸本无异文，今仍之。

〔八〕“粮”，原本误作“被”，明本与孙校本已正，是。

〔九〕“隋”，原本作“唐”，谈本同，孙校本亦未改。按：文中虽称唐高祖备边，但却为炀帝所遣，时高祖尚未称帝，故此朝代仍当为隋。

〔一〇〕“马邑”，“邑”原本作“也”，显误，今正之。

〔一一〕孙校谓书钞作“善出兵”于义为长；遗说则谓原文当作“善出奇正”，不言“正”者，阙文也；御览卷二八二引又作“善奇”。按：孙子之意，重在善出“奇”，故仍依原本。

〔一二〕“江河”，十一家注各本皆如此，而曹注本与武经各本则作“江海”，简本则又作“河海”，今并存之。

〔一三〕“复生”，平津本与武经诸本作“更生”，樱田本与御览卷二八二引同。今亦两存之。

〔一四〕“更王”，原本及明本皆如此，孙校本同，而中华校点本则改“王”为“互”，查通典卷一五六佑注作“更王”，而卷一六一“五行无常胜，四时无常位”佑注“言五行更王，四时迭用”，亦作“更王”。按：此“王”通“旺”，庄子养生主“神虽王，不善也”，即言“旺”，盛也。故四时更迭，互为盛衰，固可言“更王”，原文不误，故仍之。唯作“互”亦可通，故亦存之。

〔一五〕“四时更王”之“王”字，原本残，明本与孙校本作“互”。按：上佑注及通典两引皆作“王”，且可通，故仍之，不必改字。

〔一六〕“声不过五”，长短经还师作“声不过五声”，以下“色不过五”与“味不过五”之下亦重“色”、“味”二字。

〔一七〕“听”，御览卷二八二引作“闻”。

〔一八〕“观”，书钞卷一一〇引作“视”。

〔一九〕“战势”，长短经奇正引作“战胜”，御览卷二八二引又作“战数”，皆非是。

〔二〇〕如上两句，通行诸本皆如此，而简本“相生”作“环相生”，“如循环”无“循”字，长短经奇正与御览卷二八二引亦无，史记田单列传赞与文选张景阳杂诗注引并同。校释从删。按：孙子故书当止有“环”字，且“环”指玉环，作“如环之无端”文意已足，何必“循”之而始知其无端乎？故有此字反觉复赘，当以无之为善。

〔二一〕“激水之疾”，此句诸本亦无歧异，唯简本无“激”字，御览卷二八二引同，而通典卷一五四引则有，长短经势略引则又作“水之弱”，今仍之。

〔二二〕“鸷鸟之疾”，此句诸本皆如此，唯御览卷二八二引“疾”作

"击",孙校是之,校释亦从之。按:除孙校引吕览作"击"外,史记越王句践世家与淮南兵略引亦并言"击",曹、杜、张等家注亦作"击",故以作"击"为是。

〔二三〕"如鹰鹯之攫撮",孙校本改"撮"为"搏",中华校点本同。按:通典卷一五四作引"撮",取也,于义固通,并非字误,故当仍之。唯通典"鹯"作"鹞",且"之"下又有"所"字,此其有异于原本也。

〔二四〕以上两句"其势险,其节短",总要卷三引文互倒,非是。

〔二五〕通典卷一五四此句经文下又有杜佑注云:"在度之内,不远发则中。彍,张也,言形势之彍,如弩之张;奔击之易,如机之发也。故太公曰:'击之如发机,所以破精微也。'"

〔二六〕此句之下,长短经教战又有"此用众之法也",迨非经文,乃赵氏注语,故无取。

〔二七〕此处曹注,平津本原为两节,分置于经文"不可乱"与"不可败"两句之后,且文字与此有异,作"乱旌旗以示敌,以金鼓齐之也。车骑转也,形圆者,出入有道,齐整也"。今并存之,以相参较。唯原本"车骑"作"卒骑",孙校本据通典改"卒"为"车",是,今从之。

〔二八〕"及",原本无,今依孙校本补。

〔二九〕"仰天",原本"天"误作"大",依孙校本正之。

〔三〇〕以上佑注,通典卷一四九略同,唯"然而"作"然则",句末又有"浑,胡本反;沌,陟损反"八字。

〔三一〕此句曹注,原本"部"下有"曲"字,"不"下无"可"字,今据平津本删"曲"字,并补"可"字。

〔三二〕此句诸本无异,唯总要卷三引作"善动者形之。形之,敌必从之",无取。总要引文,殊不严谨,率多改易,以下凡无关文意者,概不出校。

〔三三〕“齐虏”，原本误作“齐鲁”。孙校本已改，是。下牧注所引即作“齐虏”，今从之。

〔三四〕“令”，原本又误作“今”。亦从孙校本改。

〔三五〕“楚伐随”，原本“随”作“隋”，亦误。孙校本已改，是，从之。

〔三六〕“皆此二义”，原本皆如此，孙校本同。疑“二”乃“之”字之讹。

〔三七〕以上二句，十一家注各本皆如此，平津本与武经各本“卒”作“本”，赵注并谓作“卒”为非；樱田本则作“率”。简本即作“卒”，是孙子故书本作“卒”也。今仍依原本作“卒”，张注云：“李靖以‘卒’为‘本’”，此说虽无确证，但“本”乃后人所改，迨无疑议。又，“以利动之”，简本作“以此动之”，校释从改，并谓“此”乃指上“形之”与“予之”而言，有理，今并存之。

〔三八〕“动诱敌而从我”，原本“敌”亦误作“动”。孙校本已改，是。

〔三九〕“南凉”，原本“凉”作“梁”，非是，五胡十六国有南凉，而无南梁。孙校未及，中华校点本正之，是，从之。

〔四〇〕长短经理乱引无“战”字。

〔四一〕此处曹注，平津本止有“专任权也”四字。

〔四二〕“七千馀人”，原本“七”作“十”，孙校本改为“一”，中华校点本作“七”。按：作“七”是，三国志张辽传正作“七”，孙校失之。

〔四三〕通典卷一五〇引无“任”字。

〔四四〕通典卷一五〇引无“善”字。

虚实篇〔一〕

曹操曰：能虚实彼己也。○李筌曰：善用兵者，以虚为实；善破敌者，以实为虚，故次其篇。○杜牧曰：夫兵者，避实击虚，先须识彼我之虚实也。○王皙曰：凡自守以实、攻敌以虚也。○张预曰：形篇言攻守，势篇说奇正。善用兵者，先知攻守两齐之法，然后知奇正；先知奇正相变之术，然后知虚实。盖奇正自攻守而用，虚实由奇正而见，故次势。

①孙子曰：凡先处战地而待敌者佚〔二〕，

曹操、李筌并曰：力有馀也。○贾林曰：先处形胜之地以待敌者，则有备豫，士马闲逸。○杜佑同贾林注。○王皙同曹操注。○张预曰：形势之地，我先据之，以待敌人之来，则士马闲逸，而力有馀。

后处战地而趋战者劳。

李筌曰：力不足也。太一遁甲云："彼来攻我，则我为主，彼为客，主易客难也。"是以太一遁甲言其定计之义，故知劳佚事不同，先后势异。○杜牧曰：后周遣将，帅突厥之众逼齐，齐将段韶御之。时大雪之后，周人以步卒为前锋，从西而下，去城二里。诸将欲逆击之，韶曰："步人气力势自有限，今积雪既厚，逆战非便，不如陈以待之；彼劳我佚，破之必矣。"既而交战，大破之，前锋尽殪，自馀遁矣〔三〕。○贾林曰：敌处便利，我则不往，引兵别据，示不敌其军；敌谓我无谋，必来攻袭。如此，则反令敌倦，而我不劳。○孟氏曰：若敌已处便势之地，己方赴利，士马劳倦，则不利矣。〇梅尧臣曰：先至待敌则力完，后至趋战则力屈。〇何氏曰：战国秦师伐韩，围阏与，赵遣将赵奢救之。军士许历曰："秦人不意赵师至此，其来气盛。将军必厚集其陈以待之，不然必败。"又曰："先据北山者胜，后至者败。"赵奢即发万人趋之。秦兵后至，争山，不得上。赵奢纵兵击之，大破秦军，遂解阏与之围。后汉初，诸将征隗嚣，为嚣所败。光武令悉军栒邑。未及至，隗嚣乘胜使其将王元、行巡将二万馀人下陇，因分遣巡取栒邑。汉将冯异即驰马欲先据之。诸将皆曰："虏兵盛而新乘胜，不可与争，宜止军便地，徐思方略。"异曰："虏兵方盛临境，狃忲小利，遂欲深入；若得栒邑，三辅动摇，是吾忧也。夫攻者不足，守者有馀，今先据城，以佚待劳，非所以争锋也。"遂潜往，闭城，偃旗鼓。行巡不知，驰赴之。异乘其不意，卒击鼓建旗而出，巡军惊乱奔走，追而大破之。东魏将齐神武伐西魏，军过蒲津，涉洛，至许原。西魏将周文帝军至沙苑。齐神武闻周文至，引军来会。诘朝，候骑告齐神武军且至，周文步将李弼曰："彼众我寡，不可平地置陈；此东十里有渭曲，可先据以待之。"遂军至渭曲，背水东西为陈。合战，大破之。〇张预曰：便利之地，彼已据之，我方趋彼以战，则士马劳倦，而力不足。或谓所战之地，我宜先到，立陈以待彼，则已佚矣。彼先结陈，我后至，则我劳矣。若宋人已成列，楚师未既济之类。

故善战者，致人而不致于人。

李筌曰：故能致人之劳，不致人之佚也。〇杜牧曰：致令敌来就我，我当蓄力待之，不就敌人，恐我劳也。后汉张步将费邑分遣其弟敢守巨里。耿弇进兵，先胁巨里，使多伐树木，扬言以填坑堑。数日，有降者言：邑闻弇欲攻巨里，谋来救之。弇乃严令军中趋修攻具，宣勒诸部，后三日当悉力攻巨里城。阴缓生口，令得亡归。归者以弇期告邑。至日，果自将精兵三万馀人来救之。弇喜谓诸将曰："吾修攻具者，欲诱致邑耳；今来，适其所求也。"即分三千人守巨里，自引精兵上冈阪，乘高大破之，遂临陈斩费邑。〇杜佑曰：言两军相远，强弱俱敌，彼可使历险而来，我不可历险而往；必能引致敌人，已不往从也。〇梅尧臣曰：能令敌来，则敌劳；我不往就，则我佚。〇王晳曰：致人者，以佚乘其劳;致于人者,以劳乘其佚。○何氏曰:令敌自来。○张预曰:致敌来战,则彼势常虚;不往赴战,则我势常实。此乃虚实彼我之术也。耿弇先逼巨里以诱致费邑,近之。

②能使敌人自至者,利之也;

曹操曰:诱之以利也。○李筌曰:以利诱之,敌则自远而至也。赵将李牧诱匈奴,则其义也。○杜牧曰:李牧大纵畜牧,人众满野,匈奴小入,佯北不胜,以数千人委之。单于大喜,率众来入,牧大破之,杀匈奴十万骑。单于奔走,岁馀不敢犯边也。○梅尧臣曰:何能自来?示之以利,○何氏曰:以利诱之而来,我佚敌劳。○张预曰:所以能致敌之来者,诱之以利耳,李牧佯北以致匈奴、杨素毁车以诱突厥是也。

能使敌人不得至者,害之也〔四〕。

曹操曰:出其所必趋,攻其所必救。○李筌曰:害其所急,彼必释我而自固也。魏人寇赵邯郸,乞师于齐。齐将田忌欲救赵,孙膑曰:“夫解纷者不控捲,救斗者不搏撠;批亢捣虚,形格势禁,则自解尔。今二国相持,轻锐竭于外,疲老殆于内,我袭其虚,彼必解围而奔命,所谓一举存赵而弊魏也。”后魏果释赵而奔大梁,遭齐人于马陵,魏师败绩。○杜牧曰:曹公攻河北,师次顿丘,黑山贼于毒等攻武阳。曹公乃引兵西入山,攻毒本屯。毒闻之,弃武阳还。曹公要击于内,大破之也。○陈皞曰:子胥疲楚师、孙膑走魏将之类也。○杜佑曰:致其所必走,攻其所必救,能守其险害之要路,敌不得自至。故王子曰:“一猫当穴,万鼠不敢出;一虎当溪,万鹿不敢过。”言守之上也〔五〕。○梅尧臣曰:敌不得来,当制之以害。○王皙曰:以害形之,敌患之而不至。○张预曰:所以能令敌人必不得至者,害其所顾爱耳。孙膑直走大梁而解邯郸之围是也。

故敌佚能劳之,

曹操曰:以事烦之。○李筌曰:攻其不意,使敌疲于奔命。○杜牧曰:高颎言平陈之策于隋祖曰:“江北地寒,田收差晚。江南土热,水田早熟。量彼收获之际,微征士马〔六〕,声言掩袭,彼必屯兵御守,足得废其农时。彼既聚兵,我便解甲。”于是,陈人始病。○梅尧臣曰:挠之,使不得休息。○王皙曰:巧致之也。○何氏曰：春秋时，吴王阖闾问于伍员曰："伐楚何如？"对曰："楚执政众，莫适任患，若为三师以肄焉：一师至，彼必皆出；彼出则归，彼归则出，彼必道弊。亟肄以疲之，多方以误之；既罢而后，以三军继之，必大克之。"阖闾从之，楚于是乎始病。吴遂入郢。○张预曰：为多方以误之之术，使其不得休息。或曰：彼若先处战地以待我，则是彼佚也，我不可趋而与之战。我既不往，彼必自来，即是变佚为劳也。

饱能饑之〔七〕，

曹操曰：绝粮道以饥之〔八〕。○李筌曰：焚其积聚，芟其禾苗，绝其粮道。○杜牧曰：我为主，敌为客，则可以绝粮道而饥之。如我为客，敌为主，则如之何？答曰：饥敌之术，非止绝粮道，但能饥之则是。隋高颎平陈之策曰："江南土薄，舍多茅竹，有畜积〔九〕，皆非地窖。密遣人因风纵火，待敌修立，更复烧之，不出数年，自可财力俱尽。"遂行其策，由是陈人益困。三国时，诸葛诞、文钦据寿春。及招吴请援，司马景王讨之，谓诸将曰："彼常突围，决一朝之命；或谓大军不能久，省食减口，冀有他变。料贼之情，不出此二者。当多方以乱之。"因命合围，遣羸疾寄谷淮北廪，军士豆人三升。诞、钦闻之，果喜。景王愈羸形以示之。诞等益宽，恣食。俄而城中粮尽，攻而拔之。隋末，宇文化及率兵攻李密于黎阳，密知化及粮少，因伪和之，以弊其众。化及大喜，恣其兵食，冀密馈之。其后食尽，其将王智略、张童仁等率所部兵归于密，前后相继，化及以此遂败。○陈皞曰：饥敌之术，在临事应机。○梅尧臣曰：要其粮，使不得馈。○王晳曰：谓敌人足食，我能使之饥乏耳。曹公曰"绝其粮道"，晳谓火积亦是也。○何氏曰：如吴、楚反，周亚夫曰："楚兵剽轻〔一〇〕。难与争锋，愿以梁委之，绝其食道，乃可制也。"亚夫会兵荥阳，吴攻梁，梁急，请救。亚夫引兵东北，走昌邑，深壁而守，使轻骑弓高侯等绝吴、楚兵后食道。兵乏粮，饥，欲退，数挑战，终不出，乃引兵去。精兵追击，大破之。王莽末，天下乱，光武兄伯升起兵讨莽，为莽将甄阜、梁丘赐所败，复收会兵众，还保于棘阳。阜、赐乘胜留辎重于蓝乡，引精兵十馀万人南渡，横临沘水〔一一〕。阻两山间为营，绝后桥，示无还心。伯升于是大飨军士，设盟约，休卒三日，为六部，潜师夜起，袭取蓝乡，尽获其辎重。明晨，自南攻甄阜，下江兵自东南攻梁丘赐。乏食陈溃，遂斩阜、赐。唐辅公祏遣其伪将冯惠亮、陈当世领水军屯于博望山。陈正通、徐绍宗率步骑军于青州山〔一二〕。河间王孝恭至，坚壁不与斗，使奇兵断其粮道。贼渐馁，夜薄我营，孝恭安卧不动。明日，纵羸兵以攻贼垒，使卢祖尚率精骑列陈以待之。俄而攻垒者败走，出追，奔数里，遇祖尚军，与战，大败之，正通弃营而走。〇张预曰：我先举兵，则我为客，彼为主。为客，则食不足；为主，则饱有馀。若夺其畜积，掠其田野，因粮于彼，馆谷于敌，则我反饱，彼反饥矣，则是变客为主也。不必焚其积聚，废其农时，然后能饥敌矣。或彼为客，则绝其粮道，广武君欲请奇兵以遮绝韩信军后是也。

安能动之〔一三〕，

曹操曰：攻其所必爱，出其所必趋，则使敌不得不相救也。〇李筌曰：出其所必趋，击其所不意，攻其所必爱，使不得不救也〔一四〕。〇杜牧曰：司马宣王攻公孙文懿于辽东，阻辽水以拒魏军。宣王曰："贼坚营高垒以老我师，攻之正入其计。古人云：敌虽高垒，不得不与我战者，攻其所必救。我今直指襄平，则人怀内惧，惧而求战，破之必矣。"遂整陈而过。贼见兵出其后，果来邀之，乃纵击，大破之，竟平辽东。〇陈皞曰：左传楚伐宋，宋告急于晋。晋先轸曰："我执曹君，而分曹卫之田以赐宋人，楚爱曹卫，必不许也。喜赂怒顽，能无战乎？"遂破楚师。〇孟氏注同曹操。〇梅尧臣曰：趋其所顾，使不得止。〇王皙同李筌注。〇何氏曰：攻其所爱，岂能安视而不动哉？〇张预曰：彼方安守，以为自固之术，不欲速战，则当攻其所必救，使不得已而须出。臾骈坚壁，秦伯挑其裨将，遂皆出战是也。〇〔一五〕

出其所不趋，趋其所不意〔一六〕。

曹操曰：使敌不得相往而救之也〔一七〕。〇何氏曰：令敌人须应我。

行千里而不劳者〔一八〕**，行于无人之地也。**

曹操曰：出空击虚，避其所守，击其不意〔一九〕。〇李筌曰：出敌无备，从孤击虚，何人之有？〇杜牧曰：梁元帝时，西蜀称帝，率兵东下，将攻元帝。西魏大将周文帝曰："平蜀制梁，在兹一举。"诸将多有异同。文帝谓将军尉迟迥曰:“伐蜀之事,一以委公。然计将安出?”迥曰:“蜀与中国隔绝百馀年矣,恃其山川险阻,不虞我师之至,宜以精甲锐骑星夜奔袭之。平路则倍道兼行,险途则缓兵渐进。出其不意,冲其腹心,必向风不守。”竟以平蜀。言不劳者,空虚之地,无敌人之虞,行止在我,故不劳也。○陈皞曰:夫言空虚者,非止为敌人不备也。但备之不严,守之不固,将弱兵乱,粮少势孤,我整军临之,彼必望风自溃。是我不劳苦,如行无人之地。○梅尧臣曰:出所不意。○何氏曰:曹公北征乌桓,谋臣郭嘉曰:“兵贵神速〔二○〕,今千里袭人,辎重多,难以趋利。且彼闻之,得以为备,不如留辎重,轻兵兼道以出,掩其不意。”公乃密出卢龙塞,直指单于庭。虏卒闻公至,惶怖合战,大破之,斩蹋顿及名王已下。又,唐吐谷浑寇边,以李靖为西海道行军大总管,轻途二千里,行空虚之地,平吐谷浑而还。故太宗曰:“且李靖三千轻骑,深入虏庭,克复定襄,古今未有也。”○张预曰:掩其空虚,攻其无备,虽千里之征,人不疲劳。若邓艾伐蜀,由阴平之径,行无人之地七百馀里是也。

攻而必取者,攻其所不守也;

李筌曰:无虞易取。○杜牧曰:警其东,击其西;诱其前,袭其后。后汉张步都剧,使弟蓝守西安,又令别将守临淄,去临淄四十里,耿弇引军营其间。弇视西安城小而坚,蓝兵又精;临淄名虽大,其实易攻。弇令军吏治攻具,后五日攻西安,纵生口令归。蓝闻之,晨夜守城。至期,夜半,弇勒诸将蓐食,及明,至临淄城下。护军荀梁等争之,以为宜速攻西安。弇曰:“西安闻吾欲攻,日夜为备;临淄出其不意,至必惊扰,吾攻之,一日必拔。拔临淄,即西安势孤,所谓击一得两。”尽如其策。后汉末,朱儁击黄巾贼帅韩忠于宛。儁作长围,起土山,以临其城内。因鸣鼓攻其西南,贼悉众赴之;儁自将精兵五千,掩其东北,乘城而入。忠乃退保小城,惶惧乞降。○陈皞曰:国家征上党,王宰知刘稹恃天井之险,不为固守之计。宰悉力攻夺而后守,稹失其险,终陷其巢穴也。○梅尧臣曰:言击其南,实攻其北。○王皙曰:攻其虚也,谓将不能、兵不精、垒不坚、备不严、救不及、食不足、心不一尔。○张预曰:善攻者,动于九天之上,使敌人莫之能备;莫之能备,则吾之所攻者,乃敌之所不守也。耿弇之克临淄,朱儁之讨黄巾,但其一端耳。

守而必固者，守其所不攻也〔二一〕。

杜牧曰：不攻尚守，何况其所攻乎？汉太尉周亚夫击七国于昌邑也，贼奔壁东南陬，亚夫使备其西北。俄而贼精卒攻西北，不得入，因遁走，追破之。○陈皞曰：无虑敌不攻，虑我不守。无所不攻，无所不守，乃用兵之计备也。○梅尧臣曰：贼击我西，亦备乎东。○王皙曰：守以实也，谓将能、兵精、垒坚、备严、救及、食足、心一尔。○张预曰：善守者，藏于九地之下，使敌人莫之能测；莫之能测，则吾之所守者，乃敌之所不攻也。周亚夫击东南而备西北，亦是其一端也。

故善攻者，敌不知其所守；善守者，敌不知其所攻。

曹操曰：情不泄也。○李筌曰：善攻者，器械多也，东魏高欢攻邺是也；善守，谨备也，周韦孝宽守晋州是也。○杜牧曰：攻取备御之情不泄也。○贾林曰：教令行，人心附，备守坚固，微隐无形，敌人犹豫，智无所措也。○梅尧臣曰：善攻者，机密不泄；善守者，周备不隙。○王皙曰：善攻者，待敌有可胜之隙，速而攻之，则使其不能守也；善守者，常为不可胜，则使其不能攻也。云不知者，攻守之计不知所出耳。○何氏曰：言攻守之谋，令不可测。○张预曰：夫守则不足，攻则有馀。所谓不足者，非力弱也，盖示敌以不足，则敌必来攻，此是敌不知其所攻也；所谓有馀者，非力强也，盖示敌以有馀，则敌必自守，此是敌不知其所守也。情不外泄，积乎攻守者也。

微乎微乎，至于无形；神乎神乎，至于无声，故能为敌之司命〔二二〕。

李筌曰：言二遁用兵之奇正，攻守微妙，不可形于言说也。微妙神乎，敌之死生，悬形于我，故曰“司命”。○杜牧曰：微者，静也；神者，动也。静者守，动者攻，敌之死生，悉悬于我，故如天之司命。○杜佑曰：言其微妙，所不可见也。言变化之形，倏忽若神，故能料敌死生，若天之司命也。○梅尧臣曰：无形则微密，不可得而窥；无声则神速，不可得而知。○王皙曰：微密则难窥，神速则难应，故能制敌之命。○何氏曰：武论虚实之法，至于神微，而后见成功之极也。吾之实，使敌视之为虚；吾之虚，使敌视之为实。敌之实，吾能使之为虚；敌之虚，吾能知其非实。盖敌不识吾虚实，而吾能审敌之虚实也。吾欲攻敌也，知彼所守者为实，而所不守者为虚，吾将避其坚而攻其脆，批其亢而捣其虚。敌欲攻我也，知彼所攻者为不急，而所不攻者为要。吾将示敌之虚，而斗吾之实。彼示形在东，而吾设备于西。是故，吾之攻也，彼不知其所当守；吾之守也，敌不料其所当攻。攻守之变，出于虚实之法。或藏九地之下，以喻吾之守；或动九天之上，以比吾之攻。灭迹而不可见，韬声而不可闻。若从地出天下，倏出间入，星耀鬼行，入乎无间之域，旋乎九泉之渊。微之微者，神之神者，至于天下之明目不能窥其形之微，天下之聪耳不能听其声之神。有形者至于无形，有声者至于无声。非无形也，敌人不能窥也；非无声也，敌人不能听也，虚实之变极也。善学兵者，通于虚实之变，遂可以入于神微之奥；不善者，案然寻微穷神，而泥其用兵之迹，不能泯其形声，而至于闻见者，是不知神微之妙固在虚实之变也。三军之众，百万之师，安得无形与声哉？但敌人不能窥听耳。○张预曰：攻守之术，微妙神密，至于无形之可睹，无声之可闻，故敌人死生之命，皆主于我也。

③进而不可御者，冲其虚也；退而不可追者，速而不可及也〔二三〕。

曹操曰：卒往进攻其虚懈，退又疾也。○李筌曰：进者，袭空虚懈怠；退者，必辎重在先，行远而大军始退，是以不可追。后赵王石勒兵在葛陂，苦雨，欲班师于邺，惧晋人蹑其后，用张宾计，令辎重先行，远而不可及也。此筌以“速”字为“远”者也。○杜牧曰：既攻其虚，敌必败；败丧之后，安能追我？我故得以疾退也。○陈皞曰：杜说非也。曹公之围张绣也，城未拔、力未屈而去之，绣兵出袭其后，贾诩止之，绣不听，果被曹公所败。绣谓诩曰：“公既能知其败，必能知其胜。”诩曰：“复以败卒袭之。”绣从之，曹公果败，岂是败丧之后不能追之哉？盖言乘虚而进，敌不知所御；逐利而退，敌不知所追也。○杜佑曰：冲突其虚空也。○梅尧臣曰：进乘其虚，则莫我御；退因其弊，则莫我追。○何氏曰：兵进则冲虚，兵退则利速。我能制敌，而敌不能制我也。○张预曰：对垒相持之际，见彼之虚隙，则急进而捣之，敌岂能御我也？获利而退，则速还壁以自守，敌岂能追我也？兵之情主速，风来电往，敌不能制。

故我欲战，敌虽高垒深沟，不得不与我战者，攻其所必救也；

曹操、李筌曰：绝其粮道，守其归路，攻其君主也。〇杜牧曰：我为主，敌为客，则绝其粮食，守其归路；若我为客，敌为主，则攻其君主。司马宣王攻辽东，直指襄平是也。〇梅尧臣曰：攻其要害。〇王皙曰：曹公曰："绝粮道，守归路，攻君主也。"皙谓敌若坚守，但能攻其所必救，则与我战矣。若耿弇欲攻巨里以致费邑亦是也。〇何氏曰：如魏将司马宣王征公孙文懿，泛舟潜济辽水，作长围，忽弃贼而向襄平。诸将言："不攻贼，而作长围，非所以示众也。"宣王曰："贼坚营高垒，欲以老吾兵也。古人言曰：敌虽高垒，不得不与我战者，攻其所必救也。贼大众在此，则窟穴虚矣。我直指襄平，必人怀内惧；惧而求战，破之必矣。"遂整陈而过。贼见兵出其后，果邀之。宣王谓诸将曰："所以不攻其营，正欲致此，不可失也。"乃纵兵逆击，大破之。三战皆捷。唐马燧讨田悦，时军粮少，悦深壁不战。燧令诸军持十日粮，进次仓口，与悦夹洹水而军。李抱真、李艽问曰："粮少而深入，何也？"燧曰："粮少，利速战。兵法：善于致人，不致于人。今田悦与淄、青、兖三军为首尾，计欲不战，以老我师。若分兵击其左右，兵少未可必破，悦且来救，是前后受敌也。兵法所谓攻其必救，彼固当战也。燧为诸军合而破之。"燧乃造三桥，道逾洹水，日挑战。悦不敢出。恒州兵以军少，惧为燧所并，引军合于悦。悦与燧明日复挑战，乃伏兵万人，欲邀燧。燧乃引诸军半夜皆食，先鸡鸣时，击鼓吹角，潜师傍洹水，径赴魏州，令曰："闻贼至，则止为陈。"又令百骑吹鼓角，皆留于后，仍抱薪持火，待军毕发，止鼓角，匿其旁，伺悦军毕渡，焚其桥。军行十数里，乃率淄、青、兖州步骑四万馀人，踰桥掩其后，乘风纵火，鼓噪而进。燧乃坐甲，令无动，命前除草、斩荆棘，广百步以为陈。募勇力得五千馀人，分为前列，以俟贼至。比悦军至，则火止，气乏，力少衰，乃纵兵击之，悦军大败。悦走桥，桥已焚矣。悦军乱，赴水，斩首二万，淄、青军殆尽。〇张预曰：我为客，彼为主，我兵强而食少，彼势弱而粮多，则利在必战。敌人虽有金城汤池之固，不得守其险，而必来与我战者，在攻其所顾爱，使之相救援也。若楚人围宋，晋将救之，狐偃曰："楚始得曹，而新婚于卫；若伐曹卫，楚必救之，则宋免矣。"从之而解。又，晋宣帝讨公孙文懿，忽弃贼而走襄平，讨其巢穴。贼果出邀之，遂逆击，三战皆捷，亦其义也。

我不欲战，画地而守之，

曹操曰：军不欲烦也。〇李筌曰：拒境自守也。若入敌境，则用天一遁甲真人闭六戊之法，以刀画地为营也。〇孟氏曰：以物画地而守，喻其易也。盖我能戾敌人之心，不敢至也。

敌不得与我战者，乖其所之也〔二四〕。

曹操曰：乖，戾也。戾其道，示以利害，使敌疑也〔二五〕。〇李筌曰：乖，异也。设奇异而疑之，是以敌不可得与我战。汉上谷太守李广纵马卸鞍，疑也〔二六〕。〇杜牧曰：言敌来攻我，我不与战，设权变以疑之，使敌人疑惑不决，与初来之心乖戾，不敢与我战也。曹公争汉中地，蜀先主拒之。时将赵云守别屯，将数十骑轻出，卒遇大军。云且斗且却。公军追至，围云。入营，使大开门〔二七〕，偃旗息鼓。曹公军疑有伏，引去。诸葛武侯屯于阳平，使魏延诸将并兵东下，武侯惟留万人守城。候白司马宣王曰："亮在城中，兵少力弱。"将士失色，亮时意气自若，敕军中悉卧旗息鼓，不得辄出，开四门，扫地却洒。宣王疑有伏，于是引去，趋北山。亮谓参佐曰："司马懿谓吾有设伏，循山走矣。"宣王后知，颇以为恨。曹公与吕布相持，公军出收麦，布领众卒至。公营止有千人出陈，半隐于堤下，吕布迟疑不敢进，曰："曹操多诈，勿入伏中。"遂引兵去。〇陈皞曰：左传楚令尹子元伐郑，入自纯门，至于逵市，悬门不发。子元曰："郑有人焉。"乃还。〇贾林曰：置疑兵于敌恶之所，屯营于形胜之地，虽未修垒堑，敌人不敢来攻我也。〇梅尧臣曰：画地，喻易也。乖其道而示以利，使其疑而不敢进也。〇王皙曰：画地，言易，且明制之必有道也。〇张预曰：我为主，彼为客。我粮多而卒寡，彼食少而兵众，则利在不战。虽不为营垒之固，敌必不敢来与我战者，示以疑形，乖其所往也。若楚人伐郑，郑悬门不发，效楚言而出，楚师不敢进而遁。又，司马懿欲攻诸葛亮，亮偃旗卧鼓，开门却洒，懿疑有伏兵，遂引而去，亦其义也。

④故形人而我无形，则我专而敌分〔二八〕。

杜佑曰：我专一而敌分散。〇梅尧臣曰：他人有形，我形不见，故敌分兵以备我。○张预曰：吾之正，使敌视以为奇；吾之奇，使敌视以为正，形人者也。以奇为正，以正为奇，变化纷纭，使敌莫测，无形者也。敌形既见，我乃合众以临之；我形不彰，彼必分势以防备。

我专为一，敌分为十，是以十攻其一也〔二九〕，

杜佑曰：我料见敌形，审其虚实，故所备者少，专为一屯。以我之专，击彼之散卒，为十共击一也。○梅尧臣曰：离一为十，我常以十分击一分。

则我众而敌寡〔三○〕；

杜佑曰：我专为一，故众；敌分为十，故寡。○张预曰：见敌虚实，不劳多备，故专为一屯。彼则不然，不见我形，故分为十处。是以我之十分击敌之一分也。故我不得不众，敌不得不寡。

能以众击寡者，则吾之所与战者，约矣。

杜牧曰：约，犹少也。我深堑高垒，灭迹韬声，出入无形，攻取莫测。或以轻兵健马冲其空虚，或以强弩长弓夺其要害。触左履右，突后惊前。昼日误之以旌旗，暮夜惑之以火鼓。故敌人畏慑，分兵防虞。譬如登山瞰城，垂帘视外，敌人分张之势，我则尽知；我之攻守之方，敌则不测。故我能专一，敌则分离。专一者力全，分离者力寡。以全击寡，故能必胜也。○杜佑曰：言约少而易胜。○梅尧臣曰：以专击分，则我所敌少也。○王皙曰：多为之形，使敌备己，其实攻者则无形也，故我专敌分矣。专则众，分则寡。十攻一者，大约言耳。○何氏同杜牧注。○张预曰：夫势聚则强，兵散则弱。以众强之势击寡弱之兵，则众力少而成功多矣。

吾所与战之地不可知，

杜佑曰：言举动微密，情不可见，使彼知所出而不知吾所举，知所举而不知吾所集。○张预曰：无形势故也。

不可知，则敌所备者多；

梅尧臣曰：敌不知，则处处为备。

敌所备者多，则吾所与战者，寡矣〔三一〕。

曹操曰：形藏敌疑，则分离其众备我也，言少而易击也〔三二〕。○王皙曰：

与敌必战之地，不可使敌知之；知则并力得拒于我。曹公曰："形藏则敌疑。"〇张预曰：不能测吾车果何出，骑果何来，徒果何从，故分离其众，所在辄为备，遂致众散而弱，势分而衰，是以吾所与接战之处，以大众临孤军也。

故备前则后寡，备后则前寡；备左则右寡，备右则左寡。无所不备，则无所不寡〔三三〕。

杜佑曰：言敌之所备者多，则士卒无不分散而少。〇梅尧臣曰：所备皆寡也。

寡者，备人者也；众者，使人备己者也。

曹操曰：上所谓形藏敌疑，则分离其众，以备我也〔三四〕。〇李筌曰：陈兵之地，不可令敌人知之；彼疑，则谓众离而备我也。〇杜牧曰：所战之地，不可令敌人知之。我形不泄，则左右、前后、远近、险易，敌人不知，亦不知我何处来攻、何地会战，故分兵御卫，处处防备。形藏者众，分多者寡。故众者必胜也，寡者必败也。〇孟氏曰：备人则我散，备我则彼分。〇杜佑曰：敌分散而少者，皆先备人也；敌所以备己多者，由我专而众故也。〇梅尧臣曰：使敌愈备，则愈寡也。〇王皙曰：左右前后俱备，则俱寡。〇何氏同诸注。〇张预曰：左右前后，无处不为备，则无处不兵寡也。所以寡者，为兵分而广备于人也；所以众者，为势专而使人备己也。

⑤故知战之地，知战之日，则可千里而会战〔三五〕。

曹操曰：以度量知空虚会战之日。〇李筌曰：知战之地，则舟车步骑之所便也。魏武以北土未安，舍鞍马，仗舟楫，与吴越争强，是以有黄盖之败。吴王濞驱吴楚之众，奔驰于梁郑之间，此不知战地日者。故太一遁甲曰："计法三门五将，主客成败则可知也，于是千里会战而胜。"〇杜牧曰：宋武帝使朱龄石伐谯纵于蜀，宋武曰："往年，刘敬宣出内水向黄武，无功而退。贼谓我今应从外水来，而料我当出其不意，犹从内水来也。如此，必以重兵守涪城，以备内道，若向黄武，正堕其计。今以大众自外取成都，疑兵向内水，此则制敌之奇也。"而虑此声先驰，贼知虚实，别有函书，全封付龄石。函边书曰："至白帝乃开。"诸军未知处分所由。至白帝，发书曰："众军悉从外水取成都，臧熹、朱林于中水取广汉，使羸弱乘高舰十馀，由内水向黄武。”谯纵果以重兵备内水，龄石灭之。○陈皞曰：杜注止言知战之地，未叙知战之日。我若伐敌，至期不得与我战，敌来侵我，我必预备以应之。项羽谓曹咎曰：“我十五日必定梁地，复与将军会。”苟不知必战之日，安能为约？○孟氏曰：以度量知空虚，先知战地之形，又审必战之日，则可千里期会，先往以待之。若敌已先至，可不往以劳之。○杜佑曰：夫善战者，必知战之日，知战之地。度道设期，分军杂卒，远者先进，近者后发，千里之会，同时而合，若会都市。其会地之日，无令敌知，知之则所备处少，不知则所备处多。备寡则专，备多则分。分则力散，专则力全。○梅尧臣曰：若能度必战之地、必战之日，虽千里之远，可克期而与战。○王晳曰：必先知地利敌情，然后以兵法之度量，计其远近，知其空虚，审敌趣应之所及战期也。知是，则虽千里可会战而破敌矣。故曹公曰“以度量知虚空会战之日”者是也。○张预曰：凡举兵伐敌，所战之地，必先知之。师至之日，能使敌人如期而来，以与我战。知战地日，则所备者专，所守者固，虽千里之远可以赴战。若蹇叔知晋人御师必于殽，是知战地也；陈汤料乌孙围兵五日必解，是知战日也。又若孙膑要庞涓于马陵〔三六〕，度日暮必至是也。

不知战地，不知战日，则左不能救右，右不能救左，前不能救后，后不能救前，而况远者数十里〔三七〕、近者数里乎？

杜牧曰：管子曰：“计未定而出兵，则战而自毁也。”○杜佑曰：敌已先据形势之地，己方趣利欲战，则左右前后疑惑进退，不能相救，况数十里之间也〔三八〕？○梅尧臣曰：不能救者，寡也。左右前后尚不能救，况远乎？○张预曰：不知敌人何地会兵、何日接战，则所备者不专，所守者不固；忽遇勍敌，则仓遽而与之战，左右前后犹不能相援，又况首尾相去之辽乎？

以吾度之，越人之兵虽多，亦奚益于胜败哉〔三九〕？

曹操曰：越人相聚，纷然无知也。或曰：吴越，仇国也〔四〇〕。○李筌曰：越，过也。不知战地及战日，兵虽过人，安能知其胜败乎？○陈皞曰：孙子为吴王阖闾论兵，吴与越仇，故言越；谓过人之兵，非义也。○贾林曰：不知战地，不知战日，士众虽多，不能制胜败之政，亦何益也？○梅尧臣曰：吴越，敌国也。

言越人虽多,亦当为我分之而寡也。○王晳曰:此武相时料敌也。言越兵虽多,苟不善相救,亦无益于胜败之数。○张预曰:"吾"字作"吴",字之误也。吴、越邻国,数相侵伐,故下文云"吴人与越人相恶也"。言越国之兵虽曰众多,但不知战地、战日,当分其势而弱也。

故曰:胜可为也〔四一〕,

杜牧曰:为胜在我,故言可为也。○孟氏曰:若使敌不知战地、期日,我之必胜可常有也。○梅尧臣同杜牧注。○王晳、何氏同孟氏注。○张预曰:为胜在我故也。形篇云"胜可知而不可为",今言"胜可为"者何也?盖形篇论攻守之势,言敌若有备,则不可必为也,今则主以越兵而言,度越人必不能知所战之地日,故云"可为"也。

敌虽众,可使无斗。

杜牧曰:以下四事度量之,敌兵虽众,使其不能与我斗胜也。○孟氏曰:敌虽多兵,我能多设变诈,分其形势,使不能并力也。○贾林曰:敌虽众多,不知己之兵情,常使急自备,不暇谋斗。○梅尧臣曰:苟能寡,何有斗?○王晳曰:多益不救,奚所恃而斗?○张预曰:分散其势,不得齐力同进,则焉能与我争?

⑥故策之而知得失之计〔四二〕,

李筌曰:用兵者,取胜之法〔四三〕,可制太一遁甲"五将"之计,以定关格掩迫之数,得失可知也。○孟氏曰:策度敌情,观其施为,则计数可知。○贾林曰:樽俎帷幄之间,以策筹之,我得彼失之计皆先知也。○杜佑曰:策度敌情,观其所施,计数可知。○梅尧臣曰:彼得失之计,我以算策而知。○王晳曰:策其敌情,以见得失之数。○张预曰:筹策敌情,知其计之得失,若薛公料黥布之三计是也。

作之而知动静之理〔四四〕,

李筌曰:候望云气、风鸟、人情,则动静可知也。王莽时,王寻征昆阳,有云气如坏山,当营而坠,去地数丈,而光武知其必败。梁王僧辩营上有如堤之气,侯景知其必胜。风鸟,贪犲之类也〔四五〕。此筌以"作"字为"候"字者也。○杜牧曰:作,激作也。言激作敌人,使其应我,然后观其动静理乱之形也。魏武侯曰:“两军相当,不知其将,如何?”吴起曰:“令贱勇者将锐而击,交合而北,北而勿罚,观敌进退,一坐一起,其政以理,奔北不追,见利不取,此将有谋。若其悉众追北,旗幡杂乱,行止纵横,贪利务得,若此之类,将令不行,击而勿疑。”○陈皞曰:作,为也。为之利害,使敌赴之,则知进退之理也。○贾林曰:善觇候者,必知其动静之理。○杜佑曰:喜怒动作,察其举止,则情理可得。故知动静权变,为其胜负也。○梅尧臣曰:彼动静之理,因我所发而见。○王皙曰:候其理当动以否。○张预曰:发作久之,观其喜怒,则动静之理可得而知也。若晋文公拘宛春,以怒楚将子玉,子玉遂乘晋军,是其躁动也。诸葛亮遣巾帼妇人之饰,以怒司马宣王,宣王终不出战,此是其安静也。

形之而知死生之地,

李筌曰:夫破陈设奇,或偃旗鼓,形之以弱;或虚列灶火旛帜,形之以强。投之以死,致之以生,是以死生因地而成也。韩信下井陉,刘裕过大岘,则其义也。○杜牧曰:死生之地,盖战地也。投之死地必生,置之生地必死。言我多方误挠敌人,以观其应我之形,然后随而制之,则死生之地可知也。○陈皞曰:敌人既有动静,则我得见其形。有谋者,所处之地必生;无谋者,所投之地必死也。○孟氏曰:形相敌情,观其所据,则地形势生死可得而知。○贾林曰:见所理兵形,则可知其死所。○梅尧臣曰:彼生死之地,我因形见而识。○何氏同杜牧注。○张预曰:形之以弱,则彼必进;形之以强,则彼必退。因其进退之际,则知彼所据之地死与生也。上文云“善动敌者,形之,敌必从之”是也。死地,谓倾覆之地;生地,谓便利之地。

角之而知有馀不足之处〔四六〕。

曹操曰:角,量也。○李筌曰:角,量也。量其力精勇,则虚实可知也。○杜牧曰:角,量也。言以我之有馀,角量敌人之有馀;以我之不足,角量敌人之不足。管子曰:“善攻者,料众以攻众,料食以攻食;食不存不攻,备不存不攻。”司马宣王伐辽东,司马陈珪曰:“昔攻上庸,八部并进,昼夜不息,故能一旬之半,拔坚城,斩孟达;今者远来,而更安缓,愚切惑焉〔四七〕。”王曰:“孟达众少,而食支一年;吾将四倍于达,而粮不淹一月。以一月图一年,安可不速?以四击一,正命半解,犹当为之。

是以不计死伤，与粮竞也。今贼众我寡，贼饥我饱，雨水乃尔，功力不设，贼粮垂尽，当示无能以安之。”既而雨止，昼夜攻之，竟平辽东。○梅尧臣曰：彼有馀不足之处，我以角量而审。○王皙曰：角，谓相角也。角彼我之力，则知有馀不足之处，然后可以谋攻守之利也。此而上亦所以量敌知战。○张预曰：有馀，强也；不足，弱也。角量敌形，知彼强弱之所。唐太宗曰：“凡临陈，常以吾强对敌弱，常以吾弱对敌强。”苟非角量，安得知之？○〔四八〕

⑦故形兵之极，至于无形；无形，则深间不能窥，智者不能谋〔四九〕。

李筌曰：形敌之妙，入于无形。间不可窥，智不可谋，是谓形也。○杜牧曰：此言用兵之道，至于臻极，不过于无形。无形，则虽有间者深来窥我，不能知我之虚实。强弱不泄于外，虽有智能之士，亦不能谋我也。○梅尧臣曰：兵本有形，虚实不露，是以无形，此极致也。虽使间者以情钓，智者以谋料，可得乎？○王皙曰：制兵形于无形，是谓极致，孰能窥而谋之哉？○何氏曰：行列在外，机变在内，因形制变，人难窥测，可谓神微。○张预曰：始以虚实形敌，敌不能测，故其极致，卒归于无形。既无形可睹，无迹可求，则间者不能窥其隙，智者无以运其计。

因形而错胜于众，众不能知〔五〇〕。

曹操曰：因敌形而立胜〔五一〕。○李筌曰：错，置也。设形险之势，因士卒之勇，而取胜焉。军事尚密，非众人之所知也。○杜牧曰：窥形可置胜败，非智者不能，固非众人所能得知也。○梅尧臣曰：众知我能置胜矣，不知因敌之形。○何氏曰：因敌置胜，众不能知。○张预曰：因敌变动之形以置胜，非众人所能知。

人皆知我所以胜之形，而莫知吾所以制胜之形。

曹操曰：不以一形之胜万形。或曰：不备知也。制胜者，人皆知吾所以胜，莫知吾因敌形制胜也〔五二〕。○李筌曰：战胜，人知之；制胜之法幽密，人莫知。○杜牧曰：言已胜之后，但知我制敌人，使有败形，本自于我，然后我能胜之也。上文云：“近而示之远，远而示之近，利而诱之，乱而取之，实而备之，彊而避之〔五三〕，怒而挠之，卑而骄之，佚而劳之，亲而离之"，斯皆制胜之道，人莫知之也。○陈皞曰：人但知我胜敌之善，不能知我因敌之败形。○梅尧臣曰：知得胜之迹，而不知作胜之象。○王晳曰：若韩信背水拔帜是也。人但见水上军殊死战，不可败；及赵军惊乱遁走，不知吾能制使之然者以何道也。○张预曰：立胜之迹，人皆知之，但莫测吾因敌形而制此胜也。

故其战胜不复，而应形于无穷〔五四〕。

曹操曰：不重复动而应之也。李筌曰：不复前谋以取胜，随宜制变也。○杜牧曰：敌每有形，我则始能随而应之以取胜。○杜佑曰：死官也。○贾林曰：应敌形而制胜，乃无穷。○梅尧臣曰：不执故态，应形有机。○王晳曰：夫制胜之理惟一，而所胜之形无穷也。○何氏曰：已胜之分，不再用也。敌来斯应，不循前法，故不穷。○张预曰：已胜之后，不复更用前谋，但随敌之形而应之，出奇无穷也。

⑧夫兵形象水，

孟氏曰：兵之形势如水流，迟速之势无常也。

水之形，避高而趋下〔五五〕，

梅尧臣曰：性也。

兵之形，避实而击虚〔五六〕。

梅尧臣曰：利也。○张预曰：水趋下则顺，兵击虚则利。

水因地而制流〔五七〕，

杜牧曰：因地之下。○梅尧臣曰：顺高下也。○张预曰：方圆斜直，因地而成形。

兵因敌而制胜。

李筌曰：不因敌之势，吾何以制哉？夫轻兵不能持久，守之必败；重兵挑之必出。怒兵辱之，强兵缓之，将骄宜卑之，将贪宜利之，将疑宜反间之，故因敌而制胜。○杜牧曰：因敌之虚也。○贾林曰：见敌盛衰之形，我得因而立胜。○杜佑曰：言水因地之倾侧而制其流，兵因敌之亏阙而取其胜者也。○梅尧臣曰：随虚实也。○王晳曰：谓堤防疏导之也。○何氏曰：因敌强弱而成功。○张预曰：虚实强弱，随敌而取胜。

故兵无常势，

梅尧臣曰：应敌为势。〇张预曰：敌有变动，故无常势。

水无常形〔五八〕，

梅尧臣曰：因地为形。〇孟氏曰：兵有变化，地有方圆。〇张预曰：地有高下，故无常形。〇〔五九〕

能因敌变化而取胜者，谓之神〔六〇〕。

曹操曰：势盛必衰，形露必败，故能因敌变化，取胜若神。〇李筌曰：能知此道，谓之神兵也。〇杜牧曰：兵之势，因敌乃见，势不在我，故无常势。如水之形，因地乃有，形不在水，故无常形。水因地之下，则可漂石；兵因敌之应，则可变化如神者也。〇梅尧臣曰：随而变化，微不可测。〇王晳曰：兵有常理，而无常势；水有常性，而无常形。兵有常理者，击虚是也；无常势者，因敌以应之也。水有常性者，就下是也；无常形者，因地以制之也。夫兵势有变，则虽败卒，尚复可使击胜兵，况精锐乎？〇何氏曰：行权应变在智略，智略不可测，则神妙者也。〇张预曰：兵势已定，能因敌变动，应而胜之，其妙如神。

故五行无常胜，

杜佑曰：五行更王〔六一〕。〇王晳曰：迭相克也。

四时无常位，

杜佑曰：四时迭用〔六二〕。〇王晳曰：迭相代也。

日有短长，月有死生〔六三〕。

曹操曰：兵无常势，盈缩随敌。〇李筌曰：五行者，休囚王相递相胜也。四时者，寒暑往来无常定也。日月者，周天三百六十五度四分度之一。百刻者，春秋二分，则日夜均；夏至之日，昼六十刻，夜四十刻，冬至之日，昼四十刻，夜六十刻，长短不均也。月初为朔，八日为上弦，十五日为望，二十四日为下弦，三十日为晦，则死生义也。孙子以为五行、四时、日月盈缩无常，况于兵之形变，安常定也？〇梅尧臣曰：皆所以象兵之随敌也。〇王晳曰：皆喻兵之变化非一道也。〇张预曰：言五行之休王，四时之代谢，日月之盈昃，皆如兵势之无定也。〇〔六四〕

校　记

〔一〕“虚实”，通行本皆如此，唯简本作“实虚”。按：“虚实”已成习惯用语，各家亦多以“虚实”为说，且二者含义全同，故仍之。又，平津本与武经各本中卷自此篇始。

〔二〕樱田本句首“凡”下有“用兵”二字。又，此句之“先处”与下句之“后处”，御览卷二七○引“处”俱作“据”。且“佚”作“失”，“趋”作“趣”，古通。

〔三〕“自馀遁矣”，原本如此，孙校本同。按：此似不词，疑“自”乃“其”字之讹。

〔四〕此句御览卷三三四引句首无“能”字，“害之也”又作“险害之地”。

〔五〕此上佑注首句“致其所必走”，通典卷一六○引同，孙校本据上曹注改为“出其所必趋”，并谓：“字之误也。”按：佑注每先引曹注，再述己意。由上曹注观之，此句当有误，应据孙校本改。唯原本如此，今仍其旧。又，末句“言守之上也”，原本无，孙校本亦未补，今据通典补之。

〔六〕以上牧注“江北地寒，田收差晚”，原本无“地”字，孙校本改为“江北寒地，收差晚”。按：孙校本所改非善，今依隋书高颎传改。又“微征士马”，原本作“征兵上马”，亦似不词，今亦据高颎传正之。

〔七〕“饑”，十一家注宋明诸本皆如此，孙校本则依通典、御览改作“飢”。简本、平津本与武经各本亦正作“飢”。按：孙校本改“饑”为“飢”，是。“飢”者，饿饭也；而“饑”之本义乃谷不熟也。而此句与“饱”相对，自当是“飢”字。且下军争篇有“以饱待飢”，即作“飢”。唯二字古通，商君书靳令“有饑寒死亡，不为利禄之故战，此亡国之俗也”，此“饑”即通“飢”，故可不必改字。又，简本句末有“者”字，是其与上句“佚能劳之”并为下句“出其所必趋”之从句。

〔八〕此句平津本作“绝其粮道”，与原本稍异。

〔九〕“畜积”，孙校本改“畜”为“蓄”。按：“畜”亦有贮积之义，古与“蓄”常杂用，穀梁传庄二八年“国无九年之畜曰不足”，礼王制“畜”即作“蓄”，故可不必改字。若必改之，当据隋书本传改为“储”。

〔一〇〕“楚兵剽轻”，原本“兵”作“丘”，误。孙校本已正，是。

〔一一〕“沘水”，原本作“泚水”。按：据后汉书光武纪，当是沘水，李贤注云：“在沘阳县南。沘音比。”沘阳即今河南泌阳。

〔一二〕“陈正通”下，原本有“河间王孝恭”五字。孙校本亦有。按：陈正通乃辅公祏叛将，而河间王李孝恭乃唐室宗亲、行军大总管兼讨叛主帅，分属不同阵营，怎可并称“率步骑军于青州山”？故此四字追涉下句“河间王孝恭至”而衍。今据旧唐书卷十六宗室传删。又，“青州山”，旧唐书作“青林山”。

〔一三〕此句诸本皆有，唯简本独无。查诸家亦多注此句，故当仍之。

〔一四〕“攻其所必爱”，原文“必”误作“不”，孙校本已正，是。

〔一五〕此句除上述诸家注外，尚有杜佑注“攻其所爱”四字，见通典卷一五八。

〔一六〕此二句十一家注诸本、平津与武经各本皆如此，唯简本止作“出于其所必”，下空三字，即接下句“行千里而不劳”。空处当有“趋”字，且必无下句“趋其所不意”五字。查御览卷二七〇与卷三〇六两引均作“必趋”，长短经格形同，且均无“趋其所不意”句。樱田本亦作“必趋”。曹、李上句“安能动之”注亦均明言“出其所必趋”。且若作“不趋”，则焉能使敌“佚能劳之”、“饱能饥之”？而欲使敌“佚之”、“饥之”，必出其所“必趋”而后可。孙校谓“作‘不趋’者，误也”，应依御览作“必趋”，其说甚为有见。校释从之，改“不”为“必”，另于“趋”下加“也”字，并删“趋其所不意”，是。

〔一七〕此句曹注，平津本无，孙校本虽有，但又于“不得”二字下加一“不”字。按：如此则与上句“安能动之”句注意全同；但如依原文，则与该句意相乖，故此句可据平津本删。

〔一八〕“不劳”，简本作“不畏”，今仍之。

〔一九〕平津本无“避其所守”四字。

〔二〇〕“兵贵神速”，原本误“贵”为“遗”，今亦正之。

〔二一〕此句诸本皆如此，校释据简本改“守其所不攻”为“守其所必攻”，并谓守而必固者，因料敌之所必攻，从而加强守备使之牢固也。按：此说固有理。然如梅注“贼击我西，亦备乎东”，或如周亚夫守昌邑，贼攻东南，而亚夫命守西北，不亦“守其所不攻”之义乎？故两存之。

〔二二〕以上诸句，通典卷一六〇引作“微乎微微，至于无形；神乎神神，至于无声，故能为变化司命”。御览卷三一七引“至于无形”作“故能隐于常形”，且无“至于无声”一句，“故能为变化司命”句同通典。皆无取，今仍之。

〔二三〕首句“进而不可御”，简本作“进不可迎”，“不可追”作“不可止”，“速而不可及”之“速”字作“远”。御览卷三一七引末句亦作“远而不可及”，今均仍依原本。

〔二四〕“乖”，简本作“膠”，迨“谬”之借，其义可同“乖”。

〔二五〕此处曹注，平津本与原本无异，唯孙校本据御览又于末句之下续补“我未修垒堑，敌人不以形势之长就能加之于我者，不敢攻我也”。今并录此，以相参较。

〔二六〕“纵马卸鞍”，原本“鞍”误作“安”，今予正之。

〔二七〕“使大开门”，原本“使”误作“史”，今亦正之。

〔二八〕“形人而我无形”，简本作“善将者形人而无形”。“我专而敌分”，道藏本“分”作“忿”，孙校亦谓原作“忿”，故而改为“分”。按：孙改是，宋本正作“分”，是明本误也。

〔二九〕“以十攻其一”，各本皆如此，简本“攻”作“击”，而孙校本则据通典、御览改“攻”为“共”，并谓作“攻”为误。按：改作“共”固可，然谓作“攻”为误，则非是。二字声近义通，古可通假。书甘誓“左不攻于左，右不攻于右”，墨子明鬼则作“左不共于左，右不共于右”。故原本不误，今两存之。

〔三〇〕此句各本皆如此，唯简本作“我寡而敌众”，校释谓其无“则”字，说明其非承接上文，而是另起一节，故下文有“敌虽众，可使无斗”，今并存之，以相参较。

〔三一〕以上诸句，简本作“所备者多，则所战者寡矣”。

〔三二〕此处曹注，平津本无，而通典卷一五八佑注则有之，且与此全同。再，王注亦引有曹注，可知原有曹注，平津本无者，迨为后人所删也。

〔三三〕以上诸句，各本皆同，唯简本自“备前”至“右寡”之间空字无多，或仅有“备前者后寡，备左者右寡”，而无“备后”与“备右”两句。又，末两句，简本作“无不备者，无不寡”，通典卷一五八与御览卷三一三引同。

〔三四〕此处曹注，平津本同，唯无“上所谓”三字。按：有无此三字无关紧要，问题是此句重见于上“敌所备者多”注。而该注虽为平津本所未见，但从佑注与王注所引观之，当属该句。而此句注意则与经文不相应，佑注亦未再引，故疑此曹注乃前句之注而重出于此者。

〔三五〕以上诸句，通行各本无异，唯简本“日”、“地”互倒。通典卷一五八引无“可”字，御览卷三一三引同。

〔三六〕“孙膑要庞涓”，原本无“要”字，孙校本补之，是。

〔三七〕以上诸句，简本“地”、“日”互乙，且以“前”、“后”、“左”、“右”为序。又，“远者数十里”，樱田本作“数千里”。按：古代战争，战地百里，即为罕见，况数千里之遥乎！故无取。

〔三八〕“数十里”，原本作“十数里”，通典卷一五八引同，唯通典注称，通典旧本原作“数十里”，今本乃据孙子此句佑注而改。按：通典旧本不误，是今本改之误也。孙校即作“数十里”。且经文亦明言“数十里”，既如此，何注文又称“十数里”乎？故当据孙校本回改为是。

〔三九〕“以吾度之”，十一家注各本如此，平津本与樱田本同，而武经各本则“吾”作“吴”，赵注同，而张注又谓作“吴”乃字之误。按：“吾”、“吴”乃一声之转，古尝相乱。如韩非子饰邪有云：“勾践恃大朋之龟，与吴战而不胜”，明道本“吴”即作“吾”。故作“吴”不误。今两存之。又，“亦奚益于胜败哉”，十一家注各本“胜”下皆有“败”字，但简本却无，平津本与武经各本以及赵注与樱田本等亦皆无，校释亦予删除。按：此句乃接上文，言不知战地、不知战日，兵众虽多，亦未必有益于胜利之获得，岂可言对失败有所裨益哉？故删之非为无理。唯“胜败”亦可视为偏义复合词，虽“胜”、“败”连称，而旨言在“胜”，故不删亦可。

〔四〇〕此处曹注，平津本止有“吴越仇国也”五字。

〔四一〕此句御览卷三二二引作“胜可知而不可为也”，孙校谓其因形篇之语而致误，或如是。今仍依原文。

〔四二〕简本此句在下“死生之地”句下，且“策”字作“计”。至于“得失之计”又作何字，因简身残缺，不可得知。

〔四三〕“取胜之法”，原本作“取胜之兵法”，“兵”字显系涉上“兵”字而衍。孙校未及，失之。又，中华本又以此与下句“可制”连读，并断句。如此，则下文“太一遁甲五将之计”即无所主矣，故未可据，而当读为“取胜之法，可制太一遁甲五将之计”。如此则文通义顺矣。

〔四四〕“作之”，诸本皆如此，但遗说却引作“候之”，御览卷二九〇与长短经料敌引同，且李、贾、王注亦皆言“候”，通典故本亦作“候”，今本则据十家注回改为“作”。按作“作”或作“候”，于义均可通，今并存之。

〔四五〕“犲”，孙校本改作“豺”。按：“豺”可作“犲”，改否均可。

〔四六〕此句诸本皆以“有馀不足”为言，简本同，唯通典卷一五〇引作“不足有馀”，御览卷二九〇引同。今亦两存之。

〔四七〕“愚切惑焉”，原本如此，孙校本同。按：“切”疑“窃”字之误。

〔四八〕通典卷一五〇此句经文下又有杜佑注云：“角，量也。角量彼我军马，则长短可知也。”

〔四九〕以上诸句，御览卷三二二引“形兵”二字互乙，赵注不重“无形”二字，御览引“深间”又误作“深渊”。

〔五〇〕“错”，平津本与武经本作“措”，前形篇“其所措必胜”亦作“措”，二字古通，亦常相乱，今仍之。唯长短经料敌作“作胜”，则非是。

〔五一〕孙校谓御览引此曹注“敌形”作“地形”，并指其为非，是。

〔五二〕此句曹注，平津本无“一形”下“之”字，且无“或曰不备知也”六字，较原本简练。

〔五三〕“彊而避之”，原本“彊”误作“疆”，孙校本与中华本均已改正，是。“彊”乃“强”之本字，而“疆”乃指土域，故此句自当为“彊”。

〔五四〕御览卷三二二引此句“其”误作“兵”，且无“于”字。

〔五五〕“水之形”，各本皆如此，唯简本作“水行”，治要卷三三、通典卷一五八与御览卷二七〇引亦均作“水之行”，孙校亦谓作“形”为误，校释据改。按：改之善。又，通典引“趋”作“就”，义同，今仍之。

〔五六〕“兵之形”，原本及通行诸本皆如此，唯简本作“兵胜”，校释亦从作“兵之胜”，以与下“兵因敌而制胜”相应。今并存之。

〔五七〕“制流”，原本及其他通行诸本亦皆如此，唯简本作“制行”。治要卷三三引与书钞卷一一三引并同。再查文选求自试表、西征赋、张景阳杂诗、赵充国颂与褚渊碑等注引亦皆作“制行”。而通典卷一五八与一六一两引则均作“制形”，十一家注与武经则又作“制流”，是孙子故书本作“制行”，唐、宋以后，始有“形”、“流”之异。校释从作“制行”，以与上句“水之行”相应。按：作“行”善。

〔五八〕以上两句“兵无常势，水无常形”，诸本皆同，唯简本“常势”作“成势”，“常形”作“恒刑”，且无“水”字。治要卷三三引“常势”亦作“成势”，计篇“不可先传”句曹注、御览卷二七〇引同，是孙子故书或本作“成势”。按：“成势”与“常势”义同。简本作“恒”而原本作“常”者，盖避真宗讳而改。“刑”、“形”古通用。故“恒刑”与“常形”亦义同。唯简本无“水”字，则“无恒刑”之主语亦为“兵”矣。如此虽亦可通，唯此节乃以水喻兵，以上各句亦“水”、“兵”相属成文，各家注亦皆“水”、“兵”对举，故有“水”字，言兵无常势犹水无常形，于义为善。今仍依原文。

〔五九〕通典卷一六一此句经文下又有杜佑注云：“言兵有变化，故地有方圆。”

〔六〇〕简本此句作“能与敌化之胃神”。通典卷一六一引“因”作“随”。

〔六一〕“五行”二字之上，通典卷一六一又有“五行谓金、木、水、火、土”八字。

〔六二〕“四时”之上，通典又有“四时谓春、夏、秋、冬”七字。

〔六三〕“死生”，通典引作“生死”。

〔六四〕通典卷一六一此句经文下又有杜佑注云：“兵无成势，盈缩随敌。日月盛衰，犹兵之形势，或弱或强也。”

军争篇〔一〕

曹操曰：两军争胜。○李筌曰：争者，趋利也。虚实定，乃可与人争利。○王晳曰：争者，争利；得利则胜。宜先审轻重，计迂直，不可使敌乘我劳也。○张预曰：以"军争"为名者，谓两军相对而争利也。先知彼我之虚实，然后能与人争胜，故次虚实。

①孙子曰：凡用兵之法：将受命于君，

李筌曰：受君命也。遵庙胜之算，恭行天罚。○张预曰：受君命，伐叛逆。

合军聚众，

曹操曰：聚国人，结行伍，选部曲，起营为军陈〔二〕。○梅尧臣曰：聚国之众，合以为军。○王晳曰：大国三军，总三万七千五百人；若悉举其赋，则总七万五千人。此所谓"合军聚众"。○张预曰：合国人以为军，聚兵众以为陈。

交和而舍〔三〕，

曹操曰：军门为和门，左右门为旗门，以车为营曰辕门，以人为营曰人门，两军相对为交和。○李筌曰：交间和杂也。合军之后，强弱、勇怯、长短、向背，间杂而仵之；力相兼，后合诸营垒，与敌争之。○杜牧曰：周礼"以旌为左右和门"，郑司农曰："军门曰和，今谓之垒门，立两旌旗表之，以叙和出入，明次第也。"交者，言与敌人封垒而舍，和门相交对也。○贾林曰：舍，止也。士众交杂和合，而止于军中，趋利而动。○梅尧臣曰：军门为和门，两军交对而舍也。

○何氏曰:和门相望,将合战争利,兵家难事也。○张预曰:军门为和门。言与敌对垒而舍,其门相交对也。或曰:与上下交相和睦,然后可以出兵为营舍。故吴子曰:"不和于国,不可以出军;不和于军,不可以出陈。"

莫难于军争。

曹操曰:从始受命,至于交和,军争难也〔四〕。○杜牧曰:于争利害难也。○梅尧臣曰:自受命至此,为最难。○张预曰:与人相对而争利,天下之至难也。○〔五〕

军争之难者,以迂为直,以患为利。

曹操曰:示以远,迩其道里〔六〕,先敌至也。○杜牧曰:言欲争夺,先以迂远为近,以患为利,诳给敌人,使其慢易,然后急趋也。○陈皞曰:言合军聚众,交和而舍,皆有旧制,惟军争最难也。苟不知以迂为直、以患为利者,即不能与敌争也。○贾林曰:全军而行,争于便利之地,而先据之;若不得其地,则输敌之胜,最其难也。○杜佑曰:敌途本迂,患在道远,则先处形势之地,故曰"以患为利"〔七〕。○梅尧臣曰:能变迂为近,转患为利,难也。○王晳曰:曹公曰:"示以远,迩其道里,先敌至。"晳谓示以远者,使其不虞而行,或奇兵从间道出也。○何氏曰:谓所征之国,路由山险,迂曲而远,将欲争利,则当分兵出奇,随逐乡导,由直路乘其不备,急击之,虽有陷险之患,得利亦速也。如锺会伐蜀,而邓艾出奇,先至蜀,蜀无备而降。故下云"不得乡导,不能得地利"是也。○张预曰:变迂曲为近直,转患害为便利,此军争之难也。

故迂其途,而诱之以利,后人发,先人至,此知迂直之计者也〔八〕。

曹操曰:迂其途者,示之远也。后人发、先人至者,明于度数,先知远近之计也。○李筌曰:故迂其途,示不速进;后人发,先人至也。用兵若此,以患为利者。○杜牧曰:上解曰以迂为直,是示敌人以迂远;敌意已怠,复诱敌以利,使敌心不专;然后倍道兼行,出其不意,故能后发先至,而得所争之要害也。秦伐韩,军于阏与,赵王令赵奢往救之。去邯郸三十里,而令军中曰:"有以军事谏者死。"秦军武安西。秦军鼓噪勒兵,武安屋瓦皆震。军中候有一人言急救武安，奢立斩之。坚壁留二十八日不行，复益增垒。秦间来，奢善食而遣之。间以报秦，秦将大喜，曰："夫去国三十里而军不行，乃增垒，阏与非赵地也。"奢既遣秦间，乃卷甲而趋，二日一夜至，令善射者去阏与五十里而军。秦人闻之，悉甲而至。有一卒曰："先据北山者胜。"奢使万人据之，秦人来争不得。奢因纵击，大破之，阏与遂得解。○贾林曰：敌途本近，我能迂之者，或以羸兵，或以小利，于他道诱之，使不得以军争赴也。○梅尧臣曰：远其途，诱以利，款之也；后其发，先其至，争之也。能知此者，变迂转害之谋也。○何氏曰：迂途者，当行之途也。以分兵出奇，则当行之途，示以迂险，设势以诱敌，令得小利縻之，则出奇之兵，虽后发亦先至也。言争利，须料迂直之势出奇，故下云"分合为变"、"其疾如风"是也。○张预曰：形势之地，争得则胜。凡欲近争便地，先引兵远去，复以小利啖敌，使彼不意我进，又贪我利，故我得以后发而先至，此所谓"以迂为直，以患为利"也。赵奢据北山而败秦军，郭淮屯北原而走诸葛是也。能后发先至者，明于度数，知以迂为直之谋者也。○〔九〕

②故军争为利，军争为危〔一〇〕。

曹操曰：善者则以利，不善者则以危。○李筌曰：夫军者，将善则利，不善则危。○杜牧曰：善者，计度审也。○贾林曰：我军先至，得其便利之地，则为利；彼敌先据其地，我三军之众驰往争之，则敌佚我劳，危之道也。○梅尧臣曰：军争之事，有利也，有危也。又一本作"军争为利，众争为危"。○何氏曰：此又言出军行师，驱三军之众，与敌人相角逐，以争一日之胜，得之则为利，失之则为危，不可轻举。○张预曰：智者争之则为利，庸人争之则为危。明者知迂直，愚者昧之故也。○〔一一〕

举军而争利，则不及；

曹操曰：迟不及也。○李筌曰：辎重行迟。○贾林曰：行军用师，必趋其利，远近之势，直以举军往争其利，难以速至；可以潜设奇计，迂敌途程，敌不识我谋，则我先而敌后也。○杜佑曰：迟不及也。举军悉行，争赴其利，则道路悉不相逮。○梅尧臣曰：举军中所有而行，则迟缓。○王皙曰：以辎重故。○张预曰：竭军而前，则行缓而不能及利。

委军而争利，则辎重捐〔一二〕。

曹操曰：置辎重，则恐捐弃也。○李筌曰：委弃辎重，则军资阙也。○杜牧曰：举一军之物行，则重滞迟缓，不及于利；委弃辎重，轻兵前追，则恐辎重因此弃捐也。○贾林曰：恐敌知而绝我后粮也。○杜佑曰：委置库藏，轻师而行，若敌乘虚而来，抄绝其后，则己辎重皆悉弃捐。○梅尧臣曰：委军中所有而行，则辎重弃。○王皙同曹操注。○何氏同杜佑注。○张预曰：委置重滞，轻兵独进，则恐辎重为敌所掠，故弃捐也。

是故卷甲而趋，日夜不处〔一三〕，

曹操曰：不得休息，罢也〔一四〕。

倍道兼行，百里而争利，则擒三将军〔一五〕，

杜佑曰：若不虑上二事〔一六〕，欲从速疾，卷甲束仗，潜军夜行；若敌知其情，邀而击之，则三军之将为敌所擒也。若秦伯袭郑，三帅皆获是也。

劲者先，疲者后，其法十一而至〔一七〕。

曹操曰：百里而争利，非也，三将军皆以为擒〔一八〕。○李筌曰：一日行一百二十里，则为倍道兼行；行若如此，则劲健者先到，疲者后至。军健者少，疲者多，且十人可一人先到，馀悉在后，以此遇敌，何三将军不擒哉？魏武逐刘备，一日一夜行三百里，诸葛亮以为强弩之末不能穿鲁缟，言无力也，是以有赤壁之败。庞涓追孙膑，死于马陵，亦其义也。○杜牧曰：此说未尽也。凡军一日行三十里为一舍，倍道兼行者，再舍，昼夜不息，乃得百里。若如此争利〔一九〕，众疲倦，则三将军皆须为敌所擒。其法什一而至者，不得已必须争利，凡十人中择一人最劲者先往，其馀者则令继后而往。万人中先择千人〔二〇〕，平旦先至，其馀继至，有巳午时至者，有申未时至者，各得不竭其力，相续而至，与先往者足得声响相接。凡争利，必是争夺要害，虽千人守之，亦足以拒抗敌人、以待继至者。太宗以三千五百骑先据武牢，窦建德十八万众而不能前，此可知也。○陈皞曰：杜说别是用兵一途，非“什一而至”之义也。盖言百里争利，劲者先，疲者后，十中得一而至，九皆疲困，一则劲者也。○贾林曰：路远人疲，奔驰力尽，如此则我劳敌佚，被击何疑？百里争利，慎勿为也。○杜佑

曰：百里争利，非也，三将军皆为擒也。强弱不复相待〔二一〕，率十有一人至军也〔二二〕。罢音疲。○梅尧臣曰：军日行三十里而舍，今乃昼夜不休，行百里，故三将军为其擒也。何则？涉途既远，劲者少，罢者多，十中得一至耳。三将军者，三军之师也。○王皙曰：罢，羸也。此言争利之道，宜近不宜远耳。夫冲风之衰，不能起毛羽；强弩之末，不能穿鲁缟。苟日夜兼行，百里趋利，纵使一分劲者能至，固已困乏矣。即敌人以佚击我之劳，自当不战而败。故司马宣王曰："吾倍道兼行，此晓兵者之所忌也。"或曰：赵奢亦卷甲而趋，二日一夜卒胜秦者何也？曰：奢久并气积力，增垒遣间，示怯以骄之，使秦不意其至，兵又坚，奢又去阏与五十里而军，比秦闻之，及发兵至，非二三日不能也。能来，是彼有五十里趋敌之劳，而我固已二三日休息，士卒不胜其佚；且又投之险难，先据高阳，奇正相因，曷为不胜哉？○何氏曰：言三将出奇求利，委军众辎重，卷甲务速；若昼夜百里不息，则劲者能十至其一。我劳敌佚，敌众我寡，击之未必胜也，败则三将俱擒。以此见武之深戒也。○张预曰：卷甲，犹悉甲也。悉甲而进，谓轻重俱行也。凡军日行三十里则止，过六十里已上为倍道，昼夜不息为兼行。言百里之远，与人争利，轻兵在前，辎重在后，人罢马倦，渴者不得饮，饥者不得食，忽遇敌，则以劳对佚，以饥敌饱，又复首尾不相及，故三军之帅必皆为敌所擒。若晋人获秦三帅是也。轻兵之中，十人得一人劲捷者先至，下九人悉疲困而在后，况重兵乎？何以知轻重俱行？下文云"五十里而争利，则半至"，若止是轻兵，则一日行五十里不为远也，焉有半至之理？是必重兵偕行也。

五十里而争利，则蹷上将军，其法半至〔二三〕。

曹操曰：蹷，犹挫也。○李筌曰：百里则十人一人至，五十里十人五人至，挫军之威，不至擒也。言道近不至疲。○杜牧曰：半至者，凡十人中择五人劲者先往也。○贾林曰：上，犹先也。○杜佑曰：蹷，犹挫也。前军之将，已为敌所蹷败。○梅尧臣曰：十中得五，犹远不能胜。○王皙曰：罢劳之患，减于太半，止挫败而已。○张预曰：路不甚远，十中五至，犹挫军威，况百里乎？蹷上将，谓前军先行也。或问曰：唐太宗征宋金刚，一日一夜行二百馀里，亦能克胜者何也？答曰：此形同而势异也。且金刚既败，众心已沮，迫而灭之，则河东立平。若其缓之，贼必生计，此太宗所以不计疲顿而力逐也。孙子所陈争利之法，盖与此异矣。

三十里而争利，则三分之二至〔二四〕。

曹操曰：道近，至者多，故无死败也。○李筌曰：近不疲也，故无死亡。○杜牧曰：三十里内，凡十人中可以六七人先往也。不言"其法"者，举上文可知也。○杜佑曰：道近，则至者多，故无死败。古者用师，日行三十里，步骑相须；今走而趋利，三分之二至〔二五〕。○梅尧臣曰：道近至多，庶或有胜。○王皙曰：计彼我之势，宜须争者，或亦当然。虽三分二至，盖其精锐者之力未至劳乏，不可决以为败，故不云"其法"也。○张预曰：路近不疲，至者太半，不失行列之政，不绝人马之力，庶几可以争胜。上三事皆谓举军而争利也。

是故军无辎重则亡，无粮食则亡，无委积则亡。

曹操曰：无此三者，亡之道也。○李筌曰：无辎重者，阙所供也。袁绍有十万之众，魏武用荀攸计，焚烧绍辎重，而败绍于官渡。无粮食者，虽有金城，不重于食也。夫子曰："足食、足兵，民信之矣。"故汉赤眉百万众无食，而君臣面缚宜阳。是以善用兵者，先耕而后战。无委积者，财乏阙也。汉高祖无关中，光武无河内，魏武无兖州，军北身遁，岂能复振也？○杜牧曰：辎重者，器械及军士衣装；委积者，财货也。○陈皞曰：此说委军争利之难也。○梅尧臣曰：三者不可无，是不可委军而争利也。○王皙曰：委积，谓薪刍蔬材之属；军恃此三者以济，不可轻离也。○张预曰：无辎重，则器用不供；无粮食，则军饷不足；无委积，则财货不充，皆亡覆之道。此三者谓委军而争利也。○〔二六〕

③故不知诸侯之谋者，不能豫交；

曹操曰：不知敌情谋者，不能结交也。○李筌曰：豫，备也。知敌之情，必备其交矣。○杜牧曰：非也。豫，先也；交，交兵也。言诸侯之谋先须知之，然后可交兵合战；若不知其谋，固不可与交兵也。○陈皞曰：曹说以为不先知敌人之作谋，即不能预结外援。二说并通。○梅尧臣曰：不知敌国之谋，则不能预交邻国以为援助也。○张预曰：先知诸侯之实情，然后可与结交；不知其谋，则恐翻覆为患。其邻国为援,亦军争之事。故下文云"先至而得天下之众者,为衢地"是也。

不知山林、险阻、沮泽之形者,不能行军;

曹操曰:高而崇者为山,众树所聚者为林,坑堑者为险,一高一下者为阻,水草渐洳者为沮,众水所归而不流者为泽。不先知军之所据及山川之形者,则不能行师也〔二七〕。○梅尧臣曰:山林险阻之形,沮泽汙淖之所,必先审知。○张预曰:高而崇者为山,众木聚者为林,坑坎者为险,一高一下者为阻,水草渐洳者为沮,众水所归而不流者为泽。凡此地形,悉能知之,然后可与人争利而行军。○〔二八〕

不用乡导者,不能得地利〔二九〕。

李筌曰:入敌境,恐山川隘狭,地土泥汙,井泉不利,使人导之以得地利。易曰"即鹿无虞",则其义也。○杜牧曰:管子曰:"凡兵主者,必先审知地图。轘辕之险,滥车之水,名山通谷,经川陵陆丘阜之所在,苴草林木蒲苇之所茂,道里之远近,城郭之大小,名邑废邑困殖之地,必尽知之,地形出入之相错者尽藏之,然后不失地利。"卫公李靖曰:"凡是贼徒,好相掩袭,须择勇敢之夫,选明察之士,兼使乡导,潜历山林,密其声,晦其迹。或刻为兽足,而却履于中途;或上冠微禽,而幽伏于丛薄。然后倾耳以远听,竦目而深视,专智以度事机,注心而视气色。睹水痕,则知敌济之早晚;观树动,则可辨来寇之驱驰。故烽火莫若谨而审,旌旗莫若齐而一。赏罚必重而不欺,刑戮必严而不舍。敌之动静,而我有备也;敌之机谋,而我先知也。"○陈皞曰:凡此地利,非用乡人为导引,则不能知地利也。○杜佑曰:不任彼乡人而导军者,则不能得道路之便利也。○梅尧臣曰:凡丘陵原衍之向背,城邑道路之迂直,非人引导不能得也。○何氏曰:乡导略曰:从禽者,若无山虞之官,度其形势之可否,则徒入于林中,终不能获鹿矣。出征者,若无彼乡之人导其道路之迂直,则虽至于境外,终不能获寇矣。夫以奉辞致讨,趋未历之地,声教未通,音驿所绝,深入其阻,不亦艰哉!我孤军以往,彼密严而待,客主之势已相远矣;况其专任诡谲,多方以误我。苟不计而直进,冒危而长驱,跻险则有壅决之害,昼行则有暴来之斗,夜止则有虚惊之忧。仓卒无备,落其彀中,是乃拥熊虎之师,自投于死地,又安能摩逆垒、荡狡穴乎？故敌国之山川、陵陆、丘阜之可以设险者，林木、蒲苇、茂草之可以隐藏者，道里之远近，城郭之小大，邑落之宽狭，田壤之肥瘠，沟渠之深浅，蓄积之丰约，卒乘之众寡，器械之坚脆，必能尽知之，则虏在目中，不足擒也。昔张骞尝使大夏，留匈奴中久，导军知利，善水草处，其军得以无饥渴，兹亦能获其便利也。凡用乡导，或军行虏获其人，须防贼谋，阴持奸计，为其诱误。必在鉴其色，察其情，参验数人之言，始终如一，乃可为准。厚其颁赏，使之怀恩；丰其室家，使之系心。即为吾人，当无翻覆，然不如素畜堪用者，但能谙练行途，不必土人，亦可任也。仍选腹心智勇之士，挟而偕往，则巨细必审、指踪无失矣。○张预曰：山川之夷险，道路之迂直，必用乡人引而导之，乃可知其所利而争胜。吴伐鲁，鄫人导之以克武城是也。

④故兵以诈立，

杜牧曰：诈敌人，使不知我本情，然后能立胜也。○梅尧臣曰：非诡道，不能立事。○王晳曰：谓以迂为直，以患为利也。○何氏曰：张形势，以误敌也。○张预曰：以变诈为本，使敌不知吾奇正所在，则我可为立。

以利动，

杜牧曰：利者，见利始动也。○梅尧臣曰：非利不可动。○王晳曰：诱之也。○何氏曰：量敌可击，则击。○张预曰：见利乃动，不妄发也。传曰："三军以利动。"

以分合为变者也。

曹操曰：兵一分一合，以敌为变也。○李筌曰：以诡诈乘其利动，或合或分，以为变化之形。○杜牧曰：分合者，或分或合，以惑敌人；观其应我之形，然后能变化以取胜也。○陈皞曰：乍合乍分，随而更变之也。○孟氏曰：兵法诡诈，以利动敌心；或合或离，为变化之术。○梅尧臣、王晳同曹操注。○张预曰：或分散其形，或合聚其势，皆因敌动静而为变化也。或曰：变谓奇正相变，使敌莫测。故卫公兵法云："兵散则以合为奇，兵合则以散为奇。三令五申，三散三合，复归于正焉。"

故其疾如风〔三〇〕，

曹操曰:击空虚也。○李筌曰:进退也。其来无迹,其退至疾也。○梅尧臣曰:来无形迹。○王皙曰:速乘虚也。○何氏同梅尧臣注。○张预曰:其来疾暴,所向皆靡。○〔三一〕

其徐如林,

曹操曰:不见利也。○李筌曰:整陈而行。○杜牧曰:徐,缓也:言缓行之时,须有行列如林木也,恐为敌人之掩袭也。○孟氏曰:言缓行须有行列如林,以防其掩袭。○杜佑曰:不见利不前,如风吹林,小动而其大不移。○梅尧臣曰:如林之森然不乱也。○王皙曰:齐肃也。○张预曰:徐,舒也。舒缓而行,若林木之森森然,谓未见利也。尉缭子曰"重者如山如林,轻者如炮如燔"也。

侵掠如火,

曹操曰:疾也。○李筌曰:如火燎原,无遗草。○杜牧曰:猛烈不可向也。○贾林曰:侵掠敌国,若火燎原,不可往复。○张预曰:诗云:"如火烈烈,莫我敢遏。"言势如猛火之炽,谁敢御我!○〔三二〕

不动如山,

曹操曰:守也。○李筌曰:驻军也〔三三〕。○杜牧曰:闭壁屹然,不可摇动也。○贾林曰:未见便利,敌诱诳我,我因不动,如山之安。○梅尧臣曰:峻不可犯。○王皙曰:坚守也。○何氏曰:止如山之镇静。○张预曰:所以持重也。荀子议兵篇云:"圆居而方正,则若盘石然,触之者角摧。"言不动之时,若山石之不可移;犯之者,其角立毁。○〔三四〕

难知如阴〔三五〕,

李筌曰:其势不测如阴,不能睹万象。○杜牧曰:如玄云蔽天,不见三辰。○梅尧臣曰:幽隐莫测。○王皙曰:形藏也。○何氏曰:暗秘而不可料。○张预曰:如阴云蔽天,莫睹辰象。○〔三六〕

动如雷震〔三七〕,

李筌曰:盛怒也。○杜牧曰:如空中击下,不知所避也。○贾林曰:其动也,疾不及应。太公曰:"疾雷不及掩耳。"○梅尧臣曰:迅不及避。○王皙曰:不虞而至。○何氏曰:藏谋以奋如此。○张预曰:如迅雷忽击,不知所避,故太

公曰:"疾雷不及掩耳,迅电不及瞬目。"〇〔三八〕

掠乡分众〔三九〕,

曹操曰:因敌而制胜也。〇李筌曰:抄掠必分兵为数道,惧不虞也。〇杜牧曰:敌之乡邑聚落无有守兵,六畜财谷易于剽掠,则须分番次第,使众人皆得往也,不可独有所往。如此,则大小强弱皆欲与敌争利也。〇陈皞曰:夫乡邑村落,因非一处,察其无备,分兵掠之。〇"掠乡"一作"指向"。〇贾林曰:三军不可言遣,故以旌旗指向;队伍不可语传,故以麾帜分众。故因敌陈形可为势,此尤顺,训练分明,师徒服习也。〇梅尧臣曰:以飨士卒。〇王晳曰:指所乡以分其众。"乡"音"向"。〇何氏曰:得掠物,则与众分。〇张预曰:用兵之道,大率务因粮于敌;然而乡邑之民,所积不多,必分兵随处掠之,乃可足用。〇〔四〇〕

廓地分利,

曹操曰:分敌利也〔四一〕。〇李筌曰:得敌地,必分守利害。〇杜牧曰:廓,开也。开土拓境,则分割与有功者。韩信言于汉王曰:"项王使人有功当封爵者,刻印刓忍不能与;今大王诚能反其道,以天下城邑封功臣,天下不足取也。"三略曰:"获地裂之。"〇陈皞曰:言获其土地,则屯兵种莳,以分敌之利也。〇贾林曰:廓,度也。度敌所据地利,分其利也。〇梅尧臣曰:与有功也。〇王晳曰:廓视地形,以据便利,勿使敌专也。〇张预曰:开廓平易之地,必分兵守利,不使敌人得之。或云:得地则分赏有功者,今观上下之文,恐非谓此也。

悬权而动。

曹操曰:量敌而动也。〇李筌曰:权,量秤也。敌轻重与吾有铢镒之别,则动。夫先动为客,后动为主,客难而主易。太一遁甲定计之算,明动易也。〇杜牧曰:如衡悬权,秤量已定,然后动也。〇何氏同杜牧注。〇张预曰:如悬权于衡,量知轻重然后动也。尉缭子曰:"权敌审将而后举。"言权量敌之轻重,审察将之贤愚,然后举也。

先知迂直之计者胜,此军争之法也。

李筌曰:迂直,道路。劳佚馁寒,生于道路。〇杜牧曰:言军争者,先须计远近迂直,然后可以为胜。其计量之审,如悬权于衡,不失锱铢,然后可以动而取胜,此乃军争胜之法也。○梅尧臣曰:称量利害而动,在预知远近之方则胜。○王皙曰:量敌审轻重而动,又知迂直必胜之道也。○张预曰:凡与人争利,必先量道路之迂直,审察而后动,则无劳顿寒馁之患,而且进退迟速不失其机,故胜也。

⑤军政曰:

梅尧臣曰:军之旧典。○王皙曰:古军书。

"言不相闻,故为金鼓〔四二〕;

杜佑曰:金,钲铎也。听其音声,以为耳候〔四三〕。○梅尧臣曰:以威耳也。耳威于声,不可不清。○王皙曰:鼓鼙、钲铎之属。坐作、进退,疾徐、疏数,皆有其节。

视不相见,故为旌旗。"

杜佑曰:瞻其指麾,以为目候。○梅尧臣曰:以威目也。目威于色,不得不明。○王皙曰:表部曲行列齐整也。

夫金鼓旌旗者,所以一人之耳目也〔四四〕;

李筌曰:鼓进铎退,旌赏而旗罚。耳听金鼓,目视旌旗,故不乱也。勇怯不能进退者,由旗鼓正也。○张预曰:夫用兵既众,占地必广,首尾相辽,耳目不接,故设金鼓之声,使之相闻;立旌旗之形,使之相见。视听均齐,则虽百万之众,进退如一矣,故曰:"斗众如斗寡,形名是也。"○〔四五〕

人既专一,则勇者不得独进,怯者不得独退,此用众之法也。

杜牧曰:旌以出令,旗以应号。盖旗者,即今之信旗也。军法曰:"当进不进,当退不退者,斩之。"吴起与秦人战,战未合,有一夫不胜其勇,前获双首而返,吴起斩之。军吏进谏曰:"此材士也,不可斩。"吴起曰:"信材士,非令也。"乃斩之。○梅尧臣曰:一人之耳目者,谓使人之视听齐一而不乱也。鼓之则进,金之则止;麾右则右,麾左则左,不可以勇怯而独先也。○王皙曰:使三军之众,勇怯、进退齐一者,鼓铎旗旗之为也。○张预曰:士卒专心一意,惟在于金鼓旌旗之号令。当进则进,当退则退,一有违者,必戮。故曰:令不进而进,与令不退而退,厥罪惟均。尉缭子曰:“鼓鸣旗麾,先登者未尝非多力国士也,将者之过也。”言不可赏先登获俊者,恐进退不一耳。〇〔四六〕

故夜战多火鼓,昼战多旌旗,所以变人之耳目也〔四七〕。

李筌曰:火鼓,夜之所视听;旌旗,昼之所指挥。〇杜牧曰:令军士耳目,皆随旌旗火鼓而变也。或曰:夜战多火鼓,其旨如何?夜黑之后,必无原野列陈,与敌刻期而战也。军袭敌营,鸣鼓然火,适足以警敌人之耳,明敌人之目,于我返害,其义安在?答曰:富哉问乎〔四八〕!此乃孙武之微旨也。凡夜战者,盖敌人来袭我垒,不得已而与之战,其法在于立营之法与陈小同。故志曰:“止则为营,行则为陈。”盖大陈之中,必包小陈;大营之内,亦包小营。盖前后左右之军,各自有营环绕。大将之营,居于中央,诸营环之,隅落钩联,曲折相对,象天之壁垒星。其营相去上不过百步,下不过五十步,道径通达,足以出队列部;壁垒相望,足以弓弩相救。每于十字路口,必立小堡,上致柴薪,穴为暗道,胡梯上之,令人看守。夜黑之后,声鼓四起,即以燔燎。是以贼夜袭我,虽入营门,四顾屹然,复有小营,各自坚守,东西南北,未知所攻。大将营或诸小营中,先知有贼至者,放令尽入,然后击鼓,诸营齐应,众堡燎火,明如昼日。诸营兵士,于是闭门登垒,下瞰敌人,劲弩强弓,四向俱发。敌人虽有韩、白之将,鬼神之兵,亦无能计也。唯恐夜不袭我,来则必败。若敌人或能潜入一营,即诸营举火出兵,四面绕之,号令营中,不得辄动,须臾之际,善恶自分。贼若出走,皆在罗网矣。故司马宣王入诸葛亮营垒,见其曲折,曰:“此天下之奇才也!”今之立营,通洞豁达,杂以居之,若有贼夜来斫营,万人一时惊扰,虽多致斥候,严为备守,晦黑之后,彼我不分,虽有众力,亦不能用。〇陈皞曰:杜言夜黑之后,必无原野列陈,与敌人刻期而战,非也。天宝末,李光弼以五百骑趋河阳,多列火炬,首尾不息。史思明数万之众,不敢逼之,岂止待贼斫营而已?〇贾林曰:火鼓旌旗,可以听望,故昼夜异用之。〇梅尧臣曰:多者,欲以变惑敌人耳目。〇王皙曰:多者,所以震骇视听,使慹我之威武声气也。传曰:“多鼓钧声,以夜军之。”〇张预曰:凡与敌战,夜则火鼓不息,昼则旌旗相续,所以变乱敌人之耳目，使不知其所以备我之计。越伐吴，夹水而陈。越为左右句卒，使夜或左或右，鼓噪而进。吴师分以御之，遂为越所败。是惑以火鼓也。晋伐齐，使司马斥山泽之险，虽所不至，必旆而疏陈之。齐侯畏而脱归。是惑以旌旗也。

⑥故三军可夺气，

曹操曰：左氏言："一鼓作气，再而衰，三而竭〔四九〕。"○李筌曰：夺气，夺其锐勇。齐伐鲁，战于长勺。齐人一鼓，公将战，曹刿曰："未可。"齐人三鼓，刿曰："可矣。"乃战。齐师败绩。公问其故，刿曰："夫战，勇气也，一鼓作气，再而衰，三而竭。彼竭我盈，故克之。"夺三军之气也。○杜牧曰：司马法："战以力久，以气胜。"齐伐鲁，庄公将战于长勺。公将鼓之，曹刿曰："未可。"齐人三鼓，刿曰："可矣。"齐师败绩。公问其故，对曰："夫战，勇气也，一鼓作气，再而衰，三而竭。彼竭我盈，故克之。"晋将毋丘俭、文钦反，诸军屯乐嘉，司马景王衔枚径造之。钦子鸯，年十八，勇冠三军，曰："及其未定，请登城鼓噪击之，可破。"既而三噪之，钦不能应。鸯退，相与引而东。景王谓诸将曰："钦走矣。"发锐军以追之。诸将曰："钦旧将鸯小而锐，引军内入，未有失利，必不走也。"王曰："一鼓作气，再而衰，三而竭。鸯鼓而钦不应，其势已屈，不走何待？"钦果引去。○王皙曰：震热衰惰，则军气夺矣。○何氏曰：淮南子曰："将充勇而轻敌，卒果敢而乐战，三军之众，百万之师，志厉青云，气如飘风，声如雷霆，诚积踰而威加敌人，此谓气势。"吴子曰："三军之众，百万之师，张设轻重，在于一人，是谓气机。"故夺气者有所待、有所乘，则可矣。○张预曰：气者，战之所恃也。夫含生禀血，鼓作斗争，虽死不省者，气使然也。故用兵之法，若激其士卒，令上下同怒，则其锋不可当。故敌人新来而气锐，则且以不战挫之，伺其衰倦而后击，故彼之锐气可以夺也。尉缭子谓"气实则斗，气夺则走"者，此之谓也。曹刿言"一鼓作气"者，谓初来之气盛也；"再而衰，三而竭"者，谓陈久而人倦也。又，李靖曰："守者，不止完其壁、坚其陈而已，必也守吾气而有待焉。"所谓守其气者，常养吾之气，使锐盛而不衰，然后彼之气可得而夺也。

将军可夺心。

李筌曰：怒之令愤，挠之令乱，间之令疏，卑之令骄，则彼之心可夺也。○杜牧曰：心者，将军心中所倚赖以为军者也。后汉寇恂征隗嚣，嚣将高峻守高平第一。峻遣军将皇甫文出谒恂，辞礼不屈，恂怒斩之，遣其副。峻惶恐，即日开城门降。诸将曰："敢问杀其使而降其城，何也！"恂曰："皇甫文，峻之腹心，其所取计者。今来，辞气不屈，必无降心。全之，则文得其计；杀之，则峻亡其胆，是以降耳。"后燕慕容垂遣子宝率众伐后魏。始宝之来，垂已有疾。自到五原，道武帝断其来路，父子问绝。道武乃诡其行人之辞，令临河告之曰："父已死，何不遽还？"宝兄弟闻之，忧惧以为信然，因夜遁去。道武袭之，大破于参合陂。○梅尧臣曰：以鼓旗之变，惑夺其气；军既夺气，将亦夺心。○王皙曰：纷乱喧哗，则将心夺矣。○何氏曰：先须已心能固，然后可以夺敌将之心。故传曰"先人有夺人之心"，司马法曰"本心固，新气胜"者是也。○张预曰：心者，将之所主也。夫治乱、勇怯，皆主于心。故善制敌者，挠之而使乱，激之而使惑，迫之而使惧，故彼之心谋可以夺也。传曰"先人有夺人之心"，谓夺其本心之计也。又，李靖曰："攻者，不止攻其城、击其陈而已，必有攻其心之术焉。"所谓攻其心者，常养吾之心，使安闲而不乱，然后彼之心可得而夺也。

是故朝气锐，

陈皞曰：初来之气，气方盛锐，勿与之争也。○孟氏曰：司马法曰："新气胜旧气。"新气即朝气也。○王皙曰：士众凡初举，气锐也。

昼气惰，

王皙曰：渐久少怠。

暮气归。

孟氏曰：朝气，初气也；昼气，再作之气也；暮气，衰竭之气也。○梅尧臣曰：朝，言其始也；昼，言其中也；暮，言其终也。谓兵始而锐，久则惰而思归，故可击。○王皙曰：怠久意归，无复战理。

故善用兵者，避其锐气，击其惰归，此治气者也。

李筌曰：气者，军之气勇。○杜牧曰：阳气生于子，成于寅，衰于午，伏于申。凡晨朝，阳气初盛，其来必锐，故须避之；候其衰，伏击之，必胜。武德中，太宗与窦建德战于汜水东。建德列陈，弥亘数里〔五〇〕。太宗将数骑登高观之，谓诸将曰："贼度险而嚣，是军无政令；逼城而陈，有轻我心。按兵不出，待敌气衰，陈久卒饥，必将自退，退而击之，何往不克！"建德列陈，自卯至午，兵士饥倦，悉列坐右，又争饮水。太宗曰："可击矣！"遂战，生擒建德。○陈皞曰：有辰巳列陈，至午未未胜者；午未列陈，至申酉未胜者，不必事须晨旦而为阳气、申午而为衰气也。太宗之攻建德也，登高而望之，谓诸将曰："贼尽锐来攻，我当少避之；退，则可以骑留之。"以明不须晨旦也。凡彼有锐，则如此避之，不然则否。○杜佑曰：避其精锐之气，击其懈惰、欲归，此理气者也。曹刿之说是也〔五一〕。○梅尧臣曰：气盛勿击，衰懈易败。○何氏曰：夫人情，莫不乐安而恶危，好生而惧死，无故驱之就卧尸之地，乐趋于兵战之场，其心之所畜，非有忿怒欲斗之气，一旦乘而激之，冒难而不顾，犯危而不畏，则未尝不悔而怯矣。今夫天下懦夫，心有所激，则率尔争斗，不啻诸、刿。至于操刃而求斗者，气之所乘也；气衰则息，恻然而悔矣。故三军之视强寇如视处女者，乘其忿怒而有所激也。是以即墨之围，五千人击却燕师者，乘燕劓降掘冢之怒也。秦之斗士倍我者，因三施无报之怒，所以我怠而秦奋也。二者，治气有道，而所用乘其机也。○张预曰：朝喻始，昼喻中，暮喻末，非以早晚为辞也。凡人之气初来新至则勇锐，陈久人倦则衰。故善用兵者，当其锐盛，则坚守以避之；待其惰归，则出兵以击之。此所谓善治己之气，以夺人之气者也。前赵将游子远之败伊余羌，唐武德中太宗之破窦建德，皆用此术。

以治待乱，以静待哗，此治心者也；

李筌曰：伺敌之变，因而乘之。○杜牧曰：司马法曰："本心固。"言料敌制胜，本心已定，但当调治之，使安静坚固，不为事挠，不为利惑，候敌之乱，伺敌之哗，则出兵攻之矣。○陈皞曰：政令不一，赏罚不明，谓之乱；旌旗错杂，行伍轻嚣，谓之哗。审敌如是，则出攻之。○贾林曰：以我之整治，待敌之挠乱；以我之清净，待敌之喧哗，此治心者也。故太公曰"事莫大于必克，用莫大于玄默"也。○梅尧臣曰：镇静待敌，众心则宁。○王皙同陈皞注。○何氏曰：夫将以一身之寡、一心之微，连百万之众，对虎狼之敌，利害之相杂，胜负之纷揉，权智万变，而措置于胸臆之中，非其中廓然，方寸不乱，岂能应变而不穷，处事而不迷，卒然遇大难而不惊，案然接万物而不惑？吾之治足以待乱，吾之静足以待哗，前有百万之敌，而吾视之，则如遇小寇。亚夫之御寇也，坚卧而不起；栾箴之临敌也，好以整，又好以暇。夫审此二人者，蕴以何术哉？盖其心治之有素、养之有馀也。○张预曰：治以待乱，静以待哗，安以待躁，忍以待忿，严以待懈，此所谓善治己之心以夺人之心者也。

以近待远，以佚待劳，以饱待饥，此治力者也。

李筌曰：客主之势。○杜牧曰：上文云"致人而不致于人"是也。○杜佑曰：以我之近，待彼之远；以我之闲佚，待彼之疲劳；以我之充饱，待彼之饥虚。此理人力者也。○梅尧臣曰：无困竭人力以自弊。○王皙曰：以馀制不足，善治力也。○张预曰：近以待远，佚以待劳，饱以待饥，诱以待来，重以待轻，此所谓善治己之力以困人之力者也。

无邀正正之旗，勿击堂堂之陈，此治变者也。

曹操曰：正正，齐也；堂堂，大也〔五二〕。○李筌曰：正正者，齐整也；堂堂者，部分也。○杜牧曰：堂堂者，无惧也。兵者，随敌而变；敌有如此，则勿击之，是能治变也。后汉曹公围邺，袁尚来救，公曰："尚若从大道来，当避之；若循西山来，此成擒耳。"尚果循西山来，逆击，大破之也。○梅尧臣曰：正正而来，堂堂而陈，示无惧也，必有奇变。○王皙曰：本可要击，以视整齐盛大，故变。○何氏曰：所谓"强则避之"。○张预曰：正正，谓形名齐整也；堂堂，谓行陈广大也。敌人如此，岂可轻战？军政曰："见可而进，知难而退。"又曰："强而避之。"言须识变通。此所谓善治变化之道以应敌人者也。○〔五三〕

⑦故用兵之法：高陵勿向，背丘勿逆〔五四〕，

李筌曰：地势也。○杜牧曰：向者，仰也。背者，倚也。逆者，迎也。言敌在高处，不可仰攻；敌倚丘山下来求战，不可逆之。此言自下趋高者力乏、自高趋下者势顺也。故不可向迎。○孟氏曰：敌背丘陵为陈，无有后患，则当引军平地，勿迎击之。○杜佑曰：敌若据山陵依附险阻，陈兵待敌，勿轻攻趋也。既地势不便有殒石之冲也。敌背丘陵为阵，无有后患，则当引置平地，勿迎而击

也〔五五〕。○梅尧臣曰:高陵勿向者,敌处其高,不可仰击。背丘勿逆者,敌自高而来,不可逆战,势不便也。○王皙曰:如此不便,则当严陈以待变也。○何氏曰:秦伐韩,赵王令赵奢救之。秦人闻之,悉甲而至。军士许历请以军事谏,曰:"秦人不意赵师至此,其来气盛,将军必厚集其陈以待之,不然必败。今先据北山上者胜,后至者败。"奢从之,即发万人趋之。秦兵后至,争山不得上,奢纵兵击之,大破秦军。后周遣将伐高齐,围洛阳。齐将段韶御之,登邙坂,聊欲观周军形势。至太和谷,便值周军,即遣驰告诸营,与诸将结陈以待之。周军以步人在前,上山逆战。韶以彼步我骑,且却且引,得其力弊,乃遣下马击之。短兵始交,周人大溃,并即奔遁。○张预曰:敌处高为陈,不可仰攻,人马之驰逐,弧矢之施发,皆不便也。故诸葛亮曰:"山陵之战,不仰其高。敌从高而来,不可迎之,势不顺也;引至平地,然后合战。"

佯北勿从,

李筌、杜牧曰:恐有伏兵也。○贾林曰:敌未衰,忽然奔北,必有奇伏要击我兵,谨勒将士,勿令逐追。○杜佑曰:北,奔走也。敌方战,气势未衰,便奔走而陈兵者,必有奇伏,勿深入从之。故太公曰:"夫出甲陈兵、纵卒乱行者,欲以为变也〔五六〕。"○梅尧臣同杜牧注。○王皙曰:势不至北,必有诈也,则勿逐。○何氏曰:如战国秦师伐赵,赵奢之子括代廉颇将,拒秦于长平。秦阴使白起为上将军。赵出兵击秦,秦军佯败而走,张二奇兵以劫之。赵军逐胜,追造秦壁,壁坚不得入。而秦奇兵二万五千人绝赵军后,又一军五千骑绝赵壁间。赵军分而为二,粮道绝。而秦出轻兵击之。赵战不利,因筑壁坚守,以待救至。秦闻赵食道绝,王自之河内,发卒遮绝赵救及粮食。赵卒不得食四十六日,阴相杀食。括中射而死。蜀刘表遣刘备北侵至邺,曹公遣夏侯惇、李典拒之。一朝备烧屯去,惇遣诸将追击之。典曰:"贼无故退,疑必有伏。南道窄狭,草木深,不可追也。"不听。惇等果入贼伏里。典往救,备见救至,乃退。西魏末,遣将史宁与突厥同伐吐谷浑,遂至树敦,即吐谷浑之旧都,多储珍藏〔五七〕,而其主先已奔贺真城,留其征南王及数千人固守。宁攻之,伪退。吐谷浑人果开门逐之,因回兵夺门,门未及阖,宁兵遂得入,生获其征南王,俘获男女财宝,尽归诸突厥。北齐高澄立,侯景叛归梁,而围彭城。澄遣慕容绍宗讨之。将战,绍宗以梁人剽悍,恐其众之挠也,召将帅而语之曰:“我当佯退,诱梁人使前,汝可击其背。”申明诫之。景又命梁人曰:“逐北勿过二里。”会战,绍宗走,梁人不用景言,乘败深入。魏人以绍宗之言为信,争掩击,遂大败之。唐安禄山反,郭子仪围卫州,伪郑王庆绪率兵来援,分为三军。子仪陈以待之,预选射者三千人伏于壁内,诫之曰:“俟吾小却,贼必争进,则登城鼓噪,弓弩齐发以逼之。”既战,子仪伪退,而贼果乘之。乃开垒门,遽闻鼓噪,矢注如雨,贼徒震骇。整众追之,遂虏庆绪。〇张预曰:敌人奔北,必审真伪。若旗鼓齐应,号令如一,纷纷纭纭,虽退走,非败也,必有奇也,不可从之。若旗靡辙乱,人嚣马骇,此真败却也。

锐卒勿攻,

李筌曰:避强气也。杜牧曰:避实也。楚子伐隋,隋臣季良曰:“楚人尚左,君必左,无与王遇。且攻其右,右无良焉,必败。偏败,众乃携矣。”隋少师曰:“不当王,非敌也。”不从。隋师败绩。〇陈皞曰:此说是避敌所长,非“锐卒勿攻”之旨也。盖言士卒轻锐,且勿攻之,待其懈惰,然后击之。所谓千里远斗,其锋莫当,盖近之尔。〇梅尧臣曰:伺其气挫。〇何氏曰:如蜀先主率大众东伐吴,吴将陆逊拒之,蜀主从建平连围至夷陵界,立数十屯,以金帛爵赏诱动诸夷。先遣将吴班以数千人于平地立营,欲以挑战。诸将皆欲击之,逊曰:“备举军东至,锐气始盛,且乘高守险,难可卒攻;攻之纵下,犹难尽克,若有不利,损我必大。今但且奖励将士,广施方略,以观其变。”备知其计不行,乃引伏兵八千人从谷中出。逊曰:“所以不听诸军击班者,揣之必有巧故也。”诸将并曰:“攻备当在初,今乃令人五六百里相衔持,经七八月,其诸要害,贼已固守,击之必无利矣。”逊曰:“备是猾虏,其军始集,思虑精专,未可干也。今住已久,不得我便,兵疲意沮,计不复生。掎角此寇,正在今日!”乃先攻一营,不利。逊曰:“吾已晓破之之术。”乃令各持一把茅,以火攻,拔之。备因夜遁。魏末,吴将诸葛恪围新城,司马景王使毌丘俭、文钦等拒之。俭、钦请战,景王曰:“恪卷甲深入,投兵死地,其锋未易当;且新城小而固,攻之未可拔。”遂令诸将高垒以弊之。相持数日,恪攻城力屈,死伤大半。景王乃令钦督锐卒趣合榆,断其归路。恪惧而遁。前赵刘曜遣将讨羌,大酋权渠率众保险阻,曜将游子远频败之。权渠欲降,其子伊馀大言于众中曰:"往年刘曜自来,犹无若我何。"晨,压子远垒门。左右劝出战。子远曰:"吾闻伊馀有专诸之勇、庆忌之捷,其父新败,怒气甚盛,且西戎劲悍,其锋不可拟也,不如缓之,使气竭而击之。"乃坚壁不战。伊馀有骄色。子远候其无备,夜分誓众,秣马蓐食,先晨具甲扫垒而出,迟明设覆而战,生擒伊馀于陈。唐武德中,太宗率师往河东讨刘武周,江夏王道宗从军。太宗登玉壁城睹贼,顾谓道宗曰:"贼恃其众,来邀我战,汝谓如何?"对曰:"群贼锋不可当,易以计屈,难与力争。令众深壁高垒,以挫其锋。乌合之徒,莫能持久,粮运致竭,自当离散,可不战而擒。"太宗曰:"汝意见暗与我合。"后贼食尽夜遁,一战败之。又,太宗征薛仁杲于折墌城,贼十有馀万,兵锋甚锐,数来挑战。诸将请战,太宗曰:"我卒新经挫衄,锐气犹少;贼骤胜,必轻进好斗。我且闭壁以折之,待其气衰而后击,可一战而破,此万全计也。"因令军中曰:"敢言战者斩!"相持久之,贼粮尽,军中颇携贰,其将相继来降。太宗知仁杲心腹内离〔五八〕,谓诸将曰:"可以战矣。"令总管梁实营于浅水原以诱之。贼大将宗罗睺自恃骄悍,求战不得,气愤者久之,及是尽锐攻梁实,冀逞其志。梁实固险不出,以挫其锋。罗睺攻之愈急。太宗度贼已疲,复谓诸将曰:"彼气将衰,吾当取之必矣。"申令诸将,迟明合战。令将军庞玉陈于浅水原南,出贼之右,先饵之。罗睺并军共战。玉军几败。太宗亲御大军〔五九〕,奄自原北,出其不意。罗睺回师相拒,我师表里齐奋,呼声动天。罗睺气夺,于是大溃。又,李靖从河间王孝恭讨萧铣,兵至夷陵,铣将文士弘率精卒数万屯清江。孝恭欲击之,靖曰:"士弘,铣之健将,士卒骁勇。今新出荆门,尽兵出战,此是救败之师,恐不可当也。宜且泊南岸,勿与争锋;待其气衰,然后奋击,破之必矣。"孝恭不从,留靖守营,与贼战,孝恭果败,奔于南岸。〇张预曰:敌若乘锐而来,其锋不可当,宜少避之,以伺疲挫。晋楚相持,楚晨压晋军而陈,军吏患之。栾书曰:"楚师轻窕,固垒以待之,三日必退,退而击之,必获胜焉。"又,唐太宗征薛仁杲,贼兵锋甚锐,数来挑战,诸将咸请战,太宗曰:"当且闭垒以折之,待其气衰,可一战而破也。"果然。

饵兵勿食〔六〇〕，

李筌曰：秦人毒泾上流。○杜牧曰：敌忽弃饮食而去，先须尝试，不可便食，虑毒也。后魏文帝时，库莫奚侵扰，诏济阴王新成率众讨之。王乃多为毒酒；贼既渐逼，使弃营而去。贼至，喜，竞饮，酒酣毒作。王简轻骑纵击，俘虏万计。○陈皞曰：此之获胜，盖亦偶然〔六一〕，固非为将之道，垂后世法也。孙子岂以他人不能致毒于人腹中哉？此言喻鱼若见饵，不可食也；敌若悬利，不可贪也。曹公与袁绍将文丑等战，诸将以为敌骑多，不如还营，荀攸曰："此所以饵敌也，安可去之？"即知饵兵非止谓置毒也。"食"字疑或为"贪"字也。○梅尧臣曰：鱼贪饵而亡，兵贪饵而败。敌以兵来钓我，我不可从。○王皙曰：饵我以利，必有奇伏。○何氏曰：如春秋时楚伐绞，军其南门，莫敖屈瑕曰："绞小而轻，轻则寡谋。请无扞采樵者以诱之。"从之。绞人获三十人。明日，绞人争出。驱楚役徒于山中。楚人坐其北门，而覆诸山下，大败之，为城下之盟而还。又如，赤眉佯败，弃辎重走，车载土，以豆覆其上，邓弘取之，为赤眉所败。曹公未得济而放牛马，马超取之，而公得渡。又如，曹公弃辎重，文丑、刘备分取之，而为公所破。又如，后魏广阳王元深以乜列河诱拔陵，竟来抄掠，拔陵为于谨伏兵所破。此皆饵之之术也。○张预曰：三略曰："香饵之下，必有悬鱼。"言鱼贪饵，则为钓者所得；兵贪利，则为敌人所败。夫饵兵，非止谓置毒于饮食，但以利留敌，皆为饵也。若曹公以畜产饵马超、以辎重饵袁绍，李矩以牛马饵石勒之类，皆是也。○〔六二〕

归师勿遏，

李筌曰：士卒思归，志不可遏也。○杜牧曰：曹公自征张绣于穰，刘表遣兵救绣，以绝军后。公将引还，绣兵来追。公军不得进，表与绣复合兵守险，公军前后受敌。公乃夜凿险为地道，悉过辎重，设奇兵。会明，贼谓公为遁也，悉军来追。乃纵奇兵，步骑夹攻〔六三〕，大破之。公谓荀文若曰："虏遏吾归师，而与吾死地，吾是以知胜矣。"○孟氏曰：人怀归心，必能死战，则不可止而击也。○杜佑曰：若穷寇远还，依险而行，人人怀归，敢能死战，徐观其变，而勿远遏截之〔六四〕。○梅尧臣曰：敌必死战。○王皙曰：人自为战也，勿遏塞之。若犹有他虑，则可要而击。曹公攻邺，袁尚来救。诸将以为归师，不如避之，公曰："尚从大道来，则避之；若循西山来者，此成擒耳。"盖大道来则归意全，循山来则顾负险，且有惧心也。〇何氏曰：如魏初曹操围张绣于穰，刘表遣兵救绣，以绝军后。公将引还，绣兵来追，公军不得进，连营稍前到安众，绣与表合兵守险，公军前后受敌。公乃夜凿险为地道，悉过辎重，设奇兵。会明，贼谓公为遁也，悉军来追。乃纵奇兵，步骑夹攻，大破之。公谓荀彧曰："虏遏吾归师，与吾死地，是以知胜。"齐建武二年，魏围锺离，张欣泰为军主，随崔慧景救援。及魏军退，而邵阳洲上馀兵万人，求输马五百匹假道。慧景欲断路攻之，欣泰说慧景曰："归师勿遏，古人畏之。兵在死地，不可轻也。"慧景乃听过也。前秦苻坚征晋，至寿春，兵败还长安。慕容泓起兵于华泽，坚将苻睿、窦冲、姚苌讨之。苻睿勇果轻敌，不恤士众。泓闻其至也，惧，率众将奔关东，睿驰兵邀之。姚苌谏曰："鲜卑有思归之心，宜驱令出关，不可遏也。"睿弗从。战于华泽，睿败绩被杀。后凉吕弘攻段业于张掖，不胜，将东走。业议欲击之，其将沮渠蒙逊谏曰："归师勿遏，穷寇勿追，此兵家之戒；不如纵之，以为后图。"业曰："一日纵敌，悔将无及。"遂率众追之，为弘所败。〇张预曰：兵之在外，人人思归，当路邀之，必致死战。韩信曰："从思东归之士，何所不克？"曹公既破刘表，谓荀彧曰："虏遏吾归师，吾是以知胜。"又，吕弘攻段业，不胜，将东走。业欲击之，或谏曰："归师勿遏，兵家之戒；不如纵之，以为后图。"业不从，率众追之，为弘所败。古人似此者多，不可悉陈。

围师必阙〔六五〕，

曹操曰：司马法曰："围其三面，阙其一面，所以示生路也。"〇李筌曰：夫围敌，必空其一面，示不固也；若四面围之，敌必坚守不拔也。项羽坑外黄，魏武围壶关，即其义也。〇杜牧曰：示以生路，令无必死之心，因而击之。后汉妖巫维汜弟子单臣、傅镇等，相聚入原武城，劫掠吏人，自称将军。光武遣臧宫将北军数千人围之。贼食多，数攻不下，士卒死伤。帝召公卿诸侯王问方略，明帝时为东海王，对曰："妖巫相劫，势无久立，其中必有悔者；但外围急，不得走耳。小挺缓，令得逃亡，则一亭长足以擒矣。"帝即敕令开围缓守，贼众分散，遂斩臣、镇等。大唐天宝末，李光弼领朔方军与史思明战于土门。贼众退散，四面围合。光弼令开东南角以纵之。贼见开围，弃甲急走，因追击之，尽歼其众，是开一面也。〇杜佑曰：若围敌平陆之地，必空一面，以示其虚，欲使战守不固，而有去留之心。若敌临危据险，强救在表，当坚固守之，未必阙也，此用兵之法〔六六〕。〇梅尧臣同曹操注。〇何氏曰：如后汉初，张步据齐地，汉将耿弇总兵讨之。步使其大将费邑军历下，又分守祝阿、锺城。弇先击祝阿，自晨攻城，未日中而拔。故开围一角，令其众得奔归锺城。锺城人闻祝阿已溃，大恐惧，遂空壁亡去。又，朱儁与徐璆共讨黄巾馀贼，韩忠据宛乞降，不许。因急攻之，连城不克。儁登山睹之，顾谓张超曰："吾知之矣。贼今外围周固，内营急逼，乞降不受，欲出不得，所以死战也。万人一心，犹不可当，况十万乎？其害甚矣。今不如彻围，并兵入城。忠见围解，则势必自出；出则意散，易破之道也。"既而解围，忠果出战，儁因破之。又，魏太祖围壶关，下令曰："城拔，皆坑之！"连月不下。曹仁曰："围城，必示之活门，所以开其生路也。今公告之必死，将人自为守；且城固而粮多，攻之则士卒伤，守之则日久。今顿兵坚城之下，攻必死之虏，非良计也。"太祖从之，开城遂降。又，后魏末，齐神武起义兵于河北，尔朱兆、天光、度律、仲远等四将同会邺南，士马精强，号二十万，围神武于南陵山。是时，神武马二千，步卒不满三万人。兆等设围不合，神武连系牛驴，自塞归道。于是，将士死战，四面奋击，大破兆等。〇张预曰：围其三面，开其一角，示以生路，使不坚战。后汉朱儁讨贼帅韩忠于宛，急攻不克，因谓军吏曰："贼今外围周固，所以死战；若我解围，势必自出，出则意散，易破之道也。"果如其言。又，曹公围壶关，谓之曰："城破，皆坑之。"连攻不下。曹仁谓公曰："夫围城，必示之活门，所以开其生路也。今公许之必死，令人自守，非计也。"公从之，遂拔其城是也。

穷寇勿迫〔六七〕。

杜牧曰：春秋时，吴伐楚，楚师败走，及清发，阖闾复将击之。夫概王曰："困兽犹斗，况人乎？若知不免而致死，必败我。若使半济，而后可击也。"从之，又败之。汉宣帝时，赵充国讨先零羌。羌睹大军，弃辎重，欲渡湟水，道厄狭，充国徐行驱之。或曰:"逐利行迟。"充国曰:"穷寇也,不可迫。缓之则走不顾,急之则还致死。"诸将曰:"善。"虏果赴水,溺死者数万,于是大破之也。○陈皞曰:鸟穷则搏,兽穷则噬也。○梅尧臣曰:困兽犹斗,物理然也。○何氏曰:前燕吕护据野王,阴通晋。事觉,燕将慕容恪等率众讨之。将军傅颜言之恪曰:"护穷寇假合,王师既临,则上下丧气。殿下前以广固天险,守易攻难,故为长久之策;今贼形不与往同,宜急攻之,以省千金之费。"恪曰:"护,老贼,经变多矣;观其为备之道,则未易卒图也。今围之于穷城,樵采路绝,内无蓄积,外无强援,不过于十旬,弊之必矣,何必残士卒之命,而趋一时之利哉!此谓兵不血刃而坐以制胜也。"遂列长围守之。凡经六月,而野王溃,护南奔于晋,悉降其众。五代晋将符彦卿、杜重威经略北鄙〔六八〕,遇虏于阳城。戎人十万,围晋师于中野,乏水,军人凿井,取泥衣绞而吮之,人马渴死甚众。彦卿曰:"与其束手就擒,曷若以身徇国?我今穷蹙!"乃率劲骑出击之。会大风扬尘,乘势决战,戎人大溃。此彦卿为虏十万所围,乃穷蹙之寇,遂致死力以求生;戎人不悟之,致败也。○张预曰:敌若焚舟破釜,来决一战,则不可逼迫,盖兽穷则搏也。晋师败齐于鞌,齐侯请盟,晋人不许。齐侯曰:"请收合馀烬,背城借一。"晋人惧而与之盟。吴夫概王谓"困兽犹斗",汉赵充国言"缓之则走不顾,急之则还致死",盖亦近之。

此用兵之法也〔六九〕。

校　记

〔一〕本篇篇题,樱田本无"军"字,止作"争篇第七"。按:无"军"字非是,篇内皆言"军争"。简本虽有"军"字,但却列在上篇虚实之前。张注云:"以'军争'为名者,谓两军相对而争利也。先知彼我之虚实,然后能与人争胜,故次虚实。"说甚是,故仍之。

〔二〕"起营为军陈",平津本曹注作"起营阵也"。

〔三〕通典卷一五四引无上"将受命于君,合军聚众,交和而舍"三句,省并之也。

〔四〕“军争难”，平津本“难”上有“为”字，通典卷一五四杜佑引曹注则无“为”字。按：以有“为”为善，唯无亦可通，今两存之。

〔五〕通典卷一五四此句经文下又有杜佑注云：“从受命始，至于交和，军争难也。军门谓之和门。两军对争，交门而止。先据便势之地，最其难者，相去迫促，动则生变化。”

〔六〕“迩其道里”，原本“迩”作“速”，诸本与下王注引、孙校本及中华本并同，唯平津本作“迩”，通典卷一五四原作“近”，而今本则据十家注回改为“速”。按：“迩”即“近”义，而此句曹注亦正释“以迂为直”，亦即变迂远为近直之义，且“道里”似未可言“速”。故依文意，当以作“迩”为是。通典故本作“近”，似于义不误。今据平津本改。下王注同，不另出校。

〔七〕如上佑注，通典卷一五引同曹注，而此数句则无。

〔八〕“此知迂直之计”，通典卷一五四引“知”上有“先”字，非是。

〔九〕通典卷一五四此处经文下又有杜佑注云：“示之远也。己外张形势，回从远道，敌至于应，争从其近，皆得敌情，诳之以利。明于度数，先知远近之计。”唯此佑注原在“迂其途”、“诱之以利”与“先人至”三句之后，今因原本正文合并，故其注亦从而并之。此注孙校本虽补，但有缺文。

〔一〇〕此句十一家注各本皆如此，简本同，而平津本与武经各本则作“军争为利，众争为危”，赵注、遗说以及樱田本并同，通典卷一五四引亦作“众争”，是孙子故书本作“军争”，隋唐以后，始生歧异。按：当以作“军争”为是。“军争为利，军争为危”，梅注云“军争之事，有利也，有危也”，说最简明。“为”在此乃“有”义。孟子滕文公上“夫滕，壤地褊小，将为君子焉，将为小人焉”，即言既有君子，又有小人。于鬯亦谓“同一军争而有利有危，‘军争’字不当有异”，说亦甚是，故当仍之。

〔一一〕通典卷一五四此句经文下又有杜佑注云：“善者则以利，不善者则以危也。言两军交争，有所夺取，得之则利，失之则危也。”

〔一二〕通典卷一五四引无此句。

〔一三〕“卷甲而趋”，通典卷一五四引“趋”下又有“利”字，非是。

〔一四〕平津本曹注无“罢也”二字。

〔一五〕“三将军”，诸本皆如此，唯菁华录谓当作“三军将”，校释从之。按：此“三将军”，即指三军主帅，而非指一般将领，故作“三军将”虽切，而依各本作“三将军”于义亦可通，故两存之。

〔一六〕此句通典卷一五四引无“不”字。按：据注意，当有此字。“二事”指上“举军”与“委军”而言，言若不虑此二事，而趋百里以争利，则必擒三将军也。秦伯袭郑，三帅皆获，正是此例。故无“不”字非是，今仍之。

〔一七〕此句通典卷一五引“疲”作“罢”，“十一而至”作“十而一至”。孙校谓作“疲”为非。按：二字音同义通，且亦古今字，故不误，亦仍之。

〔一八〕此句曹注，平津本在上句“擒三将军”句下，而佑注所引仍在此句下，今两存之。

〔一九〕“若如此争利”上，原本有“为一舍倍道”五字，盖涉上文而衍，孙校本与中华本删之，是，从之。

〔二〇〕“千人”，原本作“十人”，孙校本已改，是，亦从改之。

〔二一〕“不复相待”，原本“复”误作“伏”，孙校本与中华本正之，是。

〔二二〕“率”，孙校本与中华本改为“卒”。按：作“卒”固可通，唯通典卷一五四引此佑注则仍作“率”，约略之意，故可不改字。

〔二三〕“上将军”，菁华录谓当作“上军将”，校释从之。按：“上将军”乃指上军主将或前军主帅，而非指军衔之上者，故可不改字。简本无“军”，直称“上将”，史记孙膑传“孙子谓田忌曰：兵法：百里而趋利者蹶上将”，亦直称“上将”，盖“上将军”之简称。

又，“其法半至”，通典卷一五四引“法”下有“以”字。

〔二四〕通典卷一五四引此句后又有“以是知军争之难”七字。按：此或佑之评语而误为经文矣。各本均无此句。

〔二五〕以上佑注“故无死败”，原本作“故不言死败”，且其下又有“胜负未可知也”六字，下“走而趋利”又作“徒而趋利”，孙校均未及，今均据通典卷一五四删改。

〔二六〕通典卷一六〇此处经文下又有佑注云：“无此三者，亡之道也。委积，刍草之属。”

〔二七〕以上曹注，平津本无“不先知军之所据及山川之形者，则不能行师也”句。

〔二八〕通典卷一五九此处经文下佑注全同曹注，唯“坑堑”作“堆”，“渐洳”作“坑堑”，孙校谓通典误，是。

〔二九〕“不能得地利”，通典卷一五七引无“能”字。

〔三〇〕书钞卷一一六与御览卷二七〇引“其”作“兵”。

〔三一〕此句通典卷一六三此句经文下又有佑注云：“进退应机。”

〔三二〕此句通典卷一六二此句经文下又有佑注云：“猛烈也。”

〔三三〕“驻军”，原本作“驻车”，孙校本同，中华本则改为“军”，是，从之。

〔三四〕此句通典卷一六二此句经文下又有佑注云：“守也。不信敌之诳惑，安固如山。”

〔三五〕樱田本“阴”作“阴阳”，非是。又，直解引张贲说谓此句当与上句“不动如山”互乙，如此则可使“侵掠如火”与“难知如阴”以及“不动如山”与下句“动如雷震”两两相对。按：张说不谓无理，今予存之。

〔三六〕通典卷一六二此句经文下又有佑注云：“莫测如天之阴云，不见列宿之象。”

〔三七〕“震”，各本多如此，孙校本据通典、御览引改作“霆”。按：二字虽文字有异，但其义实无不同，故改否均可，今两存之。

〔三八〕通典卷一六二此句经文下又有佑注云：“疾速不及应也。故太公曰‘疾雷不及掩耳，疾电不及瞑目’也。”

〔三九〕“掠”，十一家注与武经各本多如此，通典卷一六二与御览卷三一三引则作“指”。诸家注亦纷纷不一。按：孙子掠乡之说，十三篇屡见之，故无庸讳言，唯作“指乡（向）”于义亦通，故两存之。

〔四〇〕通典卷一六二此句经文下又有佑注云：“因敌而制胜也。旌旗之所指向，则分离其众。”

〔四一〕此句曹注，平津本作“广地以分敌利”。

〔四二〕“金鼓”，十一家注与武经各本皆如此，樱田本同，而孙校本则依通典旧本与御览引改为“鼓铎”，简本作“鼓金”。按：“金”在此即指钲铎，故二者于义无异，而“金鼓”已成惯语，史籍多称之，且下句亦以“金鼓旌旗”并提，而不说“鼓铎旌旗”，故可不改字。今本通典卷一四九已据十一家注回改，是。

〔四三〕此处佑注，通典卷一四九同，唯孙校本既依通典旧本改“金鼓”为“鼓铎”，故遂改佑注“金，钲铎也”为“铎，金钲也”。孙校谓原文本作“鼓铎”，后人改为“金鼓”，而自佑注观之，恐非是。故当仍之，孙校本未可从。

〔四四〕“一人之耳目”，诸本皆如此，孙校本据书钞、御览改“人”为“民”，简本亦正作“民”，可知孙子故书本作“民”，因避唐讳而改为“人”，后沿而袭之，未予回改。“人”、“民”在此，其义虽无不同，而终以回改为善。下同。

〔四五〕通典卷一四九此处经文下又有佑注云：“齐一耳目之视听，使知进退之度。”

〔四六〕通典卷一四九此处经文下又有佑注云：“齐之以法教，使强弱不得相逾。”

〔四七〕以上三句，十一家注本如此，平津本同，武经各本“火鼓”则作“金鼓”。简本前两句互乙，“火鼓”作“鼓金”，又无末句，且此三句在上句“故为旌旗”之后。御览卷三三八引亦如此，唯首句之文字及顺序同传本，而与简本有异。校释据简本与御览并参诸他本，删去“变人之耳目”一句，并将前二句移至上“故为旌旗”句下。而长短经则以此上三句为注文，且在上“一人之耳目”句下。按：此处文意断续，文字似有错乱，上述易移亦各有道理，今并存之，以相参较。

〔四八〕“富哉问乎”，中华本改“富”为“当”，孙校未及。按：所提问题比较复杂，需用很多言词才能回答明白，可以说“富哉问乎”，故可不改字，且改作“当哉问乎”亦似未安，盖答问可言“当”否，提问言“当”则所未闻。

〔四九〕此处曹注，平津本无。

〔五〇〕“数里”，原本误“里”为“理”，孙校本已正，是。

〔五一〕此处佑注，孙校本据通典改“曹刿之说是也”为“故曹刿曰：‘夫战，勇气也。一鼓作气，再而衰，三而竭，彼竭我盈，故克之’”。

〔五二〕平津本“齐”上又有一“整”字。

〔五三〕通典卷一五五此处经文下又有佑注云：“正正者，整齐也；堂堂者，大也，威盛貌。正正者，孤特之象也。言敌前有孤特之兵，后有堂堂之陈，必有倚伏诈诱之谋，审察以待，勿轻邀截也。此理变诈。”孙校本已据补，唯文字稍有参差。“倚伏”当作“奇伏”。

〔五四〕“背丘勿逆”，简本作“倍丘勿迎”，通典卷一五六引“逆”亦作“迎”。御览卷二七〇引“丘”误作“兵”，且下又有“丘阪勿迎”四字。樱田本又无此下至篇末诸句。今皆仍之。

〔五五〕以上佑注，原本止有自“敌若据山陵”至“殒石之冲也”几句，而此乃“高陵勿向”之注；自“敌背丘陵”以下诸句乃“背丘勿逆”之注，原本误脱。孙校本已据通典卷一五六补，从之。原文之失，如前两句作“敌若依据丘陵、险阻”，“地势”作“驰势”，“有殒石之冲”前又有“及”字等，亦据通典与孙校本予以订正。

〔五六〕“欲以为变”，通典卷一五四作“所以多为变”，馀同。

〔五七〕“多储珍藏”，原本“储”讹作“诸”。孙校本未及。今改正。

〔五八〕“心腹内离”，原本“心”作“必”。孙校本已正，是。

〔五九〕“亲御大军”，原本又误“御”作“禦”，孙校本未及，中华本正之，是。

〔六〇〕“饵兵勿食”，诸本皆如此，唯通典卷一五六引作“饵兵勿贪”，孙校本已据御览与李、杜等家注正之，是。

〔六一〕“盖亦偶然”，原本“亦”作“非”，孙校未及，中华本改为“亦”。按：改“亦”是，从之。

〔六二〕通典卷一五六此句经文下又有佑注云：“以小利来饵己士卒，无取也。”

〔六三〕原本“设奇兵”下即接“步骑夹攻”，孙校本增补自“会明”至“乃纵奇兵”几句，查与三国志武帝纪正合，从之。

〔六四〕此处佑注，原本为“人人有室家乡国之往，不可遏截之，徐观其变而制之”，孙校谓此“似后人所改”，故据通典、御览更易此注，唯个别文字稍有出入。按：此既为佑注，固当以通典为据，今从孙校本。

〔六五〕简本此句“必阙”作“遗阙”，且与上句“归师勿遏”互乙。樱田本“必阙”又作“勿周”。

〔六六〕据通典卷一六〇，如上佑注在“此用兵之法”句下，而该句经文原本却在篇末。此“围师必阙”句佑注，通典则与上曹注同。通典引文常系摘录，故文字次序有时与原本不同。

〔六七〕“勿追”，诸通行本多如此，樱田本则作“勿逼”，遗说又作“勿迫”，简本无此句。按：“追”、“逼”二字双声义同，而“追”亦“迫”也，故并存之。

〔六八〕“经略”，原本误“略”为“恪”，孙校本已正，是。

〔六九〕“用兵之法”，诸本无异，唯遗说作“用兵之法妙”，并详为解说，孙校已谓其衍文，是，今仍之。

九变篇〔一〕

曹操曰：变其正，得其所用九也。○王晳曰：晳谓：九者数之极；用兵之法，当极其变耳。逸诗云："九变复贯。"不知曹公谓何为九？或曰：九地之变也。○张预曰：变者，不拘常法，临事适变，从宜而行之之谓也。凡与人争利，必知九地之变，故次军争。

①孙子曰：凡用兵之法，将受命于君，合军聚众，

张预曰：已解上文。

圮地无舍〔二〕，

曹操曰：无所依也。水毁曰圮。○李筌曰：地下曰圮，行必水淹也。○陈皞曰：圮，低下也。孔明谓之地狱。狱者，中下，四面高也。○孟氏曰：太下则为敌所囚。○杜佑曰：择地顿兵，当趋利而避害也。○梅尧臣曰：山林、险阻、沮泽之地，不可舍止，无所依也。○何氏曰：下篇言"圮地则吾将进其涂"，谓少固之地，宜速去之也。○张预曰：山林、险阻、沮泽，凡难行之道，为圮地。以其无所依，故不可舍止。

衢地交合〔三〕，

曹操曰：结诸侯也〔四〕。○李筌曰：四通曰衢，结诸侯之交地也。○贾林曰：结诸侯以为援。○梅尧臣曰：夫四通之地，与旁国相通，当结其交也。○何氏曰：下篇云"衢地吾将固其结"，言交结诸侯，使牢固也。○张预曰：四通之

地，旁有邻国，先往结之，以为交援。

绝地无留〔五〕，

曹操曰：无久止也。○李筌曰：地无泉井、畜牧、采樵之处〔六〕，为绝地，不可留也。○贾林曰：谿谷坎险，前无通路，曰绝，当速去无留。○梅尧臣曰：始去国，始出境，犹不居轻地，是不可久留也。○张预曰：去国越境而师者，绝地也。危绝之地，过于重地，故不可淹留久止也。

围地则谋，

曹操曰：发奇谋也。○李筌曰：因地能通。○贾林曰：居四险之中，曰围地，敌可往来，我难出入。居此地者，可预设奇谋，使敌不为我患，乃可济也。○梅尧臣曰：往返险迂，当出奇谋。○何氏曰：下篇亦云"围地则谋"。言在艰险之地，与敌相持，须用奇险诡谲之谋，不至于害也。○张预曰：居前隘后固之地，当发奇谋，若汉高为匈奴所围，用陈平奇计得出，兹近之。

死地则战〔七〕。

曹操曰：殊死战也。○李筌曰：置兵于必死之地，人自为私斗，韩信破赵，此是也。○梅尧臣曰：前后有碍，决在死战。此而上举九地之大约也。○王晳注上之五地并同曹公。○何氏曰：下篇亦云"死地则战"者，此地速为死战则生；若缓而不战，气衰粮绝，不死何待也！○张预曰：走无所往，当殊死战，淮阴背水陈是也。从"圮地无舍"至此为九变，止陈五事者，举其大略也。九地篇中说九地之变，唯言六事，亦陈其大略也。凡地有势有变，九地篇上所陈者，是其势也；下所叙者，是其变也。何以知九变为九地之变？下文云："将不通九变，虽知地形，不能得地利。"又，九地篇云："九地之变，屈伸之利，不可不察。"以此观之，义可见也。下既说"九地"，此复言"九变"者，孙子欲叙五利，故先陈九变，盖九变、五利相须而用，故兼言之。

②涂有所不由，

曹操曰：隘难之地，所不当从；不得已从之，故为变〔八〕。○李筌曰：道有险狭，惧其邀伏，不可由也。○杜牧曰：后汉光武遣将军马援、耿舒讨武陵五谿蛮，军次下隽，今辰州也。有两道可入：从壶头则路近而水险，从充道则路夷而运远。帝初以为疑，及军至，耿舒欲从充道，援以为弃日费粮，不如进壶头，扼其咽喉，则贼自破。以事上之帝，从援策，乃进营壶头。贼乘高守隘，水疾，船不得上。会暑湿，士卒多疫死，援亦中病卒。耿舒与兄好畤侯书曰："舒前上言，当先击充，粮虽难运〔九〕，而兵马得用。军人数万，争欲先奋。今壶头竟不得进，大众怫郁行死，诚可痛惜！"○贾林曰：由，从也。途且不利，虽近不从。○杜佑曰：厄难之地，所不当从也；不得已从之，故为变也。道虽近而中不利，则不从也〔一〇〕。○梅尧臣曰：避其险厄也。○王晳曰：途虽可从而有所不从，虑奇伏也。若赵涉说周亚夫，避殽黾厄陿之间，虑置伏兵，请走蓝田，出武关，抵洛阳，间不过差一二日是也。○张预曰：险厄之地，车不得方轨，骑不得成列，故不可由也；不得已而行之，必为权变。韩信知陈馀不用李左车计，乃敢入井陉口是也。

军有所不击，

曹操曰：军虽可击，以地险难久，留之失前利，若得之，则利薄。困穷之兵，必死战也。○杜牧曰：盖以锐卒勿攻，归师勿遏，穷寇勿迫，死地不可攻。或我强敌弱，敌前军先至，亦不可击，恐惊之退走也。言有如此之军，皆不可击。斯统言为将须知有此不可击之军，即须不击，益为知变也。故列于九变篇中。○陈皞曰：见小利不能倾敌，则勿击之，恐重劳人也。○贾林曰：军可威怀，势将降伏，则不击。寇穷据险，击则死战，可自固守，待其心情，取之。○杜佑曰：军虽可击，以地险难久，留之失前利，若得之，利薄也。穷困之卒，隘陷之军，不可攻，为死战也；当固守之，以待隙也。○梅尧臣曰：往无利也。○王晳曰：曹公曰："军虽可击，以地险难久，留之失前利，若得之，则利薄。"晳谓饵兵、锐卒、正正之旗、堂堂之陈，亦是也。○张预曰：纵之而无所损，克之而无所利，则不须击也。又若我弱彼强，我曲彼直，亦不可击。如晋楚相持，士会曰："楚人德刑、政事、典礼不易，不可敌也，不为是征。"义相近也。

城有所不攻，

曹操曰：城小而固，粮饶，不可攻也。操所以置华、费而深入徐州〔一一〕，得十四县也。○杜牧曰：操舍华、费不攻，故能兵力完全，深入徐州，得十四县也。

盖言敌于要害之地，深峻城隍，多积粮食，欲留我师；若攻拔之，未足为利，不拔，则挫我兵势，故不可攻也。宋顺帝时，荆州守沈攸之反，素蓄士马，资用丰积，战士十万，甲马二千。军至郢城，功曹臧寅以为：攻守异势，非旬日所拔；若不时举，挫锐损威。今顺流长驱，计日可捷；既倾根本，则郢城岂能自固？故兵法曰"城有所不攻"是也。攸之不从。郢郡守柳世隆拒攸之，攸之尽锐攻之，不克，众溃走，入林自缢。后周武帝欲出兵于河阳以伐齐，吏部宇文弼进曰："今用兵须择地。河阳要冲，精兵所聚，尽力攻之，恐难得志。如臣所见，彼汾之曲，戍小山平，攻之易拔。用武之地，莫过于此。"帝不纳，师竟无功。复大举伐齐，卒用弼计以灭齐。国家自元和三年至于今，三十年间，凡四攻寇。魏薄攻寇之南宫县，上党攻寇之临城县，太原攻寇之河星镇。是寇三城池浚壁坚，刍粟米石、金炭麻膏，凡城守之资，常为不可胜之计以备。官军击虏，攻既不拔，兵顿力疲。寇以劲兵来救，故百战百败。故三十年间，困天下之功力，攻数万之寇，四围其境，通计十岁，竟无尺寸之功者，盖常堕寇计中，不能知变也。○贾林曰：臣忠义重禀命坚守者，亦不可攻也。○梅尧臣曰：有所害也。○王晳曰：城非控要，虽可攻，然惧于钝兵挫锐，或非坚实，而得士死力；又克虽有期，而救兵至，吾虽得之，利不胜其所害也。○张预曰：拔之而不能守，委之而不为患，则不须攻也。又若深沟高垒，卒不能下，亦不可攻。如士匄请伐偪阳，荀罃曰"城小而固，胜之不武，弗服为笑"是也。

地有所不争，

曹操曰：小利之地，方争得而失之，则不争也〔一二〕。○杜牧曰：言得之难守，失之无害。伍子胥谏夫差曰："今我伐齐，获其地，犹石田也。"东晋陶侃镇武昌，议者以武昌北岸有邾城，宜分兵镇之。侃每不答，而言者不已。侃乃渡水猎，引诸将佐语之曰："我所以设险而御寇，正以长江耳。邾城隔在江北，内无所倚，外接群夷；夷中利深，晋人贪利，夷不堪命，必引寇虏，乃致祸之由，非御寇也。且今纵有兵守之，亦无益于江南；若羯虏有可乘之会，此又非所资也。"后庾亮戍之，果大败也。○梅尧臣曰：得之无益者。○王晳曰：谓地虽要害，敌已据之，或得之无所用，若难守者。○张预曰：得之不便于战，失之无害于己，则不须争也。又若辽远之地，虽得之，终非已有，亦不可争。如吴子伐齐，伍员谏曰：得地于齐，犹获石田也。不如早从事于越。”不听，为越所灭是也。〇〔一三〕

君命有所不受〔一四〕。

曹操曰：苟便于事，不拘于君命也〔一五〕。〇李筌曰：苟便于事，不拘君命。穰苴斩庄贾、魏绛戮杨干是也。〇杜牧曰：尉缭子曰：“兵者，凶器也；争者，逆德也；将者，死官也。无天于上，无地于下，无敌于前，无主于后。”〇贾林曰：决必胜之机，不可推于君命；苟利社稷，专之可也。〇孟氏曰：无敌于前，无君于后，阃外之事，将军制之。〇梅尧臣曰：从宜而行也。此而上，五利也。〇张预曰：苟便于事，不从君命。夫概王曰“见义而行，不待命”是也。自“涂有所不由”至此，为五利。或曰：自“圮地无舍”至“地有所不争”为九变，谓此九事皆不从中覆，但临时制宜，故统之以“君命有所不受”。〇〔一六〕

故将通于九变之地利者，知用兵矣〔一七〕；

李筌曰：谓上之九事也。〇杜佑曰：九事之变，皆临时制宜，不由常道，故言变也。〇贾林曰：九变，上九事。将帅之任机权，遇势则变，因利则制，不拘常道，然后得其通变之利。变之则九，数之则十，故君命不在常变例也。〇梅尧臣曰：达九地之势，变而为利也。〇王皙曰：非贤智，不能尽事理之变也。〇何氏曰：孙子以九变名篇，解者十有馀家，皆不条其九变之目者何也。盖自“圮地无舍”而下，至“君命有所不受”，其数十矣，使人不得不惑。愚熟观文意，上下止述其地之利害尔；且十事之中，“君命有所不受”且非地事，昭然不类矣。盖孙子之意，言凡受命之将，合聚军众，如经此九地，有害而无利，则当变之，虽君命使之舍、留、攻、争，亦不受也。况下文言“将不通于九变之利者，虽知地形，不能得地之利矣”，其君命岂得与地形而同算也？况下之地形篇云：“战道必胜，主曰无战，必战可也；战道不胜，主曰必战，无战可也。”厥旨尽在此矣。〇张预曰：更变常道而得其利者，知用兵之道矣。

将不通于九变之利者，虽知地形，不能得地之利矣。

贾林曰：虽知地形，心无通变，岂惟不得其利，亦恐反受害也。将贵适变也。〇梅尧臣曰：知地不知变，安得地之利？〇张预曰：凡地有形有变，知形而不晓变，岂能得地之利？

治兵不知九变之术，虽知五利，不能得人之用矣〔一八〕。

曹操曰：谓下五事也。○“九变”一云“五变”。○贾林曰：五利、五变，亦在九变之中。遇势能变则利，不变则害。在人，故无常体。能尽此理，乃得人之用也。五变谓：途虽近，知有险阻、奇伏之变而不由；军虽可击，知有穷蹙、死斗之变而不击；城虽势孤可攻，知有粮充、兵锐、将智、臣忠不测之变而不攻；地虽可争，知得之难守、得之无利、有反夺伤人之变而不争；君命虽宜从之，知有内御不利之害而不受。此五变者，临时制宜，不可预定。贪五利者：途近则由，军势孤则击，城势危则攻，地可取则争，军可用则受命。贪此五利，不知其变，岂惟不得人用，抑亦败军伤士也。○梅尧臣曰：知利不知变，安得人而用？○王皙曰：虽知五地之利，不通其变，如胶柱鼓瑟耳。○张预曰：凡兵有利有变，知利而不识变，岂能得人之用？曹公言“下五事”为五利者，谓“九变”之下五事也，非谓“杂于利害”已下五事也。

是故智者之虑，必杂于利害。

曹操曰：在利思害，在害思利，当难行权也〔一九〕。○李筌曰：害彼利此之虑。○贾林曰：杂一为亲，一为难。言利害相参杂，智者能虑之慎之，乃得其利也。○梅尧臣同曹操注。○王皙曰：将通九变，则利害尽矣。○张预曰：智者虑事，虽处利地，必思所以害；虽处害地，必思所以利。此亦通变之谓也。

杂于利，而务可信也；

曹操曰：计敌不能依五地为我害，所务可信也。○杜牧曰：信，申也。言我欲取利于敌人，不可但见取敌人之利，先须以敌人害我之事参杂而计量之，然后我所务之利，乃可申行也。○贾林曰：在利之时，则思害以自慎。一云：以害杂利行之，威令以临之，刑法以戮之，己不二三〔二〇〕，则众务皆信，人不敢欺也。○梅尧臣曰：以害参利，则事可行。○王皙曰：曲尽其利，则可胜矣。○张预曰：以所害而参所利，可以伸己之事。郑师克蔡，国人皆喜，惟子产惧，曰：“小国无文德而有武功，祸莫大焉。”后楚果伐郑。此是在利思害也。

杂于害，而患可解也。

曹操曰:既参于利,则亦计于害,虽有患,可解也〔二一〕。○李筌曰:智者为利害之事,必合于道,不至于极。○杜牧曰:我欲解敌人之患,不可但见敌能害我之事,亦须先以我能取敌人之利,参杂而计量之,然后有患乃可解释也。故上文云“智者之虑,必杂于利害”也。譬如敌人围我,我若但知突围而去,志必懈怠,即必为追击;未若励士奋击,因战胜之利以解围也。举一可知也。○贾林曰:在害之时,则思利而免害。故措之死地则生,投之亡地则存,是其患解也。○梅尧臣曰:以利参害,则祸可脱。○王皙曰:周知其害,则不败矣。○何氏曰:利害相生,明者常虑。○张预曰:以所利而参所害,可以解己之难。张方入洛阳,连战皆败。或劝方宵遁,方曰:“兵之利钝是常,贵因败以为成耳。”夜,潜进逼敌,遂致克捷。此是在害思利也。

③是故屈诸侯者以害,

曹操曰:害其所恶也。○李筌曰:害其政也。○杜牧曰:恶,音一路反。言敌人苟有其所恶之事,我能乘而害之,不失其机,则能屈敌也。○贾林曰:为害之计,理非一途,或诱其贤智,令彼无臣;或遗以奸人,破其政令;或为巧诈,间其君臣;或遗工巧,使其人疲财耗;或馈淫乐,变其风俗;或与美人,惑乱其心。此数事,若能潜运阴谋,密行不泄,皆能害人,使之屈折也。○梅尧臣曰:制之以害,则屈也。○王皙曰:穷屈于必害之地,勿使可解也。○张预曰:致之于受害之地,则自屈服。或曰:间之使君臣相疑,劳之使民失业,所以害之也。若韦孝宽间斛律光,高颎平陈之策是也。

役诸侯者以业,

曹操曰:业,事也。使其烦劳,若彼入我出、彼出我入也。○李筌曰:烦其农也。○杜牧曰:言劳役敌人,使不得休,我须先有事业,乃可为也。事业者,兵众、国富、人和、令行也。○杜佑曰:能以事劳役诸侯之人,令不得安佚,韩人令秦凿渠之类是也。或以奇技艺业、淫巧功能,令其耽之心目,内役诸侯,若此而劳。○梅尧臣曰:挠之以事,则劳。○王皙曰:常若为攻袭之业,以弊敌也。田常曰:“吾兵业已加鲁矣。”○张预曰:以事劳之,使不得休。或曰:压之以富强之业,则可役使。若晋、楚国强,郑人以牺牲玉帛奔走以事之是也。

趋诸侯者以利。

曹操曰:令自来也。〇李筌曰:诱之以利。〇杜牧曰:言以利诱之,使自来至我也,堕吾画中。〇孟氏曰:趋,速也。善示以利,令忘变而速至,我作变以制之,亦谓得人之用也。〇梅尧臣同杜牧注。〇王晳曰:趋敌之间,当周旋我利也。〇张预曰:动之以小利,使之必趋。

④故用兵之法:无恃其不来,恃吾有以待也;

梅尧臣曰:所恃者,不懈也。

无恃其不攻,恃吾有所不可攻也〔二二〕。

曹操曰:安不忘危,常设备也〔二三〕。〇李筌曰:预备不可阙也。〇杜佑曰:安则思危,存则思亡,常有备。〇梅尧臣曰:所赖者,有备也。〇王晳曰:备者,实也。〇何氏曰:吴略曰:"君子当安平之世,刀剑不离身。"古诸侯相见,兵卫不彻警,盖虽有文事,必有武备,况守边固圉,交刃之际欤?凡兵所以胜者,谓击其空虚,袭其懈怠;苟严整终事,则敌人不至。传曰:"不备不虞,不可以师。"昔晋人御秦,深垒固军以待之,秦师不能久。楚为陈,而吴人至,见有备而返。程不识将屯,正部曲行伍营陈,击刁斗,吏治军簿〔二四〕,虏不得犯。朱然为军师,虽世无事,每朝夕严鼓兵,在营者咸行装就队,使敌不知所备,故出辄有功。是谓能外御其侮者乎!常能居安思危,在治思乱,戒之于无形,防之于未然,斯善之善者也。其次莫如险其走集,明其伍候,慎固其封守,缮完其沟隍,或多调军食,或益修战械。故曰:物不素具,不可以应卒。又曰:惟事事乃其有备,有备无患。常使彼劳我佚,彼老我壮,亦可谓"先人有夺人之心"、"不战而屈人之师"也。若夫莒以恃陋而溃,齐以狎敌而歼,虢以易晋而亡,鲁以果邾而败,莫敖小罗而无次,吴子入巢而自轻,斯皆可以作鉴也。故吾有以待、吾有所不可攻者,能豫备之之谓也。〇张预曰:言须思患而预防之。传曰:"不备不虞,不可以师。"

⑤故将有五危:

李筌、张预曰:下五事也。

必死,可杀也;

曹操曰:勇而无虑,必欲死斗,不可曲挠,可以奇伏中之〔二五〕。〇李筌曰:勇而无谋也。〇杜牧曰:将愚而勇者,患也。黄石公曰:"勇者好行其志,愚者不顾其死。"吴子曰:"凡人之论将,常观于勇;勇之于将,乃数分之一耳。夫勇者必轻合,轻合而不知利,未可将也。"〇梅尧臣同李筌注。〇何氏曰:司马法曰:"上死不胜。"言贵其谋胜也。〇张预曰:勇而无谋,必欲死斗,不可与力争,当以奇伏诱致而杀之。故司马法曰:"上死不胜。"言将无策略,止能以死先士卒,则不胜也。

必生,可虏也;

曹操曰:见利畏怯不进也〔二六〕。〇李筌曰:疑怯可虏也。〇杜牧曰:晋将刘裕溯江追桓玄,战于峥嵘洲。于时,义军数千,玄兵甚盛;而玄惧有败衄,常漾轻舸于舫侧,故其众莫有斗心。义军乘风纵火,尽锐争先,玄众是以大败也。〇孟氏曰:将之怯弱,志必生返,意不亲战,士卒不精,上下犹豫,可急击而取之。新训曰:"为将怯懦,见利而不能进。"太公曰:"失利后时,反受其殃。"〇梅尧臣曰:怯而不果。〇王皙曰:无斗志。曹公曰:"见利怯不进也。"皙谓见害亦轻走矣。〇何氏曰:司马法曰:"上生多疑。"疑为大患也。〇张预曰:临陈畏怯,必欲生返,当鼓噪乘之,可以虏也。晋楚相攻,晋将赵婴齐,令其徒先具舟于河,欲败而先济是也。〇〔二七〕

忿速,可侮也;

曹操曰:疾急之人,可忿怒侮而致之也〔二八〕。〇李筌曰:急疾之人,性刚而可侮致也。太宗杀宋老生而平霍邑。〇杜牧曰:忿者,刚怒也。速者,褊急也,性不厚重也。若敌人如此,可以陵侮,使之轻进而败之也。十六国姚襄攻黄落,前秦苻生遣苻黄眉、邓羌讨之。襄深沟高垒,固守不战。邓羌说黄眉曰:"襄性刚很,易以刚动;若长驱鼓行,直压其垒,必忿而出师,可一战而擒也。"黄眉从之。襄怒出战,黄眉等斩之。〇杜佑曰:急疾之人,可忿怒而致死。忿速易怒者,狷戆疾急,不计其难,可动作欺侮。〇梅尧臣曰:狷急易动。〇王皙曰:将性贵持重,忿狷则易挠。〇张预曰:刚愎褊急之人,可凌侮而致之。楚子玉刚忿,晋人执其使以怒之,果从晋师,遂为所败是也。

廉洁，可辱也；

曹操曰：廉洁之人，可污辱致之也。○李筌曰：矜疾之人，可辱也。○杜牧曰〔二九〕：此言敌人若高壁固垒，欲老我师，我势不可留，利在速战。揣知其将多忿急，则轻侮而致之；性本廉洁，则污辱之。如诸葛孔明遗司马仲达以巾帼，欲使怒而出战；仲达忿怒欲济师，魏帝遣辛毗仗节以止之。仲达之才，犹不胜其忿，况常才之人乎！○梅尧臣曰：徇名不顾。○王皙同曹操注。○张预曰：清洁爱民之士，可垢辱以挠之，必可致也。

爱民，可烦也〔三〇〕。

曹操曰：出其所必趋，爱民者，则必倍道兼行以救之，救之则烦劳也〔三一〕。○李筌曰：攻其所爱，必卷甲而救；爱其人，乃可以计疲。○杜牧曰：言仁人爱人者，惟恐杀伤，不能舍短从长，弃彼取此，不度远近，不量事力，凡为我攻，则必来救，如此可以烦之，令其劳顿，而后取之也。○陈皞曰：兵有须救不必救者，项羽救赵，此须救也；亚夫委梁〔三二〕，不必救也。○贾林曰：廉洁之人，不好侵掠，爱人之仁，不好斗战，辱而烦之，其动必败。○梅尧臣曰：力疲则困。○王皙曰：以奇兵若将攻城邑者，彼爱民，必数救，则烦劳也。○张预曰：民虽可爱，当审利害；若无微不救，无远不援，则出其所必趋，使烦而困也。

凡此五者，将之过也，用兵之灾也。

陈皞曰：良将则不然。不必死，不必生，随事而用；不忿速，不耻辱，见可如虎，否则闭户。动静以计，不可喜怒也。○梅尧臣曰：皆将之失，为兵之凶。○何氏曰：将材古今难之，其性往往失于一偏尔。故孙子首篇言“将者，智、信、仁、勇、严”，贵其全也。○张预曰：庸常之将，守一而不知变，故取则于己，为凶于兵。智者则不然，虽勇而不必死，虽怯而不必生，虽刚而不可侮，虽廉而不可辱，虽仁而不可烦也。

覆军杀将〔三三〕，必以五危，不可不察也。

贾林曰：此五种之人，不可任为大将，用兵必败也。○梅尧臣曰：当慎重焉。○张预曰：言须识权变，不可执一道也。

校　记

〔一〕“九变”，各本皆如此，下文“治兵不知九变之术”曹注之下有校语云“‘九变’一云‘五变’”，御览卷二七二引亦作“五变”，是孙子故书或有作“五变”者。邓廷罗集注则又作“军变”。按：文中皆称“九变”，各家注亦未见有以“五变”或“军变”为称者。今仍依各本作“九变”。

〔二〕“圮地”，各本亦皆如此，而简本则作“泛地”，御览卷二七二引又作“氾地”，长短经地形引同。按：“氾”、“泛”古通。孙子故书或本作“泛”，后又作“氾”，又因形近而讹作“圮”，亦未可知。唯据九地篇“圮地”释为“山林、险阻、沮泽，凡难行之道者”，而“氾”或“泛”，其义则为水洳或浸淹，如作“氾”或“泛”，则与其释名及各家注意均有未切，故仍之。

〔三〕“交合”，平津本与武经各本皆作“合交”，九地篇亦明言“衢地则合交”，孙校本亦改为“合交”，故当以作“合交”为善。

〔四〕此句下平津本又有“衢地，四通之地”六字，孙校本未补。按此释“衢地”之义，补否均可。

〔五〕“绝地”，遗说谓当作“轻地”，因九地篇有“轻地则无止”，“无留”、“无止”词意相同。顾福棠集解是其说，并谓作“绝地”乃昔人传写之误，未知是否。今仍之，并存此说。

〔六〕“采樵”，原本误“采”为“来”，孙校本正之，是。

〔七〕本篇自上“圮地”至此句“死地”共五句，其中除“绝地”一句外，其他四句，樱田本并予删除，入于九地篇中，并将此一句连同军争篇末节之“高陵”、“背丘”、“佯北”、“锐卒”、“饵兵”、“归师”、“围师”与“穷寇”八句，共九句作为本篇首节。该本虽未说明其校勘依据或理由，但却与直解所引张贲之说以及赵注完全相符（详见直解与校解），或其所据也。按：孙子此处诚有错乱，张、赵之说亦非毫无道理，提出校说纵有未周，亦不失其为解决问题的积极态度。但问题确较复杂，审慎对待，亦属应该。故仍依原文，并存上说，以待后贤。又，顾氏集解谓本篇既名“九变”，而下又云“九变之利”，故九地应有全文，而此处只云五地者，盖脱去其他四地耳。说亦存之。

〔八〕平津本曹注无“不得已从之，故为变”两句。

〔九〕“当先击充，粮虽难运”，孙校本同，而中华本则改“粮”为“道”，并读作“当先击充道，虽难运”。按：据后汉书马援传，“充”乃县名；“充道”乃指经充而至武陵之道路，故非其地曰“充道”也。若作“当先击充道，虽难运”，则是以“充道”为地名，而“虽难运”亦悬空无主语矣。故当仍依原文，并据马援传正其校点。

〔一〇〕以上佑注末两句“道虽近而中不利，则不从也”，原本脱，孙校本据通典补，是，从之。唯通典今本卷一五九“不从”作“不绝”，且注称其所据通典原本作“由”，而清人妄改为“从”，故依别本改为“绝”。按：此改虽非为无据，而此佑注前数句却皆言“从”或“不当从”，且此句孙子正文“涂有所不由”之“由”字正是“从”义，曹、李、贾、王诸家亦皆言“从”或“由”。故作“从”不误，通典别本恐误也。

〔一一〕“置华、费而深入徐州”，中华本将“华、费”连称作“华费”，下牧注亦如此。按：“华”与“费”乃是二地，不当连称。

〔一二〕此句曹注，平津本无。

〔一三〕通典卷一五九此句经文下又有佑注云：“皆与上同。曹公曰：‘操所以置华、费而得入徐州十四县。’县小，地形可争，得而易失，则可争也。”唯通典将“县小”以下诸句亦作为操语，迨非是。据杜佑注例，每先引操语，再附以己意；而据上句“城有所不攻”曹注无此语，杜牧注引亦无，故此当是佑语。

〔一四〕此句诸本无异文，唯通典卷一五一引上有“将在军”三字，孙校谓此乃沿孔明语而误。但史记本传、吴越春秋与长短经出军等亦有此三字。故此三字虽为十三篇所无，但未必系沿孔明之语而误。今仍之。

〔一五〕此句曹注，平津本亦无。

〔一六〕通典卷一五一此句经文下又有佑注云："苟便于事，不拘于君命也，故曰'不从中御'。"

〔一七〕"将通于九变之地利"，十一家注宋明诸本皆如此，遗说同，而平津本与武经各本则无"地"字，樱田本亦无。孙校本据书钞、御览引删"地"字，校释从之。按：删之是。下句"将不通于九变之利"即无"地"字。

〔一八〕"治兵不知九变之术"，御览卷二七二引作"治人不知五变"。"五利"，赵注谓当作"地利"，于鬯则谓当作"九利"，今皆仍之。

〔一九〕平津本曹注无末句"当难行权也"。

〔二〇〕"己不二三"，原本作"巳不二三"，孙校未及，中华本改"巳"为"己"，是。

〔二一〕此句曹注，亦为平津本所无。

〔二二〕以上五句，通典卷一五五引文稍有参差，作"用兵之法：无恃其不来也，恃吾有能以待之也；无恃其不攻吾也，恃吾不可攻也"。御览卷三三〇引同。今并录之，以相参较。

〔二三〕此句曹注，平津本亦无。

〔二四〕此处自"程不识"至"吏至军簿"，中华本校点为："程不识将，屯正部曲行伍，营陈击刁斗，吏治军簿。"按：此校点失之。据史记李将军列传，程不识乃"以边太守将军屯"，"将屯"乃"将军屯"之简称，故"将屯"二字不当分开。再，程不识治军很严，其所"正"者非止为"部曲行伍"，亦包括"营陈"在内。故"部曲行伍"与"营陈"亦应连读，不应分开。故今据该传正之。唯"吏治军簿"该传作"士吏治军簿甚明"，与原本稍异。

〔二五〕平津本曹注止有“勇无虑也”四字。

〔二六〕“畏怯”，原本“怯”误作“法”，今据平津本改正。

〔二七〕通典卷一六二此句经文下又有佑注云：“将怯懦，则有必生之意，可急击而取之。”

〔二八〕此句曹注，平津本作“忿疾急之人，可怒侮而致之”。据下佑注所引曹注，可知平津本“疾急”上之“忿”字乃衍文。又“侮而致之”，孙校本改为“而侮致之”，今仍依原本。

〔二九〕“杜牧”，原本误作“杜佑”，孙校本与中华本均已改正，是，从之。

〔三〇〕此句御览卷二七二引作“爱人而烦”，卷二七三引又作“爱人可烦”。

〔三一〕平津本无上“则”字，且不重“救之”二字。

〔三二〕“亚夫”，原本误“夫”为“父”，今亦正之。

〔三三〕“杀将”，御览卷二七一引误作“救将”。

行军篇

曹操曰：择便利而行也。○王皙曰：行军当据地便、察敌情也。○张预曰：知九地之变，然后可以择利而行军，故次九变。

①孙子曰：凡处军、相敌，

王皙曰：处军凡有四，相敌凡三十有一。○张预曰：自“绝山依谷”至“伏奸之所处”，则处军之事也；自“敌近而静”至“必谨察之”，则相敌之事也。相，犹察也、料也。

绝山依谷，

曹操曰：近水草利便也。○李筌曰：军，我；敌，彼也。相其依止，则胜败之数、彼我之势可知也。绝山，守险也；依谷，近水草〔一〕。夫列营垒，必先分卒守隘，纵畜牧，收樵采，而后宁。○杜牧曰：绝，过也。依，近也。言行军经过山险，须近谷而有水草之利也。吴子曰：“无当天灶大谷之口。”言不可当谷，但近谷而处可也。○贾林曰：两军相当敌，宜择利而动。绝山，跨山；依谷，傍谷也。跨山，无后患；依谷，有水草也。○梅尧臣曰：前为山所隔，则依谷以为固。○王皙曰：绝，度也。依，谓附近耳。曹公曰：“近水草便利也。”○张预曰：绝，犹越也。凡行军越过山险，必依附溪谷而居，一则利水草，一则负险固。后汉武都羌为寇，马援讨之。羌在山上，援据便地，夺其水草，不与战。羌穷困，悉降。羌不知依谷之利也。

视生处高，

曹操曰：生者，阳也。〇李筌曰：向阳曰生，在山曰高。生高之地，可居也。〇杜牧曰：言须处高而面南也。〇陈皞曰：若地有东西，其法何如？答曰：然则面东也。〇贾林曰：居阳曰生。视生，为无蔽冒物也。处军当在高〔二〕。〇杜佑曰：高，阳也。视，谓目前生地。处军当在高〔三〕。〇梅尧臣曰：若在陵之上，必向阳而居，处高乘便也。〇张预曰：视生，谓面阳也。处军当在高阜。

战隆无登〔四〕，

曹操曰：无迎高也。〇李筌曰：敌自高而下，我无登而取之。〇杜牧曰：隆，高也。言敌人在高，我不可自下往高，迎敌人而接战也。一作"战降无登"，降，下也。〇贾林曰：战宜乘下，不可迎高也。〇杜佑曰：无迎高也。降，下也〔五〕，谓山下也。战于山下，敌引之上山，无登逐也。〇梅尧臣曰：敌处地之高，不可登而战。〇张预曰：敌处隆高之地，不可登迎与战。一本作"战降无登迎"，谓敌下山来战，引我上山，则不可登迎。

此处山之军也〔六〕。

梅尧臣曰：处山，当知此三者。〇张预曰：凡高而崇者，皆谓之山。处山拒敌，以上三事为法。

绝水必远水〔七〕；

曹操、李筌曰：引敌使渡。〇杜牧曰：魏将郭淮在汉中，蜀主刘备欲渡汉水来攻，诸将议众寡不敌，欲依水为陈以拒之。淮曰："此示弱而不足挫敌，不如远水为陈，引而致之，半济而后击，备可破也。"既列陈，备疑，不敢渡。〇梅尧臣曰：前为水所隔，则远水以引敌。〇王皙曰：我绝水也，曹说是也。〇张预曰：凡行军过水，欲舍止者，必去水稍远，一则引敌使渡，一则进退无碍。郭淮远水为陈，刘备悟之而不渡是也。〇〔八〕

客绝水而来，勿迎之于水内，令半济而击之，利；

李筌曰：韩信杀龙且于潍水，夫概败楚子于清发是也。〇杜牧曰：楚汉相持，项羽自击彭越，令其大司马曹咎守成皋。汉军挑战，咎涉汜水战。汉军候半涉，击，大破之。"水内"乃"汭"也，误为"内"耳。〇梅尧臣曰：敌之方来，迎于水滨，则不渡。○王晳曰："内"当作"汭"。迎于水汭，则敌不敢济；远则趋利不及，当得其宜也。○何氏曰：如春秋时宋公及楚人战于泓，宋人既成列，楚人未既济。司马曰："彼众我寡，及其未既济也，请击之。"公曰："不可。"既济，而未成列，又以告，公曰："未可。"既陈而后击之，宋师败绩，公伤股，门官歼焉。宋公违之，故败也。吴伐楚，楚师败；及清发，将击之，夫概王曰："困兽犹斗，况人乎？若知不免而致死，必败我；若使先济者知免，后者慕之，蔑有斗心矣。半济，而后可击也。"从之，又败之。魏将郭淮在汉中，蜀主刘备欲渡汉水来攻。时诸将等议曰："众寡不敌。"欲依水为陈以拒之。淮曰："此则示弱，而不足以挫敌，非算也。不如远水为陈，引而致之；半济而后击，备可破也。"既陈，备疑，不敢渡。唐武德中，薛万均与罗艺守幽燕，窦建德率众十万寇范阳，万均谓艺曰："众寡不敌，今若出斗，百战百败，当以计取之。可令羸兵弱马阻水背城为陈以诱之。贼若渡水交兵，请公精骑百人伏于城侧，待其半渡而击之。"从之。建德渡水，万均击破之。○张预曰：敌若引兵渡水来战，不可迎之于水边，俟其半济，行列未定，首尾不接，击之必胜。公孙瓒败黄巾贼于东光，薛万均破窦建德于范阳，皆用此术也。○〔九〕

欲战者，无附于水而迎客；

曹操曰：附，近也。○李筌曰：附水迎客，敌必不得渡而与我战。○杜牧曰：言我欲用战，不可近水迎敌，恐敌人疑我不渡也。义与上同，但客主词异耳。○杜佑曰：附，近也。近水待敌，不得渡也。○梅尧臣曰：必欲战，亦莫若远水。○王晳曰：我利在战，则当差远，使敌必渡而与之战也。○张预曰：我欲必战，勿近水迎敌，恐其不得渡；我不欲战，则阻水拒之，使不能济。晋将阳处父与楚将子上夹泜水而军。阳子退舍，欲使楚人渡；子上亦退舍，欲令晋师渡，遂皆不战而归。

视生处高，

曹操曰：水上亦当处其高也。前向水，后当依高而处之。○梅尧臣曰：水上亦据高而向阳。○王晳曰：曹公曰："水上亦当处其高。"晳谓非谓近水之地。下曹注云："恐溉我也。"疑当在此下。○何氏曰：视生，向阳，远视也。军处高，远见敌势，则敌人不得潜来出我不意也。○张预曰：或岸边为陈，或水上泊舟，皆须面阳而居高。

无迎水流，

曹操曰：恐溉我也。○李筌曰：恐溉我也。智伯灌赵襄子，光武溃王寻，迎水处高乃败之。○杜牧曰：水流就下，不可于卑下处军也，恐敌人开决，灌浸我也。上文云"视生处高"也。诸葛武侯曰："水上之陈，不逆其流。"此言我军舟船亦不可泊于下流，言敌人得以乘流而薄我也。○贾林曰：水流之地，可以溉吾军，可以流毒药。迎，逆也。一云：逆流而营军，兵家所忌。○梅尧臣曰：无军下流，防其决灌。舳舻之战，逆亦非便。○王晳曰：当乘上流。魏曹仁征吴，欲攻濡须洲中。蒋济曰："贼据西岸，列船上流，而兵入洲中，是谓自内地狱，危亡之道也。"仁不从而败。○何氏曰：顺流而战，则易为力。○张预曰：卑地勿居，恐决水溉我。舟战亦不可处下流，以彼沿我溯战不便也。兼虑敌人投毒于上流。楚令尹拒吴，卜战不吉。司马子鱼曰："我得上流，何故不吉？"遂决战，果胜。是军须居上流也。○〔一〇〕

此处水上之军也。

梅尧臣曰：处水上，当知此五者。○张预曰：凡近水为陈，皆谓水上之军。水上拒敌，以上五事为法。

绝斥泽，惟亟去无留〔一一〕；

陈皞曰：斥，咸卤之地，水草恶，渐洳不可处军。新训曰"地固斥泽，不生五谷"者是也。○贾林曰：咸卤之地，多无水草，不可久留。○梅尧臣曰：斥，远也。旷荡难守，故不可留。○王晳曰：斥，卤也。地广且下，而无所依。○张预曰：刑法志云："山川沈斥。"颜师古注曰："沈，深水之下；斥，咸卤之地。"然则"斥泽"谓瘠卤渐洳之所也。以其地气湿润，水草薄恶，故宜急过。○〔一二〕

若交军于斥泽之中，必依水草而背众树〔一三〕，

曹操曰：不得已与敌会于斥泽中。○李筌曰：急过不得，战必依水背树。夫有水树，其地无陷溺也。○杜牧曰：斥卤之地，草木不生，谓之飞锋。言于此忽遇敌，即须择有水草林木而止之。○杜佑曰：一本作"背众木"。言不得已

与敌战,而会斥泽之中,当背稠树以为固守,盖地利,兵之助也〔一四〕。○梅尧臣曰:不得已而会敌,则依近水草,背倚众木。○王皙曰:猝与敌遇于此,亦必就利而背固也。○张预曰:不得已而会兵于此地,必依近水草,以便樵汲;背倚林木,以为险阻。

此处斥泽之军也〔一五〕。

梅尧臣曰:处斥泽,当知此二者。○张预曰:处斥泽之地,以上二事为法。

平陆处易,

曹操曰:车骑之利也。○杜牧曰:言于平陆,必择就其中坦易平稳之处以处军,使我车骑得以驰逐。○王皙同曹操注。○何氏同杜牧注。○张预曰:平原广野,车骑之地,必择其坦易无坎陷之处以居军,所以利于驰突也。

而右背高,前死后生〔一六〕,

曹操曰:战便也。○李筌曰:夫人利用,皆便于右,是以背之。前死,致敌之地;后生,我自处。○杜牧曰:太公曰:"军必左川泽而右丘陵。"死者,下也;生者,高也。下不可以御高,故战便于军马也。○贾林曰:岗阜曰生,战地曰死。后岗阜,处军稳;前临地,用兵便;高在右,回转顺也。○梅尧臣曰:择其坦易,车骑便利;右背丘陵,势则有凭;前低后隆,战者所便。○王皙曰:凡兵皆宜向阳。既后背山,即前生后死,疑文误也。○张预曰:虽是平陆,须有高阜,必右背之,所以恃为形势者也。前低后高,所以便乎奔击也。

此处平陆之军也。

梅尧臣曰:处平陆,当知此二者。○张预曰:居平陆之地,以上二事为法。

凡此四军之利,

李筌曰:四者,山、水、斥泽、平陆也。○张预曰:山、水、斥泽、平陆之四军也。诸葛亮曰:"山陆之战,不升其高;水上之战,不逆其流;草上之战,不涉其深;平地之战,不逆其虚,此兵之利也。"

黄帝之所以胜四帝也〔一七〕。

曹操曰:黄帝始立,四方诸侯无不称帝〔一八〕,以此四地胜之也。○李筌曰:黄帝始受兵法于风后,而灭四方,故曰"胜四帝"也。○梅尧臣曰:"四帝"当为

"四军",字之误欤?言黄帝得四者之利,处山则胜山,处水上则胜水上,处斥泽则胜斥泽,处平陆则胜平陆也。○王皙曰:四帝,或曰当作"四军"。曹公曰:"黄帝始立,四方诸侯无不称帝,以此四地胜之也。"一本"无"作"亦"〔一九〕。○何氏曰:梅氏之说得之。○张预曰:黄帝始立,四方诸侯亦称帝,以此四地胜之。按:史记黄帝纪云:"与炎帝战于阪泉,与蚩尤战于涿鹿,北逐荤粥。"又,太公六韬言黄帝七十战而定天下。此即是有四方诸侯战也。兵家之法,皆始于黄帝,故云然也。

②凡军好高而恶下〔二〇〕,

梅尧臣曰:高则爽垲,所以安和,亦以便势;下则卑湿,所以生疾,亦以难战。○王皙曰:有降无登,且远水患也。○张预曰:居高则便于觇望,利于驰逐;处下则难以为固,易以生疾。

贵阳而贱阴,

梅尧臣曰:处阳则明顺,处阴则晦逆。○王皙曰:久处阴湿之地,则生忧疾,且弊军器也。○张预曰:东南为阳,西北为阴。○〔二一〕

养生而处实,

曹操曰:恃满实也。养生,向水草,可放牧,养畜乘。实,犹高也〔二二〕。○梅尧臣曰:养生,便水草;处实,利粮道。○王皙曰:养生,谓水草粮糒之属;处实者,倚固之谓。○张预曰:养生,谓就善水草放牧也;处实,谓倚隆高之地以居也。

军无百疾,是谓必胜〔二三〕。

李筌曰:夫人处卑下必疠疾,惟高阳之地可居也。○杜牧曰:生者,阳也;实者,高也。言养之于高,则无卑湿阴翳,故百疾不生,然后必可胜也。○梅尧臣曰:能知上三者,则势胜可必,疾气不生。○张预曰:居高面阳,养生处厚,可以必胜。地气干熯,故疾疠不作。

丘陵堤防,必处其阳〔二四〕,而右背之。

杜牧曰:凡遇丘陵堤防之地,常居其东南也。○梅尧臣曰:虽非至高,亦当前向明而右依实。○王皙曰:处阳则人舒以和、器健以利也。○张预曰:面阳所以贵明显,背高所以为险固。

此兵之利、地之助也。

梅尧臣曰：兵所利者，得形势以为助。○张预曰：用兵之利，得地之助。

③上雨，水沫至，欲涉者，待其定也〔二五〕。

曹操曰：恐半涉而水遽涨也。○李筌曰：恐水暴涨。○杜牧曰：言过溪涧，见上流有沫，此乃上源有雨，待其沫尽水定，乃可涉；不尔，半涉恐有瀑水卒至也。○杜佑曰：恐半渡水而遂涨。上雨，水当清，而反浊沫至，此敌人上遏水之占也〔二六〕，欲以中绝军。凡地有水欲涨，沫先至，皆为绝军，当待其定也。○梅尧臣曰：流沫未定，恐有暴涨。○王皙曰：水涨则沫。涉，步济也。曹说是也。○张预曰：渡未及毕济，而大水忽至也。沫，谓水上泡沤。

④凡地，有绝涧〔二七〕、

前后险峻，水横其中。

天井、

四面峻坂，涧壑所归。

天牢、

三面环绝，易入难出。

天罗、

草木蒙密，锋镝莫施。

天陷、

卑下污泞，车骑不通。

天隙〔二八〕，

两山相向，洞道狭恶。六害皆梅尧臣注。

必亟去之，勿近也〔二九〕。

曹操曰：山深水大者，为绝涧；四方高、中央下者，为天井；深山所过，若蒙笼者，为天牢；可以罗绝人者，为天罗；地形陷者，为天陷；山涧道迫狭，地形深数尺、长数丈者，为天隙〔三〇〕。○杜牧曰：军谶曰："地形坳下，大水所及，谓之天井；山涧迫狭，可以绝人，谓之天牢；涧水澄阔，不测浅深，道路泥泞，人马不通，谓之天陷；地多沟坑、坎陷、木石，谓之天隙；林木隐蔽，蒹葭深远，谓之天罗。”○贾林曰：两岸深阔断人行为绝涧；下中之下为天井；四边涧险，水草相兼，中央倾侧，出入皆难为天牢；道路崎岖，或宽或狭，细涩难行为天罗；地多沮洳为天陷；两边险绝，形狭长而数里，中间难通人行，可以绝塞出入为天隙。此六害之地，不可近背也。○梅尧臣曰：六害尚不可近，况可留乎？○王晳曰：晳谓“绝涧”当作“绝天涧”，脱“天”字耳。此六者，皆自然之形也。牢，谓如狱牢；罗，谓如网罗也；陷，谓沟坑淤泞之属；隙，谓木石若隙罅之地。军行，过此勿近；不然，则脱有不虞，智力无所施也。○张预曰：谿谷深峻、莫可过者为绝涧；外高中下、众水所归者为天井；山险环绕、所入者隘为天牢；林木纵横、葭苇隐蔽者为天罗；陂池泥泞、渐车凝骑者为天陷；道路迫狭、地多坑坎者为天隙。凡遇此地，宜远过，不可近之。○〔三一〕

吾远之，敌近之；吾迎之，敌背之。

曹操曰：用兵常远六害，令敌近背之〔三二〕，则我利敌凶。○李筌曰：善用兵者，致敌之受害之地也。○杜牧曰：迎，向也；背，倚也。言遇此六害之地，吾远之、向之，则进止自由；敌人近之、倚之，则举动有阻，故我利而敌凶也。○梅尧臣曰：言六害当使我远而敌附，我向而敌倚，则我利敌凶。○张预曰：六害之地，我既远之、向之，敌自近之、倚之；我则行止有利，彼则进退多凶也。

⑤军行有险阻、潢井、葭苇、山林、蘙荟者，必谨覆索之，此伏奸之所处也〔三三〕。

曹操曰：险者，一高一下之地；阻者，多水也；潢者，池也；井者，下也；葭苇者，众草所聚；山林者，众木所居也；蘙荟者，可屏蔽之处也。此以上论地形也，以下相敌情也〔三四〕。○李筌曰：以下恐敌之奇伏诱诈也。○梅尧臣曰：险阻，隘也，山林之所产；潢井，下也，葭苇之所生。皆蘙荟足以蒙蔽，当掩搜，恐有伏兵。○张预曰：险阻，丘阜之地，多生山林；潢井，卑下之处，多产葭苇。皆蘙荟可以蒙蔽，必降索之，恐兵伏其中，又虑奸细潜隐，觇我虚实，听我号令。“伏”、“奸”，当为两事。○〔三五〕

⑥敌近而静者，恃其险也；

梅尧臣曰:近而不动,倚险故也。〇王晳曰:恃险,故不恐也。

远而挑战者,欲人之进也〔三六〕。

杜牧曰:若近以挑我,则有相薄之势,恐我不进,故远也。〇陈皞曰:敌人相近而不挑战,恃其守险也;若远而挑战者,欲诱我使进,然后乘利而奋击也。〇梅尧臣同陈皞注。〇王晳曰:欲致人也。挑,谓擿骁敌求战。〇张预曰:两军相近而终不动者,倚恃险固也;两军相远而数挑战者,欲诱我之进也。尉缭子曰:"分险者,无战心。"言敌人先分得险地,则我勿与之战也。又曰:"挑战者,无全气。"言相去远,则挑战,而延诱我进,即不可以全气击之,与此法同也。

其所居易者,利也〔三七〕。

曹操曰:所居利也〔三八〕。〇李筌曰:居易之地,致人之利〔三九〕。〇杜牧曰:言敌不居险阻,而居平易,必有以便利于事也。一本云:"士争其所居者,易利也。"〇陈皞曰:言敌人得其地利,则将士争以居之也。〇贾林曰:敌之所居,地多便利,故挑我,使前就己之便,战则易获其利,慎勿从之也。〇梅尧臣曰:所居易利,故来挑战。〇王晳同曹操注。〇张预曰:敌人舍险而居易者,必有利也。或曰:敌欲人之进,故处于平易,以示利而诱我也。

⑦众树动者,来也;

曹操曰:斩伐树木,除道进来,故动〔四〇〕。〇梅尧臣同曹操注。〇张预曰:凡军,必遣善视者登高觇敌,若见林木动摇者,是斩木除道而来也。或曰:不止除道,亦将为兵器也,若晋人伐木益兵是也。

众草多障者,疑也。

曹操曰:结草为障,欲使我疑也。〇杜牧曰:言敌人或营垒未成,或拔军潜去,恐我来追,或为掩袭,故结草使往往相聚,如有人伏藏之状,使我疑而不敢进也。〇贾林曰:结草多为障蔽者,欲使我疑之,于中兵必不实,欲别为攻袭,宜审备之。〇杜佑曰:结草为障,欲使我疑。稠草中多障蔽者,敌必避去,恐追及。多作障蔽,使人疑有伏焉〔四一〕。〇张预曰:或敌欲追我,多为障蔽,设留形而遁,以避其追;或欲袭我,丛聚草木,以为人屯,使我备东而击西,皆所以为疑也。

鸟起者，伏也；

曹操曰：鸟起其上，下有伏兵〔四二〕。○李筌曰：藏兵曰伏。○杜佑曰：下有伏兵往藏，触鸟而惊起也〔四三〕。○张预曰：鸟适平飞，至彼忽高起者，下有伏兵也。

兽骇者，覆也〔四四〕。

曹操曰：敌广陈张翼，来覆我也。○李筌曰：不意而至曰覆。○杜牧曰：凡敌欲覆我，必由他道险阻林木之中，故驱起伏兽骇逸也。覆者，来袭我也。○陈皞曰：覆者，谓隐于林木之内，潜来掩我；候两军战酣，或出其左右，或出其前后，若惊骇伏兽也。○梅尧臣曰：兽惊而奔，旁有覆。○张预曰：凡欲掩覆人者，必由险阻草木中来，故惊起伏兽奔骇也。○〔四五〕

尘高而锐者，车来也；

杜牧曰：车马行疾，仍须鱼贯，故尘高而尖。○杜佑曰：车马行疾，尘相冲，故高也。○梅尧臣曰：蹄轮势重，尘必高锐。○张预曰：车马行疾而势重，又辙迹相次而进，故尘埃高起而锐直也。凡军行，须有探候之人在前，若见敌尘，必驰报主将。如潘党望晋尘，使骋而告是也。

卑而广者，徒来也；

杜牧曰：步人行迟，可以并列，故尘低而阔也。○梅尧臣曰：人步低轻，尘必卑广。○王晳曰：车马起尘猛，步人则差缓也。○张预曰：徒步行缓而迹轻，又行列疏远，故尘低而来。

散而条达者，樵采也〔四六〕；

李筌曰：烟尘之候，晋师伐齐，曳柴从之；齐人登山，望而畏其众，乃夜遁。薪来即其义也。此筌以"樵采"二字为"薪来"字。○杜牧曰：樵采者，各随所向，故尘埃散衍。条达，纵横断绝貌也。○梅尧臣曰：樵采随处，尘必纵横。○王晳曰：条达，纤微断续之貌。○张预曰：分遣厮役，随处樵采，故尘埃散乱而成隧道。○〔四七〕

少而往来者，营军也。

杜佑曰〔四八〕：欲立营垒，以轻兵往来为斥候，故尘少也。○梅尧臣曰：轻兵定营，往来尘少。○张预曰：凡分栅营者，必遣轻骑四面近视其地，欲周知险易广狭之形，故尘微而来。

⑧辞卑而益备者，进也；

曹操曰：其使来辞卑〔四九〕，使间视之，敌人增备也。○杜牧曰：言敌人使来，言辞卑逊，复增垒涂壁，若惧我者，是欲骄我使懈怠，必来攻我也。赵奢救阏与，去邯郸三十里，增垒不进，秦间来，必善食遣之。间以报秦将。秦将果大喜，曰："阏与非赵所有矣。"奢既遣秦间，乃倍道兼行，掩秦不备，击之，遂大破秦军也。○梅尧臣曰：欲进者，外则卑辞，内则益备，款我也。○张预曰：使来辞逊，敌复增备，欲骄我而后进也。田单守即墨，燕将骑劫围之。单身操版插，与士卒分功，使妻妾编行伍之间，散食飨士，乃使女子乘城，约降，燕大喜。又收民金千镒，令富豪遗使遗燕将书曰："城即降，愿无虏妻妾。"燕人益懈。乃出兵击，大破之。

辞强而进驱者，退也〔五〇〕。

曹操曰：诡诈也。杜牧曰：吴王夫差北征，会晋定公于黄池。越王句践伐吴。吴晋方争长未定，吴王惧，乃合大夫而谋曰："无会而归，与会而先晋，孰利？"王孙雒曰："必会而先之。"吴王曰："先之若何？"雒曰："今夕必挑战，以广民心，乃能至也。"于是，吴王以带甲三万人去晋军一里，声动天地。晋使董褐视之，吴王亲对曰："孤之事君在今日，不得事君亦在今日！"董褐曰："臣观吴王之色，类有大忧；吴将毒我，不可与战。"乃许先歃。吴王既会，遂还焉。○杜佑曰：诡诈驱驰，示无所畏，是知欲退也。○梅尧臣曰：欲退者，使既词壮，兵又强进，胁我也。○王皙曰：辞强示进形，欲我不虞其去也。○张预曰：使来辞壮，军又前进，欲胁我而求退也。秦行人夜戒晋师曰："两军之士，皆未慭也。来日请相见。"晋臾骈曰："使者目动而言肆，惧我也。"秦果宵遁。

轻车先出，居其侧者，陈也〔五一〕。

曹操曰：陈兵欲战也。○杜牧曰：出轻车，先定战陈疆界也。○贾林曰：轻车前御，欲结陈而来也。○张预曰：轻车，战车也。出军其旁，陈兵欲战也。

按：鱼丽之陈，先偏后伍，言以车居前，以伍次之；然则是欲战者，车先出其侧也。○〔五二〕

无约而请和者，谋也〔五三〕。

李筌曰：无质盟之约请和者，必有谋于人。田单诈骑劫，纪信诳项羽，即其义也。○杜牧曰：贞元三年，吐蕃首领尚结赞因侵掠河曲，遇疫疠，人马死者太半，恐不得回，乃诈与侍中马燧款恳，因奏请盟会。燧乃盟之。时河中节度使浑瑊奏曰："若国家勒兵境上，以谋伐为计，蕃戎请盟，亦听信之。今吐蕃无所求于国家，遽请盟会，必恐不实。"上不纳。浑瑊率众二万，屯泾州平凉县，盟坛在县西三十里。五月十三日，瑊率三千人会坛所，吐蕃果衷甲劫盟焉。○陈皞曰：因盟相劫，不独国朝。晋楚会于宋，楚人衷甲欲袭晋，晋人知之，是以失信也。今言无约而请和，盖总论两国之师，或侵或伐，彼我皆未屈弱，而无故请和好者，此必敌人国内有忧危之事，欲为苟且暂安之计；不然，则知我有可图之势，欲使不疑，先求和好，然后乘我不备而来取也。石勒之破王浚也，先密为和好，又臣服于浚；知浚不疑，乃请修朝觐之礼。浚许之。及入，因诛浚而灭之。○杜佑曰：未有要约，而便来请和，有间谋也〔五四〕。○梅尧臣曰：无约请和，必有奸谋。○王皙曰：无故骤请和者，宜防他谋也。○张预曰：无故请和，必有奸谋。汉高祖欲击秦军，使郦食其持重宝啖其将贾竖，秦将果欲连和。高祖因其怠而击之，秦师大败。又，晋将李矩守荥阳，刘畅以三万人讨之。矩遣使奉牛酒请降，潜匿精兵，见其弱卒。畅大飨士卒，人皆醉饱。矩夜袭之，畅仅以身免。

奔走而陈兵车者，期也〔五五〕；

李筌曰：战有期，及将用，是以奔走之。○杜牧曰：上文"轻车先出，居其侧者，陈也"，盖先出车定战场界，立旗为表，奔走赴表，以为陈也。旗者，期也，与民期于下也。周礼大蒐曰"车骤徒趋，及表乃止"是也。○贾林曰：寻常之期，不合奔走，必有远兵相应；有晷刻之期，必欲合势同来攻我，宜速备之。○梅尧臣曰：立旗为表，奔以赴列。○王皙曰：陈而期民，将求战也。○张预曰：立旗为表，与民期于下，故奔走以赴之。周礼曰"车骤徒趋，及表乃止"是也。○〔五六〕

半进半退者，诱也。

李筌曰：散于前。○杜牧曰：伪为杂乱不整之状，诱我使进也。○梅尧臣曰：进退不一，欲以诱我。○王皙曰：诡乱形也。○张预曰：诈为乱形，是诱我也。若吴子以囚徒示不整，以诱楚师之类也。

⑨杖而立者，饥也〔五七〕；

李筌曰：困不能齐。○杜牧曰：不食必困，故杖也。一本从此“仗”字。○杜佑曰：倚仗矛戟而立者，饥之意。○梅尧臣曰：倚兵而立者，足见饥弊之色。○王皙曰：倚仗者，困馁之相。○张预曰：凡人不食则困，故倚兵器而立，三军饮食，上下同时，故一人饥，则三军皆然。

汲而先饮者，渴也〔五八〕；

李筌曰：汲未至，先饮者，士卒之渴。○杜牧曰：命之汲水，未及而先取者，渴也。睹一人，三军可知也。○梅尧臣同杜牧注。○王皙曰：以此见其众行驱饥渴也。○张预曰：汲者未及归营，而先饮水，是三军渴也。

见利而不进者，劳也〔五九〕。

曹操曰：士卒疲劳也〔六〇〕。○李筌曰：士卒难用也。○杜佑曰：士疲劳也〔六一〕。敌人来，见我利而不能击进者，疲劳也。○梅尧臣曰：人其困乏，何利之趋？○张预曰：士卒疲劳，不可使战，故虽见利，将不敢进也。

鸟集者，虚也；

李筌曰：城上有乌，师其遁也。○杜牧曰：设留形而遁。齐与晋相持，叔向曰：“乌乌之声乐，齐师其遁。”后周齐王宪伐高齐，将班师，乃以柏叶为幕，烧粪壤去。高齐视之，二日乃知其空营，追之不及，此乃设留形而遁走也。○陈皞曰：此言敌人若去，营幕必空；禽鸟既无畏，乃鸣集其上。楚子元伐郑，将奔，谍者告曰：“楚幕有乌。”乃止。则知其是设留形而遁也。此篇盖孙子辨敌之情伪也。○杜佑曰：敌大作营垒，示我众；而鸟集止其中者，虚也〔六二〕。○梅尧臣曰：敌人既去，营垒空虚，鸟乌无猜，来集其上。○张预曰：凡敌潜退，必存营幕；禽鸟见空，鸣集其上。楚伐郑，郑人将奔，谍告曰：“楚幕有乌。”乃止。又，晋伐齐，叔向曰：“城上有乌，齐师其遁。”此乃设留形而遁也。

夜呼者，恐也〔六三〕。

曹操曰：军士夜呼，将不勇也。○李筌曰：士卒怯而将懦，故惊恐相呼。○杜牧曰：恐惧不安，故夜呼以自壮也。○陈皞曰：十人中一人有勇，虽九人怯懦，恃一人之勇亦可自安；今军士夜呼，盖是将无勇。曹说是也。○孟氏同陈皞注。○张预曰：三军以将为主，将无胆勇，不能安众，故士卒恐惧而夜呼。若晋军终夜有声是也。○〔六四〕

⑩军扰者，将不重也；

李筌曰：将无威重，则军扰。○杜牧曰：言进退举止轻佻率易，无威重，军士亦扰乱也。○陈皞曰：将法令不严，威容不重，士因以扰乱也。○梅尧臣同陈皞注。○张预曰：军中多惊扰者，将不持重也。张辽屯长社，夜，军中忽乱，一军尽扰。辽谓左右勿动，是必有造变者，欲以动乱人耳。乃令军士安坐，辽中陈而立，有顷即定。此则能持重也。

旌旗动者，乱也；

杜牧曰：鲁庄公败齐于长勺，曹刿请逐之。公曰："若何?"对曰："视其辙乱而旗靡，故逐之。"○杜佑曰：旌旗谬动，抵东触西倾倚者，乱也。○梅尧臣曰：旌旗辄动，偃亚不次，无纪律也。○张预曰：旌旗所以齐众也，而动摇无定，是部伍杂乱也。

吏怒者，倦也。

杜牧曰：众悉倦弊，故吏不畏而忿怒也。○陈皞曰：将兴不急之役，故人人倦弊也。○贾林曰：人困则多怒。○梅尧臣曰：吏士倦烦，怒不畏避也。○张预曰：政令不一，则人情倦，故吏多怒也。晋楚相攻，晋裨将赵旃、魏锜怒而欲败晋军，皆奉命于楚。郤克曰"二憾往矣，弗备必败"是也。○〔六五〕

粟马肉食，军无悬瓶，不返其舍者，穷寇也〔六六〕。

一云：杀马肉食者，军无粮也；军无悬瓶，不返其舍者，穷寇也。○李筌曰：杀其马而食肉，故曰军无粮也；不返舍者，穷迫不及灶也。○杜牧曰：粟马，言以粮谷秣马也。肉食者，杀牛马飨士也。军无悬瓶者，悉破之，示不复炊也。不返其舍者，昼夜结部伍也。如此皆是穷寇，必欲决一战尔。"瓶"音府，炊器也。〇梅尧臣曰:给粮以秣乎马,杀畜以飨乎士,弃瓶不复炊,暴露不返舍,是欲决战而求胜也。〇王晳曰:粟马肉食,所以为力且久也。军无瓶,不复饮食也。不返舍,无回心也。皆谓以死决战耳。敌如此者,当坚守以待其弊也。〇张预曰:捐粮谷以秣马,杀牛畜以飨士,破釜及瓶不复炊爨,暴露兵众不复反舍,兹穷寇也。孟明焚舟、楚军破釜之类是也。〇〔六七〕

谆谆翕翕,徐与人言者,失众也〔六八〕。

曹操曰:谆谆,语貌;翕翕,失志貌。〇李筌曰:谆谆翕翕,窃语貌。士卒之心恐,上则私语而言,是失众也。〇杜牧曰:谆谆者,乏气声促也;翕翕者,颠倒失次貌。如此者,忧在内,是自失其众心也。〇贾林曰:谆谆,窃议貌;翕翕,不安貌;徐与人言,递相问貌。如此者,必散失部曲也。〇梅尧臣曰:谆谆,吐诚恳也;翕翕,旷职事也。缓言强安,恐众离也。〇王晳曰:谆谆,语诚恳之貌;翕翕者,患其上也。将失人心,则众相与语,诚恳而患其上也。〇何氏曰:两人窃语,诽议主将者也。〇张预曰:谆谆,语也;翕翕,聚也;徐,缓也。言士卒相聚私语,低缓而言,以非其上,是不得众心也。〇〔六九〕

数赏者,窘也〔七〇〕;

李筌曰:窘则数赏以劝进。〇杜牧曰:势力穷窘,恐众为叛,数赏以悦之。〇孟氏曰:军实窘也,恐士卒心怠,故别行小惠也。〇梅尧臣曰:势穷忧叛离,屡赏以悦众。〇王晳曰:众窘而不和裕,则数赏以悦之。〇张预曰:势窘则易离,故屡赏以抚士。〇〔七一〕

数罚者,困也〔七二〕;

李筌曰:困则数罚以励士。〇杜牧曰:人力困弊,不畏刑罚,故数罚以惧之。〇梅尧臣曰:人弊不堪命,屡罚以立威。〇王晳曰:众困而不精勤,则数罚以胁之也。〇张预曰:力困则难用,故频罚以畏众。〇〔七三〕

先暴而后畏其众者,不精之至也;

曹操曰:先轻敌,后闻其众,则心恶之也。〇李筌曰:先轻后畏,是勇而无刚者,不精之甚也。〇杜牧曰:料敌不精之甚。〇贾林曰:教令不能分明,士卒又非精练,如此之将,先欲强暴伐人,众悖则惧也,至懦之极也。〇梅尧臣曰:

先行乎严暴，后畏其众离，训罚不精之极也。○王晳曰：敌先行刻暴〔七四〕，后畏其众离，为将不精之甚也。○何氏曰：宽猛相济，精于将事也。○张预曰：先轻敌，后畏人。或曰：先刻暴御下，后畏众叛己，是用威行爱，不精之甚。故上文以数赏、数罚而言也。○〔七五〕

来委谢者，欲休息也。

李筌曰：徐前而疾后，曰委谢。○杜牧曰：所以委质来谢，此乃势已穷，或有他故，必欲休息也。○贾林曰：气委而言谢者，欲求两解。○杜佑曰：战未相伏，而下意气相委谢者，欲休息也。○梅尧臣曰：力屈欲休兵，委质以来谢。○王晳曰：势不能久。○张预曰：以所亲爱委质来谢，是势力穷极，欲休兵息战也。

兵怒而相迎，久而不合，又不相去，必谨察之〔七六〕。

曹操曰：备奇伏也。○李筌曰：是军必有奇伏，须谨察之。○杜牧曰：盛怒出陈，久不交刃，复不解去，有所待也，当谨伺察之，恐有奇伏旁起也。○孟氏曰：备有别应。○梅尧臣曰：怒而来逆我，久而不接战，且又不解去，必有奇伏以待我。此以上论敌情。○张预曰：勇怒而来，既不合战，又不引退，当密伺之，必有奇伏也。○〔七七〕

⑪兵非益多也〔七八〕，

曹操曰：权力均。○一云"兵非贵益多"。○贾林曰：不贵众击寡，所贵寡击众。○王晳曰：晳谓权力均足矣，不以多为益。○张预曰：兵非增多于敌，谓权力均也。

惟无武进，

曹操曰：未见便也。○贾林曰：武不足专进，专进则暴。○王晳曰：不可但恃武也，当以计智料敌而行。○张预曰：武，刚也。未能用刚武以轻进，谓未见利也。

足以并力、料敌、取人而已。

曹操曰：厮养足也。○李筌曰：兵众武，用力均，惟得人者胜也。○杜牧曰：言我与敌人兵力皆均，惟未能用武前进者，盖未得见其人也。但能于厮养之中拣择其材，亦足并力料敌而取胜，不假求于他也。○陈皞曰：言我兵力不多于敌，又无利便可进，不必他国乞师，但于厮养中并力取人，亦可破敌也。○贾林曰：虽无武勇之力而轻进，足以智谋料敌、并力而取敌人也。○梅尧臣曰：武，继也。兵虽不足以继进，足以并给役厮养之力，量敌而取胜也。○王晳曰：晳谓善分合之变者，足以并力乘敌间取胜人而已。故虽厮养之辈可也，况精兵乎？曹说是也。○张预曰：兵力既均，又未见便，虽未足刚进，足以取人于厮养之中，以并兵合力，察敌而取胜，不必假他兵以助己。故尉缭子曰："天下助卒，名为十万，其实不过数万。其兵来者，无不谓其将曰：无为天下先战。"此言助卒无益，不如己有兵法也。

夫惟无虑而易敌者，必擒于人〔七九〕。

杜牧曰：无有深谋远虑，但恃一夫之勇，轻易不顾者，必为敌人所擒也。○陈皞曰：惟，犹独也。此言殊无远虑，但轻敌者，必为其所擒，不独言其勇也。左传曰："蜂虿有毒，而况国乎？"则小敌亦不可轻。○王晳曰：唯不能料敌，但以武进，则必为敌所擒。明患不在于不多也。○张预曰：不能料人，反轻敌以武进，必为人所擒也。齐晋相攻，齐侯曰："吾姑灭此而朝食。"不介马而驰之，为晋所败是也。○〔八〇〕

⑫卒未亲附而罚之〔八一〕，则不服；不服，则难用也；

杜牧曰：恩信未洽，不可以刑罚齐之。○梅尧臣曰：傅，至也。德以至之，恩以亲之；恩德未敷，罚则不服，故怨而难使。○王晳曰：恩信非素浃洽于人，心未附也。○张预曰：骤居将帅之位，恩信未加于民，而遽以刑法齐之，则怒恚而难用。故田穰苴曰："臣素卑贱，士卒未附，百姓不信。"又伍参曰"晋之从政者新，未能行令"是也。

卒已亲附而罚不行，则不可用也〔八二〕。

曹操曰：恩信已洽，若无刑罚，则骄惰难用也〔八三〕。○梅尧臣曰：恩德既洽，刑罚不行，则骄不可用。○王晳曰：所谓"若骄子"也。○张预曰：恩信素洽，士心已附，刑罚宽缓，则骄不可用也。

故令之以文，齐之以武〔八四〕，

曹操曰：文，仁也；武，法也。○李筌曰：文，仁恩；武，威罚。○杜牧曰：晏子举司马穰苴文能附众、武能威敌也。○王晳曰：吴起云："总文武者，军之将；兼刚柔者，兵之事也。"

是谓必取。

杜牧曰：文武既行，必也取胜。○梅尧臣曰：令以仁恩，齐以威刑；恩威并著，则能必胜。○张预曰：文恩以悦之，武威以肃之；畏爱相兼，故战必胜，攻必取。或问曰：书云："威克厥爱，允济；爱克厥威，允罔功。"言先威也。孙武先爱何也？曰：书之所称，仁人之兵也。王者之于民，恩德素厚，人心已附，及其用之，惟患乎寡威也。武之所陈，战国之兵也。霸者之于民，法令素酷，人心易离，及其用之，惟患乎少恩也。○〔八五〕

令素行以教其民，则民服〔八六〕；

梅尧臣曰：素，旧也。威令旧立，教乃听服。○张预曰：将令素行，其民已信；教而用之，人人听服。

令不素行以教其民，则民不服〔八七〕。

王晳曰：民不素教，难卒为用。○何氏曰：人既失训，安得服教？

令素行者，与众相得也〔八八〕。

杜牧曰：素，先也。言为将，居常无事之时，须恩信威令先著于人，然后对敌之时，行令立法，人人信伏。韩信曰："我非素得拊循士大夫，所谓驱市人而战也。所以使之背水，令其人人自战。"以其非素受恩信，威令之从也。○陈皞曰：晋文公始入国，教其民二年，欲用之。子犯曰："民未知义，未安其居。"此言欲令民不苟其生也。于是出定襄王。此言示以事君之大义，入务利民，民怀生矣。又将用之，子犯曰："民未知信，未宣其用。"于是伐原，以示之信。此言在往年伐原，不贪其利，而守其信，民易资者，不求丰焉。此言人无贪诈也，明征其辞。公曰："可矣。"子犯曰："民未知礼，未生其恭。"于是大蒐，以示之礼。及战之时，少长有礼，其可用也。此五者，教人之本也。夫令要在先申〔八九〕，使人听之不惑；法要在必行，使人守之，无轻信者也。三令五申，示人不惑也。法令简当，议在必行，然后可以与众相得也。○梅尧臣曰：信服已久，何事不从？○王晳曰：知此者，始可言其并力胜敌矣。○张预曰：上以信使民，民以信服上，是上下相得也。尉缭子曰："令之之法，小过无更，小疑无申。"言号令一出，不可反易；自非大过、大疑，则不须更改申明，所以使民信也。诸葛亮与魏军战，以寡对众，卒有当代者，不留而遣之，曰："信不可失。"于是人人愿留一战，遂大败魏兵是也。

校　记

〔一〕"依谷，近水草"，原本脱"依"字，作"谷近水草"。按："近"乃释"依"字之义，各家注文皆如此，且此释"依谷"，亦正与上句释"绝山"相对，故当据补。

〔二〕"视生，为无蔽冒物也。处军当在高"，文意本很明顺，唯原本"也"字误作"色"，致使产生疑问。中华校点本读作"视生为无蔽冒，物色处军当在高"，以"物色"为观测察视之意，迨非是。今予正之。孙校本即作"也"，唯"物"上又加一"之"字，为原本所无耳。

〔三〕此处佑注首句"高，阳也"，显系以"阳"释"高"之义，而孙校则说原本误作"高扬也"，从而改为"向阳也"。按：是孙校所据底本有误，且其校说亦误也。中华本即未改，是。

〔四〕"战隆无登"，十一家注及其他传本皆如此，简本则作"战降毋登"，通典卷一五六引同，且牧、张注亦云"一本作'战降无登'"，是"隆"、"降"之异，由来已久。按："隆"从"降"声，古可通假，武威汉简中之癃症，字即作"痒"。可知二者虽措词不同，而其意皆言勿登高迎敌作战也。今两存之。

〔五〕"降，下也"三字，原本无，孙校本据通典卷一五六补，是，从之。

〔六〕此句"处山之军"，通典卷一五六引作"处山谷之军"。

〔七〕"绝水"之上，通典卷一六〇引又有"敌若"二字，孙校谓"绝水"乃以我言，下句"客绝水而来"方以敌言，故不当有此二字，说甚是。

〔八〕通典卷一六〇此句经文下又有佑注云:“引敌,使宽而渡之。”

〔九〕通典卷一六〇此处经文下又有佑注云:“半渡势不并,故可敌。”

〔一〇〕通典卷一六〇此句经文下又有佑注云:“恐溉我也。逆水流,在下流也,不当处人之下流也,为其水流溉灌人也,或投毒药于上流也。”

〔一一〕“斥泽”,简本“斥”作“沂”,或“泝”之形误。简本释文注谓可读“斥”。又,“无留”,御览卷三〇六引作“无流”,樱田本又作“莫留”,皆无取。

〔一二〕通典卷一五七、一六〇此处经文下又有佑注云:“斥,咸卤之地,水草恶,浸洳不可处军也。”

〔一三〕“若交军于斥泽之中”,通典卷一五七引“若”作“为”,孙校以为讹。御览卷三〇六则无“若”字。按:“为”犹“使”也,亦有假设之义,故亦可通。无“若”亦可通。唯诸本皆作“若”,故仍之。

〔一四〕此处佑注,通典卷一五七无首句“一本作背众木,言”七字与末句“盖地利,兵之助也”七字。

〔一五〕此句诸本无异文,唯其与上句“必依水草而背众树”之间,谈本集注依次置入下文“吏怒者”至“必擒于人”,“奔走而陈兵”至“军扰者,将不重也”,“鸟起者”至“无约而请和”,“凡地有绝涧”至“其所居易者,利也”,以及“众树动者”至“此处斥泽之军也”,共三十馀句,而此三十馀句与原本相较,亦错乱不堪。黄本集注全同,孙校因未见此本,故未置辞。今记于此,读者察之。

〔一六〕“而右背高”,御览卷三〇六引作“左右背高”。“前死后生”,诸本皆如此,简本亦然,唯王注疑此当作“前生后死”。按:孙子言地形,皆以高为“生”,以下为“死”,故上文有云:“视生处高。”此句牧注亦云:“死者,下也;生者,高也。”故王注未可据，当仍之。

〔一七〕“四帝”，诸本皆如此，王注与梅注则谓当作“四军”，赵注又说或作“四方”，于鬯又疑当作“炎帝”。按：此皆无取。简本黄帝伐赤帝篇有“…… 东伐□帝 …… 西伐白帝 …… 北伐黑帝……已胜四帝，大有天下”，可知原文作“四帝”不误。

〔一八〕“无不称帝”，平津本“无不”作“亦”。

〔一九〕“一本‘无’作‘亦’”，原本如此，诸本亦然。如此，则上句“四方诸侯无不称帝”即为“四方诸侯亦不称帝”，文意乖违矣。故“无”下当有“不”字。

〔二〇〕“好高而恶下”，孙校本依通典、御览改“好”字为“喜”。御览卷三〇六云：“‘喜’一作‘好’。”诸本皆作“好”，可仍之，不必改字。

〔二一〕通典卷一五六此句经文下又有佑注云：“山南曰阳，水北曰阴。”

〔二二〕此处曹注，平津本止有“恃实满，向水草，放牧也”三句，意较明晰，今并录之，以相参较。

〔二三〕此二句，诸本亦无异文，唯简本无“是谓必胜”，通典卷一五六引二句互乙，御览卷三〇六引同，今仍之。

〔二四〕“必处其阳”，通典卷一五六、御览卷三〇六引作“必处其高阳”。

〔二五〕此句诸本皆有，并皆在此处，各家亦多沿袭旧文，未予置辞，唯直解引张贲说，谓其当在上文“无附于水而迎客”句下。通典卷一六〇引亦紧接“此处水上之军”句。按：此句在此，与上下文诚不相属，若置于上，作为“处水上之军”的内容之一，如此固善，唯简本亦在此处。故仍之，并存张说。至于具体文字，通行诸本无异，简本作“上雨水，水流至，止涉，待其定”，通典、御览引亦重“水”字。今亦存之。

〔二六〕“上遏水”，原本“上”作“权”，孙校本同。按：“权遏水”于义难通，今据通典卷一六〇改。

〔二七〕“凡地，有绝涧”，诸本皆如此，通典卷一五九引同，唯下有“遇”字，并接下文。而简本此处则只空三字，不能容纳五字，御览卷三〇六引亦只有三字，作“绝涧过”，而无“凡地有”，王注亦谓“绝涧”脱“天”字，当作“绝天涧”。校释据改，删“凡地有”，并改“绝涧”为“绝天涧”，以与“天井”、“天牢”等名称相类。今仍之，并存此说。

〔二八〕以上“六害”，简本“绝涧”空缺，“天井”同，其馀四害依次为“天窖”、“天离”、“天翘”、“天郄”。

〔二九〕“必亟去之”上，御览卷三〇六引又有“大害”二字。

〔三〇〕如上曹注，平津本与孙校本略同，唯原本“四方高”之“四”作“中”，显系误字，今据平津本与孙校本正之。“中央下者”之“者”字，亦据平津本补，以与各句同例。其他如首句“山深水大”，平津本作“山水深大”，以及末句“山涧道迫狭，地形深数尺、长数丈”，平津本作“涧道迫狭，深数丈者”，二者亦均稍有歧异。唯通典卷一五九佑注此句同原本，故两存之，以相参较。

〔三一〕通典卷一五九此处经文下又有佑注云：“山水深大者，为绝涧；四方高、中央下者，为天井；深水大泽，葭苇蒙笼所隐蔽者，为天牢；可以罗绝人者，为天罗；陂湖泥泞，地形陷者，为天陷；山涧迫狭，地形深数尺、长数丈者，或丘陵坑坎，地形垙堎，为天郄也。”

〔三二〕“令”，原本误作“今”，孙校本同，中华本改，是。通典一五九佑注正作“令”。

〔三三〕以上诸句，十一家注古本如此，平津本与武经各本“军行”作“军旁”，“葭苇”作“蒹葭”，“山林”作“林木”，“伏奸之所处”

作“伏奸之所”，简本作“……苇小林翳浍可伏匿者，谨复索之，奸之所处也”。孙校本依通典、御览改为“军旁有险阻、蒋潢，井生葭苇，山林蘙荟，必谨覆索之，此伏奸之所藏处也”。校释斠酌诸本，除改“军行”为“军旁”外，均依原本。按：“行”或误字，“军行”费解，故改之善，其他文字参差，并予存之。

〔三四〕以上曹注，平津本“葭苇”作“蒹葭”，“山林”作“林木”，馀同。

〔三五〕通典卷一五〇此处经文下又有佑注云：“险者，一高一下之地。阻者，雨水地也。蒋者，水草之藂生也。潢者，池也。井者，下也。葭苇者，众草所聚也。山林者，众木所居也。蘙荟者，可以屏蔽之处也。此以上相地形，此以下察敌情也。”

〔三六〕“远而挑战者”上，通典卷一五〇引又有“敌”字。

〔三七〕此句平津本与武经同，简本则作“其所居者易……”，通典卷一五〇引作“其所处者，居易利也”，御览卷二九一引同。孙校本又改为“其所居者，易利也”。按：“其所居易者，利也”与“其所居者易，利也”二者意同，皆可通，唯作“其所处者，居易利也”或“其所居者，易利也”为不可取，故仍之。

〔三八〕此句曹注，平津本无。

〔三九〕“居易之地”，原本误作“居勿之地”。孙校本已正，是。

〔四〇〕此句曹注，平津本“除道进来，故动”作“除道也”。

〔四一〕以上佑注，前数句文字及标点颇有歧异。原本作“结草多障欲使我度稠草中多障蔽者……”。按：通典杜注每先引曹注，再附以己意。而上曹注作“结草为障，欲使我疑也”，平津本同。故此处佑注前两句亦当据曹注改“多障”为“为障”，并改“度”为“疑”，且应于“疑”字下断句。通典卷一五〇虽作“为障”，但因未改“度”为“疑”，故下句仍读作“欲使我度稠草中。多障蔽者……”。孙子此句正文既为“众草多障者，疑也”，“众草”与“多障”连称，故此注文亦当以读“稠草中多障蔽者”

为善。

〔四二〕此句曹注，平津本止有“下有伏兵”四字。

〔四三〕“住藏”，原本作“往藏”，今据通典卷一五〇改正。

〔四四〕“兽”，长短经料敌作“禽”。按：“禽”上古为鸟兽之总称，后世专指羽族。今仍依原本。

〔四五〕经文下此句佑注同曹注，唯多“故兽惊骇也”五字。

〔四六〕“樵采”，诸本皆如此，杜、梅等家亦皆以“樵采”为说，但长短经料敌却作“薪来”，通典卷一五〇与御览卷二九一引作“薪采来”，李注亦谓当作“薪来”，校释从之。按：李注所云晋师伐齐，曳柴从之，是其史证。城濮之役，栾枝曳柴伪遁，亦可证明当作“薪来”。唯其曳柴，烟尘才呈“散而条达”之状；若是樵采山林，烟尘何致“散而条达”？故作“樵采”者误，注“樵采”者亦误。当从长短经、李注与校释改而正之。

〔四七〕通典卷一五〇此句经文下又有佑注云：“尘散而条达，各行所求。”

〔四八〕原本“杜佑”作“杜牧”，孙校谓字误。查此注文与通典佑注全同，故孙说是，从之。

〔四九〕“其使来辞卑”，原本“辞卑”二字互乙，今据平津本正之。

〔五〇〕“辞强而进驱”，诸本皆如此，唯孙校本依曹注与通典旧本改作“辞诡而强进驱”，而简本则作“辞强而□殹”，且曹注“诡诈也”乃系释“辞强而进驱”之义，而非以“诈”释“诡”——“诡”，何劳曹公以“诈”释之哉？故孙校本未可从，今本通典业已回改，是。

〔五一〕此句诸本亦无异文，唯通典卷一五〇引无“出”字，而御览卷二九一引则有。今仍之。

〔五二〕通典卷一五〇此处经文下又有佑注云：“陈兵欲战也。轻车，驰车，在阵侧。”唯通典读作“陈兵，欲战也。轻车驰车在阵侧”。按:此读误。“陈兵欲战”应连读,乃释正文“轻车先出,居其侧者,陈也”之义。“驰车,在阵侧”乃释“轻车”之义,故不应连读,而应读作“轻车,驰车,在阵侧”。

〔五三〕此句各本皆如此,且皆在此处,历来各家亦无异议,唯赵注谓当在上句“轻车先出,居其侧者,陈也”之前,与“辞卑”、“辞强”诸本构成一节,以为相使命,而长短经料敌亦正如此。简本此句虽如今本次序,但原简此句与上句“阵也”并不在同一简上,如今本次序者,乃编者据今本次序排列也,故亦未足证明孙子故书必如今本顺序。赵说有理,亦有据,今予存之。

〔五四〕“有间谋”,原本作“有间谍”,今据通典卷一五〇改。

〔五五〕此句十一家注各本皆如此,而平津本与武经各本则无“车”字,简本、樱田本与通典、御览引并同,校释从删。今两存之。

〔五六〕通典卷一五〇此处经文下又有佑注“自与偏将期也”一句。

〔五七〕此句诸本亦无异文,唯孙校本据通典、御览及梅、张注意改“杖而立”为“倚仗而立”。按:“杖”、“仗”古通。“杖而立”即倚兵而立,故梅、张注“倚兵而立”乃释“杖而立”之义,并非“杖”上必有“倚”字也。孙校无取。又,樱田本作“杖而后立”,亦非是。

〔五八〕“汲而先饮”,诸本皆如此,唯简本作“汲役先畬(饮)”,通典、御览引同,校释从改。按:改之固可,唯原本亦可通,故两存之。

〔五九〕通典引于句首又有“向人”二字,御览引同,今仍之。

〔六〇〕原本“士卒”下衍“之”字,今据平津本删。

〔六一〕“士疲劳”,原本“劳”作“倦”,今据通典卷一五〇改。

〔六二〕孙校本末句“而鸟集止其中者,虚也”作“而鸟集止其上者,其中虚也”。

〔六三〕“夜呼”,通典卷一五〇引作“夜喧呼”。原本及诸本均无

"喧"字。

〔六四〕通典卷一五〇此句经文下又有佑注云:"军士夜喧呼,将不勇也。相惊无备者,恐惧也。"

〔六五〕通典卷一五〇此句经文下又有佑注云:"军吏悉怒,将者疲倦也。"

〔六六〕此句原本问题有二:一、十一家注各本皆作"粟马肉食,军无悬缻,不返其舍者,穷寇也",亦即只作一种军情判断,而平津本及武经各本则作"杀马肉食者,军无粮也;悬缻(缶)不返其舍者,穷寇也",则作两种判断。通典、御览引与长短经同前者,作一种判断;而樱田本与赵注等则同后者,作两种判断。李注所据本亦当同后者。简本残缺,未可断定其属于何种情况。查原本所列异文,此两种文字、两种风格同时存在。今两存之。二、是个别文字上的歧异。如通典引"肉食"作"食肉","悬缻"之"缻"作"箠"。关于此字,简本注考之颇详,说可信。孙校谓"缻"乃"缶"之或字,武经与通典故本作"缶",乃"甀"字之误。"甀",说文作"餅",即简本之"甀",乃"甀"之古体。长短经料敌作"涶",今本通典与御览卷二九一又作"箠",皆可引为参证。故"缻"可断为"甀"之误字。"甀",说文:"小口罂也。"淮南子氾论训"抱甀而汲",即此盛水浆之尖底瓦器,用时以绳系之以汲水,不用时则悬之,故曰"悬甀"。杜、梅、赵等家皆以"缻"为炊器,今人亦有作此解者,皆失之。"缻"或"缶",即今之瓦盆,可用以盛酒浆,也可用以节歌,见尔雅释器。李斯谏逐客书所说"击瓮叩缶……而歌呼呜呜",即此物。故以"缻"为炊器者,迨以"缻"为"釜"耳。

〔六七〕通典卷一五〇此处经文下又有佑注云:"谷马食肉,不复蓄积,无悬箪之食,欲死战,此穷寇也。箪,即箠之类也。"唯末句"箪,即箠之类也",孙校引御览作"箠,即箪之类",并谓

"'篴'、'箽'二字皆误",字当作"耷",是。

〔六八〕"徐与人言",十一家注与武经等孙子传本皆如此,而简本则作"徐言人"。若"人"为"入"之讹,且有重文号,则正文即作"徐言入入"。而通典卷一五〇、御览卷二九一与长短经料敌以及黄巩集注、曹家达菁华录亦正作"徐言入入",孙校亦谓当作"徐言入入",校释亦据改之。按:作"入入"善,唯传本亦可通,且贾注亦明著"徐与人言"之文,故两存之。

〔六九〕通典卷一五〇此处经文下又有佑注云:"谆谆,语貌。翕翕者,不真也。其上失卒之心,少气之意。徐言入入者,与之言安徐之貌也,此将失其众也。谆,章伦反。翕,许及反。"

〔七〇〕"窘",长短经料敌作"害",误。

〔七一〕通典卷一五〇此句经文下又有佑注云:"军不素敌,数行赏,欲士卒之力战者,此恐窘也。窘,渠殒反。"

〔七二〕此句之下,长短经料敌又有"数顾者,失其众也",为他本所无,且与上"徐与人言者,失众也"重文,故无取。

〔七三〕通典卷一五〇此句经文下又有佑注云:"数行刑罚者,教令弛废,是困军也。"

〔七四〕"刻暴",原本作"列暴",孙校本已正,是。

〔七五〕通典卷一五〇此处经文下又有佑注云:"先行卒暴于士卒,而后欲畏己者,此将不精之极也。"

〔七六〕"久而不合",御览卷二九五引作"交而不合",误。"又不相去",樱田本与武备志作"又不解去"。

〔七七〕除上述诸注外,通典卷一五〇此处经文下佑注云:"备奇伏也,此必有间谋也。"

〔七八〕"兵非益多也",十一家注本如此,武经各本则作"兵非贵益多",简本则作"兵非多益",校释从之,今并存之。

〔七九〕"无虑而易敌",诸本皆如此,唯通典卷一五〇引"易"下有

“于”字，非是。佑注即云“易人”，而不云“易于人”。

〔八〇〕通典卷一五〇此处经文下又有佑注云：“已无智虑，而外易人者，必为人所擒。”

〔八一〕“亲附”，诸本亦皆如此，唯长短经禁令作“专亲”，御览卷二九六引同。简本下句作“槫亲”，是此句亦当是“专亲”。按：二者皆可通，今并存之。下句同。

〔八二〕“不可用”，简本无“可”字。

〔八三〕此曹注，平津本无。

〔八四〕“令之以文”，诸本皆如此，通典卷一四九引同，而简本则作“合之以交”，书钞卷一一三与御览卷二九六引“令”亦作“合”，校释从之。今两存之。

〔八五〕除上述诸注外，通典卷一四九此句经文下又有佑注云：“文，恩；武，罚。”

〔八六〕此句，通典卷一四九引作“令素行，以教其人者也。令素行，则人服”。今仍依原本与平津本。

〔八七〕此句，通典又作“令素不行，则人不服”，皆未可据。

〔八八〕“令素行”，通典作“令素信著”，孙校本从之，并谓按注意当如此。按：原文无不可，且上二句皆作“素行”或“素不行”，平津本亦如此，故可不改原文。

〔八九〕“令要在先申”，原本“令”作“今”，今从孙校本改。

十一家注孙子卷下[1]

① 樱田本此下为下篇，唯未见中篇。

地形篇〔一〕

曹操曰:欲战,审地形以立胜也。〇李筌曰:军出之后,必有地形变动。〇王皙曰:地利当周知险、隘、支、挂之形也。〇张预曰:凡军有所行,先五十里内山川形势,使军士伺其伏兵,将乃自行视地之势,因而图之,知其险易。故行师越境,审地形而立胜,故次行军。

①孙子曰:地形,有通者,

梅尧臣曰:道路交达。

有挂者〔二〕,

梅尧臣曰:网罗之地,往必挂缀。

有支者,

梅尧臣曰:相持之地。

有隘者,

梅尧臣曰:两山通谷之间。

有险者,

梅尧臣曰:山川丘陵也。

有远者〔三〕。

曹操曰:此六者,地之形也。〇梅尧臣曰:平陆也。〇杜佑曰:此六地之名,教民居之,得便利则胜也。〇张预曰:地形有此六者之别也。

我可以往，彼可以来，曰通。

杜佑曰：谓俱在平陆，往来通利也。○张预曰：俱在平陆，往来通达。

通形者，先居高阳〔四〕，利粮道，以战则利。

曹操曰：宁致人，无致于人。○李筌曰：先之以待敌。○杜牧曰：通者，四战之地，须先据高阳之处，勿使敌人先得，而我后至也。利粮道者，每于津厄或敌人要冲，则筑垒或作甬道以护之。○贾林曰：通形者〔五〕，无有岗坂，亦无要害，故两通往来。处高易于望候，向阳视生、通粮道，便易转运，于此利于战也。○杜佑曰：宁致人，无致于人。己先据高地，分为屯守于归来之路，无使敌绝己粮道也。○梅尧臣曰：先据高阳，利粮通厄；敌人来至，我战则利。○王皙注同曹操。○何氏同杜佑注。○张预曰：先处战地以待敌，则致人而不致于人。我虽居高面阳，坐以致敌，亦虑敌人不来赴战，故须使粮饷不绝，然后为利。

可以往，难以返，曰挂〔六〕。

杜佑曰：挂者，牵挂也〔七〕。

挂形者〔八〕，敌无备，出而胜之；敌若有备〔九〕，出而不胜，难以返，不利。

李筌曰：往不宜返曰挂。○杜牧曰：挂者，险阻之地，与敌共有，犬牙相错，动有挂碍也。往攻敌，敌若无备，攻之必胜，则虽与险阻相错，敌人已败，不得复邀我归路矣；若往攻敌人，敌人有备，不能胜之，则为敌人守险阻，邀我归路，难以返也。○陈皞曰：不得已陷在此，则须为持久之计，掠取敌人之粮，以伺利便而击之。○杜佑曰：敌无备，出攻之胜，可也；有备，不得胜之，则难还返也。○梅尧臣曰：出其不意，往则获利；若其有备，往必受制。○张预曰：察知敌情，果为无备，一举而胜之，则可矣；若其有备，出而弗克，欲战则不可留，欲归则不得返，非所利也。

我出而不利，彼出而不利，曰支。

杜佑曰：支，久也，俱不便久相持也。○张预曰：各守险固，以相支持。

支形者，敌虽利我，我无出也；引而去之，令敌半出而击之，利。

李筌曰:支者,两俱不利,如挂之形,故各分其势。○杜牧曰:支者,我与敌人各守高险,对垒而军,中有平地,狭而且长,出军则不能成陈,遇敌则自下御上,彼我之势俱不利便。如此,则堂堂引去,伏卒待之。敌若蹑我,候其半出,发兵击之,则利;若敌人先去以诱我,我不可出也。○陈皞曰:此说理繁而语倒。但彼此出军,地形不便,敌若设利诱我而去,我慎勿追之。我若引去,敌止则已;若来袭我,候其半出,则急击之。○贾林曰:支者,隔险隘,可以相要截,足得相支持,故不利先出也.○杜佑曰:利,利我也。佯背我去,我无出逐〔一〇〕;待其引而击之,可败也。○梅尧臣曰:各居所险,先出必败。利而诱我,我不可爱,伪去引敌,半出而击。○王皙曰:敌不肯至,则设奇伏而退,且诡之,令必出。○张预曰:利我,谓佯背我去也,不可出攻。我舍险,则反为所乘,当自引去。敌若来追,伺其半出,行列未定,锐卒攻之,必获利焉。李靖兵法曰:"彼此不利之地,引而佯去,待其半出而邀击之。"

隘形者,我先居之,必盈之以待敌;

杜佑曰:盈,满也。以兵陈满隘形,欲使敌不得进退也。

若敌先居之,盈而勿从,不盈而从之。

曹操曰:隘形者,两山间通谷也,敌势不得挠我也〔一一〕。我先居之,必前齐隘口,陈而守之,以出奇也;敌若先居此地,齐口陈,勿从也。即半隘陈者从之,而与敌共此利也。○李筌曰:盈,平也。敌先守隘,我去之。赵不守井陉之口,韩信下之;陈豨不守漳水,高祖下之是也。○杜牧曰:盈者,满也。言遇两山之间,中有通谷,则须当山口为营,与两山口齐,如水之在器而盈满也。○杜佑曰:谓齐口,亦满也,如水之满器,与口齐也。若我居之,平易险阻皆制在我,然后出奇以制敌。若敌人据隘之半,不知齐口满盈之道,我则入隘以从之;盖敌亦在隘,我亦在隘,俱得地形,胜败在我,不在地形也。夫齐口盈满之术,非惟隘形独解有口,譬如平坡迴泽,车马不通,舟楫不胜,中有一迳,亦须据其路口,使敌不得进也。诸可知矣〔一二〕。○陈皞曰:隘口,言陈是也,言营非也。○贾林曰:从,逐也。盈,实也。敌若实而满之,则不可逐讨,若虚而无备,则入而讨之。○梅尧臣同杜牧注。○王皙同曹操注。○张预曰:左右高山,中有平谷，我先至之，必齐满山口以为陈，使敌不得进也。我可以出奇兵，彼不能以挠我。敌若先居此地，盈塞隘口而陈者，不可从也。若虽守隘口，俱不齐满者，入而从之，与敌共此险阻之利。吴起曰："无当天灶。"天灶者，大谷之口，言不可迎隘口而居之也。

险形者，我先居之，必居高阳以待敌；

杜佑曰：居高阳之地以待敌人；敌人从其下阴而来，击之则胜。

若敌先居之，引而去之，勿从也。

曹操曰：地形险隘，尤不可致于人〔一三〕。○李筌曰：若险阻之地，不可后于人。○杜牧曰：险者，山峻谷深，非人力所能作为，必居高阳以待敌。若敌人先据之，必不可以争，则当引去。阳者，南面之地，恐敌人持久，我居阴而生疾也。今若于崤渑遇敌，则先据北山，此乃是面阴而背阳也。高、阳二者，止可舍阳而就高，不可舍高而就阳。孙子乃统而言之也。○杜佑曰：地险先据，则不致于人也。○梅尧臣曰：先得险固，居高就阳，待敌则强；敌苟先之，就战则殆，引去勿疑。○王晳曰：此亦争地，若唐太宗先据武牢以待窦建德是也。○张预曰：平陆之地，尚宜先据，况险厄之所，岂可以致于人？故先处高阳，以佚待劳，则胜矣。若敌已据此地，宜速引退，不可与战。裴行俭讨突厥，尝际晚下营，堑垒方周，忽令移就崇冈。将士不悦，以谓不可劳众。行俭不从，速令徙之。是夜风雨暴至，前设营所，水深丈馀，将吏惊服。以此观之，居高阳不惟战便，亦无水涝之患也。

远形者，势均，难以挑战，战而不利〔一四〕。

曹操曰：挑战者，延敌也。○李筌曰：力敌而挑，则利未可知也。○杜牧曰：譬如我与敌垒相去三十里，若我来就敌垒，而延敌欲战者，是我困敌锐，故战者不利；若敌来就我垒，延我欲战者，是我佚敌劳，敌亦不利，故言势均。然则如何？曰：欲必战者，则移相近也。○陈皞曰：夫与敌营垒相远，兵力又均，难以挑战，战则不利，故下文云"势均，以一击十曰走"是也。夫挑战，先须料我兵众强弱，可以加敌则为之；不然，则不可轻进，自取败也。○孟氏曰：兵势既均，我远入挑，则不利也。○杜佑曰：挑，迎敌也。远形，去国远也。地势均等，无独便利，先挑之战，不利也。○梅尧臣曰：势既均一，挑战则劳，致敌则佚。○王皙曰：以远致我，劳也。○张预曰：营垒相远，势力又均，止可坐以致敌，不宜挑人而求战也。

凡此六者，地之道也，将之至任，不可不察也。

李筌曰：此地形之势也，将不知者以败。○贾林曰：天生地形，可以目察。○梅尧臣曰：夫地形者，助兵立胜之本，岂得不度也？○张预曰：六地之形，将不可不知。

②故兵有走者，有弛者，有陷者，有崩者，有乱者，有北者。凡此六者，非天之灾，将之过也〔一五〕。

贾林曰：走、弛、陷、崩、乱、北，皆败坏大小变易之名也。○张预曰：凡此六败，咎在人事。

夫势均，以一击十，曰走；

曹操曰：不料力。○李筌曰：不量力也。若得形便之地，用奇伏之计，则可矣。○杜牧曰：夫以一击十之道，先须敌人与我将之智谋、兵之勇怯、天时地利、饥饱劳佚十倍相悬，然后可以奋一击十；若势均力敌，不能自料以我之一击敌之十，则须奔走，不能返舍复为驻止矣。○梅尧臣曰：势虽均而兵甚寡，以寡击众，必走之道也。○王皙曰：不待斗而走也。○张预曰：势均，谓将之智勇、兵之利钝一切相敌也。夫体敌势等，自不可轻战，况奋寡以击众，能无走乎？

卒强吏弱，曰弛〔一六〕；

曹操曰：吏不能统卒，故弛坏〔一七〕。○杜牧曰：言卒伍豪强，将帅懦弱，不能驱率，故弛坼坏散也。国家长庆初，命田布帅魏以伐王延凑。布长在魏，魏人轻易之，数万人皆乘驴行营，布不能禁。居数月，欲合战，兵士溃散，布自刭身死。○贾林曰：令之不从〔一八〕，威之不服，见敌则乱，不坏何为？○梅尧臣曰：吏无统率者，则军政弛坏。○王皙同曹操注。○何氏曰：言卒伍豪强，将帅懦弱，不能驱领，故弛坼坏散也。○张预曰：士卒豪悍，将吏懦弱，不能统辖约束，故军政弛坏也。吴楚相攻，吴公子光曰："楚军多宠，政令不一；帅贱而不能整，无大威命。楚可败。"果大败楚师也。

吏强卒弱，曰陷；

曹操曰：吏强欲进，卒弱辄陷，败也。○李筌曰：陷，败也。卒弱不一，则难以为战，是以强陷也。○杜牧曰：言欲为攻取，士卒怯弱，不量其力，强进之，则陷没于死地也。○陈皞曰：夫人皆有血气，谁无斗敌之心？若将乏刑德，士乏训练，则人皆懦怯，不可用也。○贾林曰：士卒皆羸，鼓之不进；吏强独战，徒陷其身也。○梅尧臣曰：吏虽强进，不能激之以勇，故陷于死。○王晳曰：为下所陷。○张预曰：将吏刚勇欲战，而士卒素乏训练，不能齐勇同奋，苟用之，必陷于亡败。

大吏怒而不服，遇敌怼而自战，将不知其能，曰崩；

曹操曰：大吏，小将也。大将怒之，心不厌服，忿而赴敌，不量轻重，则必崩坏〔一九〕。○李筌曰：将为敌所怒，不料强弱，驱士卒如命者，必崩坏。○杜牧曰：春秋时，楚子伐郑，晋师救之。伍参言于楚子曰："晋之从政者新，未能行令；其佐先縠刚愎不仁，未肯用命；其三帅者，专行不获，听而无上，众无适从。此行也，晋师必败。"晋魏锜求公族未得而怒，欲败晋师。请致师，不许；请使，许之，遂往请战而还。赵旃求卿未得，请挑战，不许；召盟，许之。与魏锜皆命而往。郤克曰："二憾往矣，弗备必败。"随会曰："若二子怒楚，楚人乘我，丧师无日矣，不如备之。"先縠曰："不可。"随会使巩朔、韩穿师七覆于敖前，故上军不败，而中军、下军果败。七覆，七处伏兵也。敖，山名也。○陈皞曰：此大将无理而怒小将，使之心内怀不服，因缘怨怒，遇敌使战，不顾能否，所以大败也。○贾林曰：自上堕下曰崩。大吏、小将不相压伏，崩坏之道；将又不量己之能否，不知卒之勇怯，强与敌斗，自取贼害，岂非自上而崩乎？○梅尧臣曰：小将心怒而不服，遇敌怨怼而不顾，自取崩败者，盖将不知其能也。○王晳曰：谓将怒不以理，且不知裨佐之才，激致其凶怼，如山之崩坏也。○何氏曰：三军同力，上下一心，则胜也。○张预曰：大凡百将一心，三军同力，则能胜敌。今小将恚怒，而不服于大将之令，意欲俱败，逢敌便战，不量能否，故必崩覆。晋伐秦，荀偃行令是也。曰："鸡鸣而驾，唯余马首是瞻。"栾书怒曰："晋国之命，未是有也。"遂弃之归。又，赵穿恶臾骈而逐秦，魏锜怒晋师而乘楚。

将弱不严，教道不明，吏卒无常，陈兵纵横，曰乱〔二〇〕**；**

曹操曰：为将若此，乱之道也。○李筌曰：将或有一于此，乱之道也。○杜牧曰：言吏卒皆不拘常度，故引兵出陈，或纵或横，皆自乱之也。○贾林曰：威令既不严明，士卒则无常禀，如此军幕，不乱何为？谓将无严令，赏罚不行之故。○梅尧臣曰：懦而不严，则士无常检；教而不明，则出陈纵横。不整，乱之道也。○王晳曰：乱者不胜其败。○张预曰：将弱不严，谓将帅无威德也；教道不明，谓教阅无古法也；吏卒无常，谓将臣无久任也；陈兵纵横，谓士卒无节制也。为将若此，自乱之道。

将不能料敌，以少合众，以弱击强，兵无选锋，曰北〔二一〕**。**

曹操曰：其势若此，必走之兵也。○李筌曰：军败曰北，不料敌也。○杜牧曰：卫公李靖兵法有战锋队，言拣择敢勇之士，每战皆为先锋。司马法曰："选良次兵，益人之强。"注曰："勇猛劲捷，战不得功，后战必选于前，当以激致其锐气也。"东晋大将军谢玄北镇广陵时，苻坚强盛，玄多募勇劲。刘牢之、何谦、诸葛侃、高衡、刘轨、田洛、孙无终等，以骁猛应募，玄以牢之领精锐，为前锋，百战百胜，号为北府兵。敌人畏之，所向必克也。○贾林曰：兵锋不选利钝，士卒不知勇怯，如此用兵，自取背道也。○梅尧臣曰：不能量敌情，以少当众；不能选精锐，以弱击强，皆奔北之理也。○何氏曰：夫士卒疲勇，不可混同为一；一则勇士不劝，疲兵因有所容，出而不战，自败也。故兵法曰："兵无选锋曰北。"昔齐以伎击强，魏以武卒奋，秦以锐士胜，汉有三河侠士、剑客奇材，吴谓之解烦，齐谓之决命，唐谓之跳荡，是皆选锋之别名也。兵之胜术，无先于此。凡军众既具，则大将勒诸营，各选精锐之士，须趫健出众、武艺轶格者，部为别队，大约十人选一人，万人选千人，所选务寡，要在必当，择腹心健将统率，自大将、亲兵、前锋、奇伏之类，皆品量配之也。○张预曰：设若奋寡以击众，驱弱以敌强，又不选骁勇之士，使为先锋，兵必败北也。凡战，必用精锐为前锋者，一则壮吾志，一则挫敌威也。故尉缭子曰："武士不选，则众不强。"曹公以张辽为先锋而败鲜卑，谢玄以刘牢之领精锐而拒苻坚是也。

凡此六者，败之道也〔二二〕**，**

陈皞曰:一曰不量寡众,二曰本乏刑德,三曰失于训练,四曰非理兴怒,五曰法令不行,六曰不择骁果,此名六败也。

将之至任,不可不察也。

张预曰:已上六事,必败之道。

③夫地形者,兵之助也,

杜牧曰:夫兵之主,在于仁义节制而已;若得地形,可以为兵之助,所以取胜也。"助"一作"易"。○陈皞曰:天时不如地利。○孟氏曰:地利待人而险。○贾林曰:战虽在兵,得地易胜,故曰:"兵之易也。"山可障,水可灌,高胜卑,险胜平也。○王皙曰:兵道则在人。○张预曰:能审地形者,兵之助耳,乃末也;料敌制胜者,兵之本也。

料敌制胜,计险厄、远近,上将之道也〔二三〕。

杜牧曰:馈用之费,人马之力,攻守之便,皆在险厄远近也。言若能料此以制敌,乃为将臻极之道。○王皙曰:料敌穷极之情,险厄远近之利害,此兵道也。○何氏曰:知敌、知地,将军之职。○张预曰:既能料敌虚实强弱之情,又能度地险厄远近之形,本末皆知,为将之道毕矣。

知此而用战者必胜,不知此而用战者必败。

杜牧曰:谓知险厄远近也。○梅尧臣曰:将知地形,又知军政,则胜;不知则败。○张预曰:既知敌情,又知地利,以战则胜;俱不知之,以战即败。

④故战道必胜,主曰无战,必战可也;战道不胜,主曰必战,无战可也。

李筌曰:得战胜之道,必战可也〔二四〕;失战胜之道,必无战可也。立主人者,发其行也。○杜牧曰:主者,君也。黄石公曰:"出军行师,将在自专;进退内御,则功难成。故圣主明王,跪而推毂曰:阃外之事,将军裁之。"○孟氏曰:宁违于君,不逆士众。○梅尧臣曰:将在军,君命有所不受。○张预曰:苟有必胜之道,虽君命不战,可必战也;苟无必战之道,虽君命必战,可不战也。与其从令而败事,不若违制而成功,故曰:"军中不闻天子之诏。"

故进不求名,退不避罪,

王晳曰:皆忠以为国也。○何氏曰:进岂求名也?见利于国家、士民,则进也;退岂避罪也?见其蹙国残民之害,虽君命使进,而不进,罪及其身,不悔也。

唯人是保,而利合于主,国之宝也〔二五〕。

李筌曰:进退皆保人,非为身也。○杜牧曰:进不求战胜之名,退不避违命之罪也。如此之将,国家之珍宝,言其少得也。○陈皞曰:合,犹归也。○梅尧臣曰:宁违命而取胜,勿顺命而致败。○王晳曰:战与不战,皆在保民利主而已矣。○张预曰:进退违命,非为己也,皆所以保民命而合主利,此忠臣,国家之宝也。

⑤视卒如婴儿,故可与之赴深谿;视卒如爱子,故可与之俱死〔二六〕。

李筌曰:若抚之如此,得其死力也。故楚子一言,三军之士皆如挟纩也。○杜牧曰:战国时,吴起为将,与士卒最下者同衣食,卧不设席,行不乘骑,亲裹赢粮,与士卒分劳苦,卒有病疽,吴起吮之。其卒母闻而哭之。或问曰:"子,卒也,而将军自吮疽,何为而哭?"母曰:"往年,吴公吮其父,其父不旋踵而死于敌;今复吮此子,妾不知其死所矣!"○梅尧臣曰:抚而育之,则亲而不离;爱而勖之,则信而不疑。故虽死与死,虽危与危。○王晳曰:以仁恩结人心也。○何氏曰:如后汉段颎为破羌将军以征西羌,行军仁爱,士卒伤者,亲自瞻省,手为裹疮。在边十馀年,未尝一日蓐寝,与将士同苦,故皆乐为死战也。晋王濬为巴郡太守,郡边吴境,兵士苦役,生男多不举。濬乃严其科条,宽其徭课,其产育者皆与休复,所全活者数千人。及后伐吴,先在巴郡之所全活者,皆堪徭役供军。其父母戒之曰:"王府君生尔,尔必勉之,无爱死也。"故吴子有父子之兵。○张预曰:将视卒如子,则卒视将如父;未有父在危难而子不致死。故荀卿曰:"臣之于君也,下之于上也,如子弟之事父兄、手足之捍头目也。"夫美酒泛流,三军皆醉;温言一抚,士同挟纩。信乎,以恩遇下,古人所重也。故兵法曰:"勤劳之师,将必先已。暑不张盖,寒不重衣,险必下步,军井成而后饮,军食熟而后饭,军垒成而后舍。"

厚而不能使，爱而不能令〔二七〕，乱而不能治，譬若骄子，不可用也。

曹操曰：恩不可专用，罚不可独任。若骄子之喜怒，对目还害，而不可用也〔二八〕。○李筌曰：虽厚爱人，不令如骄子者，有勃逆之心，不可用也。○杜牧曰：黄石公曰："士卒可下，而不可骄。"夫恩以养士，谦以接之，故曰"可下"；制之以法，故曰"不可骄"。阴符曰："害生于恩。"吴起曰："夫鼓鼙金铎，所以威耳；旌旗麾章，所以威目；禁令刑罚，所以威心〔二九〕。耳威于声，不得不清；目威于色，不得不明；心威于刑，不得不严。三者不立，必败于敌。故曰：将之所挥，莫不从移；将之所指，莫不前死。"卫公李靖曰："古之善为将者，必能十卒而杀其三，次者十杀其一。十杀其三，威振于敌国；十杀其一，令行于三军。是知畏我者不畏敌，畏敌者不畏我。"善无细而不赏，恶无微而不贬。马谡军败，葛亮对泣而行诛；乡人盗笠，吕蒙垂涕而后斩；马逸犯禾，曹公割发而自刑；两掾辞屈，黄盖诘问而俱斩。故能威克其爱，虽少必济；爱加其威，虽多必败。○孟氏曰：唯务行恩，恩势已成，刑之必怨；唯务行刑，刑怨已深，恩之不附。必使恩威相参，赏罚并用，然后可以为将、可以统众也。○梅尧臣曰：厚养而不使，爱宠而不教，乱法而不治，犹如骄子，安得而用也？○王皙曰：恩不以严，未可济也。○何氏曰：言恩不可纯任，纯任则还为己害。○张预曰：恩不可以专用，罚不可以独行。专用恩，则卒如骄子而不能使。此曹公所以割发而自刑，卧龙所以垂泣而行戮，杨素所以流血盈前而言笑自若，李靖所以十杀其三使畏我而不畏敌也。独行罚，则士不亲附而不可用，此古将所以投酒、楚子所以挟纩、吴起所以分衣食、阖闾所以同劳佚也。在易之师初六曰"师出以律"，谓齐众以法也；九二曰"师中承天宠"，谓劝士以赏也。以此观之，王者之兵，亦德刑参任而恩威并行矣。尉缭子曰："不爱悦其心者，不我用也；不严畏其心者，不我举也。"故善将者，爱与畏而已。○〔三〇〕

⑥知吾卒之可以击〔三一〕，而不知敌之不可击，胜之半也；

梅尧臣曰：知己而不知彼，或有胜耳。

知敌之可击，而不知吾卒之不可以击〔三二〕，胜之半也；

杜牧曰:可击者,勇敢轻死也;不可击者,顿弊怯弱也。○陈皞曰:此说非也。可击、不可击者,所谓"兵众孰强,士卒孰练,赏罚孰明"也。○梅尧臣曰:知彼而不知己,或有胜耳。○王皙曰:知己不知彼,知彼不知己,皆未可以决胜也。○张预曰:或知己而不知彼,或知彼而不知己,则有胜有负也。唐太宗曰:"吾尝临陈,先料敌心与己之心孰审,然后彼可得而知焉;察敌气与己之气孰治,然后我可得而知焉。"言料心审治乱,察气见强弱形也,可战与不可战也。

知敌之可击,知吾卒之可以击〔三三〕,而不知地形之不可以战,胜之半也。

曹操、李筌曰:胜之半者,未可知也〔三四〕。○杜牧曰:地形者,险易远近、出入迂直也。○梅尧臣曰:知彼知己,而不知地形,亦或不胜。○王皙曰:虽知彼己可以战,然不可亏地利也。○张预曰:既知己而又知彼,但不得地形之助,亦不可全胜。

故知兵者,动而不迷,举而不穷〔三五〕。

杜牧曰:未动未举,胜负已定,故动则不迷、举则不穷也。一云:"动而不困,举而不顿。"○陈皞曰:穷者,困也,我若识彼此之动否,量地形之得失,则进而不迷、战而不困者也。○梅尧臣曰:无所不知,则动不迷暗、举不困穷也。○王皙曰:善计者不迷,善军者不穷。○张预曰:不妄动,故动则不误;不轻举,故举则不困。识彼我之虚实,得地形之便利,而后战也。

故曰:知彼知己,胜乃不殆;

张预曰:晓攻守之术,则有胜而无危。

知天知地,胜乃不穷〔三六〕。

李筌曰:人事、天时、地利,三者同知,则百战百胜。○杜佑曰:知地之便,知天之时。地之便,依险阻、向高阳也;天之时,顺寒暑、法刑德也。既能知彼知己,又按地形、法天道,胜乃可全,又何难也〔三七〕?○梅尧臣曰:知彼利,知此利,故不危;知天时,知地形,故不极。○王皙同梅尧臣注。○张预曰:顺天时,得地利,取胜无极。

校　记

〔一〕各本篇名皆如此，简本有篇题而无简文，另有佚文“地刑二”残篇。

〔二〕“挂”，平津本作“掛”，樱田本与通典卷一五九引同。按：“掛”乃“挂”之异体，且晚出，故字当作“挂”。

〔三〕以上六地，通典卷一五九引皆无“者”字。

〔四〕“通形者，先居高阳”，诸本皆如此，唯通典（同上卷）引作“居通地，先据其地，居高阳”，而长短经地形则又作“居通地，先据其高阳”，今仍之。

〔五〕“通形”，原本误“形”为“利”，孙校本已正，是。

〔六〕通典引“挂”下有“地”字。

〔七〕此句佑注，通典作“挂，相挂牵也”，与原本稍异。

〔八〕“挂形者”，通典“者”作“曰”，以下诸地并同，长短经亦如此。不再一一出校。

〔九〕“敌若有备”，通典与长短经引皆无“若”字，校释据删。今仍之。孙校本同。

〔一〇〕“我无出逐”，通典引无“我”字。

〔一一〕曹注首句“隘形者”，平津本无“形者”二字，而通典佑注则有，故仍之。

〔一二〕以上佑注，通典卷一五九作“隘形者，两山之间通谷也。敌怒势不得挠我也。先居之，前必齐厄口，阵而守之，以出奇也。敌即先居此地，齐口阵，勿从也；即半隘阵者，从而与敌共争此地利也”，与原本迥异。孙校亦未置辞，今并存之，以相参较。

〔一三〕“地形险隘”，平津本无“形”字。

〔一四〕“远形者，势均”，通典引作“夫远形，均势”。

〔一五〕“非天之灾”，十一家注本皆如此，平津本与武经各本、樱田本作“非天地之灾”，赵注疑“天”乃衍文，当作“非地之灾”。按：

此篇专言地形，何预“天”事？且上言“六地”之名及处置之法云：“凡此六者，地之道也。”而此则接言“六败”则非地之灾，乃将之过，即如张注所说：“凡此六败，咎在人事。”文意脉络异常清晰，故当改“天”字为“地”，方合原意。

〔一六〕“卒强吏弱”，长短经练士“吏”作“将”。

〔一七〕“吏不能统卒”，原本脱“卒”字，据平津本补。

〔一八〕“令之不从”，原本“令”误作“今”，今亦改正。

〔一九〕“心不厌服”，原本“心”作“而”，中华本“厌”作“压”；末句“则必崩坏”，原本“必”又作“心”，今皆据平津本正之。

〔二〇〕首句“将弱不严”，御览卷二七二引作“将弱而严”，误。

〔二一〕首句“将不能料敌”，御览引又误作“将能料敌”。

〔二二〕“败之道也”，御览引作“胜败之道也”，亦误。

〔二三〕“计险厄、远近”，诸本皆如此，唯通典卷一五〇与御览卷二九〇引“险厄”作“险易”。按：作“险易”是。“险”与“易”、“远”与“近”皆对举，而作“险厄”则失对，且计篇明言“地者，远近、险易、广狭、死生也”，亦皆以“险”、“易”对言，故此处不当异文。校释改之，是。

〔二四〕“必战可也”，原本作“必可战也”，孙校本已改，从之。

〔二五〕首句“唯人是保”，孙校本改“人”为“民”，平津本、武经各本与樱田本亦正作“民”。再据注文，李筌本作“人”，而王皙、张预本则作“民”。原本作“人”者，或据李本。按：作“民”于义为长。又“利合于主”，平津本与武经各本无“合”字，治要引“合”作“全”，今仍之。

〔二六〕“可与之俱死”，长短经禁令引作“可与之居死地”。

〔二七〕以上两句，十一家注各本皆如此，通典卷一四九、御览卷二八〇与长短经禁令引并同，而平津本与武经各本则二句互乙，樱田本同。按：此虽顺序不同，唯无关文意，故两存之。

〔二八〕此处曹注，平津本止有前两句，而无“若骄子”以下三句。

〔二九〕“威心”，原本误“心”为“必”。谈本正作“心”，孙校本亦改为“心”，是。

〔三〇〕通典卷一四九此处经文下又有佑注云：“言恩不可纯任，还为己害也。”

〔三一〕“可以击”，通典卷一五〇引作“可用以击之”。御览卷二九〇引同。

〔三二〕“可击”，通典引作“可以击”，“不可以击”又作“不可用以击”，御览同。

〔三三〕“可击”，通典引亦作“可以击”，而“可以击”又引作“可用以击”，御览引同。

〔三四〕此处曹注，平津本无。

〔三五〕“举而不穷”，通典引作“举而不顿”，御览同。

〔三六〕“知天知地，胜乃不穷”，原本如此，明本同，而平津本与武经则作“知天知地，胜乃可全”，樱田本同，通典、御览引亦如此。通典卷一五〇引虽亦如他本先“天”后“地”，但其注文则是先“地”后“天”，且明言“胜乃可全”（详下佑注，兹不赘）。孙校本据通典和佑注改为“知地知天，胜乃可全”，并从而又使“天”、“全”为韵。查长短经天时正作“知地知天，胜乃可全”。按：孙校本良是，校释据改，亦当从之。

〔三七〕以上佑注，通典作“知地之便，知天时孤虚而向背晦暝风雪，为之谲诡”，与原本所引颇有异同。孙校本与原本无异，但未置辞，故不明孰是也。

九地篇

曹操曰:欲战之地有九。〇李筌曰:胜敌之地有九,故次地形之下。〇王皙曰:用兵之地,利害有九也。〇张预曰:用兵之地,其势有九。此论地势,故次地形。

①孙子曰:用兵之法,有散地,有轻地,有争地,有交地,有衢地,有重地,有圮地,有围地,有死地〔一〕。

曹操曰:此九地之名也。〇张预曰:此九地之名。

诸侯自战其地,为散地。

曹操曰:士卒恋土,道近易散。〇李筌曰:卒恃土,怀妻子,急则散,是为散地也。〇杜牧曰:士卒近家,进无必死之心,退有归投之处。〇杜佑曰:战其境内之地,士卒意不专,有溃散之心,故曰散地。〇梅尧臣同杜牧注。〇王皙同曹操注。〇何氏曰:散地,士卒恃土〔二〕,怀恋妻子,急则散走,是为散地。一曰:地无关键,士卒易散走;居此地者,不可数战。又曰:地远四平,更无要害,志意不坚,而易离,故曰散地。吴王问孙武曰:"散地,士卒顾家,不可与战,则必固守不出;若敌攻我小城,掠吾田野,禁吾樵采,塞吾要道,待吾空虚而急来攻,则如之何?"武曰:"敌人深入吾都,多背城邑,士卒以军为家,专志轻斗。吾兵在国,安土怀生,以陈则不坚,以斗则不胜,当集人合众,聚谷蓄帛,保城备险,遣轻兵绝其粮道。彼挑战不得,转输不至,野无所掠,三军困馁,因而诱之,可以有功。若欲野战，则必因势，依险设伏；无险，则隐于天气阴晦、昏雾，出其不意，袭其懈怠，可以有功〔三〕。"○张预曰：战于境内，士卒顾家，是易散之地也。郧人将伐楚师，楚斗廉曰："郧人军其郊，必不诫；恃近其城，莫有斗志。"果为楚所败是也〔四〕。

入人之地而不深者，为轻地。

曹操曰：士卒皆轻返也。○杜牧曰：师出越境，必焚舟梁，示民无返顾之心。○李筌曰：轻于退也。○梅尧臣曰：入敌未远，道近轻返。○王晳曰：初涉敌境，势轻，士未有斗志也。○何氏曰：轻地者，轻于退也。入敌境未深，往返轻易，不可止息，将不得数动劳人。吴王问孙武曰："吾至轻地，始入敌境，士卒思还，难进易退；未背险阻，三军恐惧；大将欲进，士卒欲退，上下异心。敌守其城垒〔五〕，整其车骑，或当吾前，或击吾后，则如之何？"武曰："军至轻地，士卒未专，以入为务，无以战为。故无近其名城，无由其通路，设疑佯惑，示若将去。选骁骑，衔枚先入，掠其牛马六畜。三军见得，进乃不惧。分吾良卒，密有所伏，敌人若来，击之勿疑；若其不至，舍之而去。"又曰："军入敌境，敌人固垒不战，士卒思归，欲退且难，谓之轻地。当选骁兵伏要路，我退敌追，来则击之也。"○张预曰：始入敌境，士卒思还，是轻返之地也。尉缭子曰："征役分军而归，或临战自北，则逃伤甚焉。"言民兵四集，分屯占地，使北来者当北道，则多逃，以其开之耳。

我得则利，彼得亦利者，为争地。

曹操曰：可以少胜众、弱击强。○李筌曰：此厄喉守险地，先居者胜，是为争地也。○杜牧曰：必争之地，乃险要也。前秦苻坚先遣大将吕光讨西域。坚败绩后，光自西域还，师至宜禾，坚凉州刺史梁熙谋拒之。高昌太守杨翰曰："吕光新定西国，兵强气锐，其锋不可当。若出流沙，其势难测。高梧谷口险要，宜先守之，而夺其水。彼既困渴，人自然投戈。如以为远不可守，伊吾之关，亦可拒之。若废此二要，难为计矣。地有所必争，真此机也。"熙不从，竟为光所灭也。○陈皞曰：彼我若先得其地者，则可以少胜众、弱胜强也。○杜佑曰：谓山水厄口，有险固之利，两敌所争。○梅尧臣曰：无我无彼，先得则利。

〇王皙同陈皞注。〇何氏曰：争地，便利之地，先居者胜，是以争之。吴王问孙武曰："敌若先至，据要保利，简兵练卒，或出或守，以备我奇，则如之何？"武曰："争地之法，先据为利〔六〕，敌得其处，慎勿攻之，引而佯走，建旗鸣鼓，趣其所爱，曳柴扬尘，惑其耳目；分吾良卒，密有所伏；敌必出救，人欲我与，人弃我取。此争先之道也。若我先至，而敌用此术，则选吾锐卒，固守其所，轻兵追之，分伏险阻；敌人还斗，伏兵旁起。此全胜之道。"〇张预曰：险固之利，彼我得之，皆可以少胜众、弱胜强者，是必争之地也。唐太宗以五千人守成皋之险，坐困窦建德十万之众是也。

我可以往，彼可以来者，为交地。

曹操曰：道正相交错也。〇杜牧曰：川广地平，可来可往，足以交战对垒。〇陈皞曰：交错是也，言其道路交横，彼我可以来往。如此之地，则须兵士首尾不绝，切宜备之。故下文云"交地，吾将谨其守"，其义可见也。〇杜佑曰：交地，有数道往来，交通无可绝〔七〕。〇梅尧臣同陈皞注。〇何氏曰：交地，平原交通也。一曰：可以交结，不可杜绝之，绝之致隙。又曰：交通四远，不可遏绝。吴王问孙武曰："交地吾将绝敌，使不得来，必令吾边城修其守备〔八〕，深绝通路，固其隘塞。若不先图之，敌人已备，彼可得而来，吾不得而往，众寡又均，则如之何？"武曰："既我不可以往，彼可以来，吾分卒匿之，守而易怠〔九〕，示其不能。敌人且至，设伏隐庐，出其不意，可以有功也。"〇张预曰：地有数道，往来通达而不可阻绝者，是交错之地也。

诸侯之地三属，

曹操曰：我与敌相当，而旁有他国也。〇孟氏曰：若郑界于齐、楚、晋是也。

先至而得天下之众者，为衢地。

曹操曰：先至得其国助也。〇李筌曰：对敌之傍，有一国为之属，先往而通之，得其众也。〇杜牧曰：衢地者，三属之地，我须先至其冲，据其形势，结其旁国也。天下，犹言诸侯也。〇梅尧臣曰：彼我相当，有旁国三面之会，先至则得诸侯之助也。〇王皙曰：曹公云："先至得其国助。"皙谓先至者，结交先至也。言天下者，谓能广助，则天下可从。〇何氏曰：衢地者，地要冲，控带数道，先据此地，众必从之，故得之则安，失之则危也。吴王问孙武曰："衢地必先，若吾道远发后，虽驰车骤马，至不能先，则如之何？"武曰："诸侯参属，其道四通。我与敌相当，而旁有他国。所谓先者，必先重币轻使，约和旁国，交亲结恩，兵虽后至，众已属矣〔一〇〕。我有众助，彼失其党，诸国掎角，震鼓齐攻，敌人惊恐，莫知所当。"〇张预曰：衢者，四通之地。我所敌者，当其一面，而旁有邻国，三面相连属，当往结之，以为己援。先至者，谓先遣使以重币约和旁国也。兵虽后至，已得其国助矣。

入人之地深，背城邑多者，为重地〔一一〕。

曹操曰：难返之地。〇李筌曰：坚志也。白起攻楚，乐毅伐齐，皆为重地。〇杜牧曰：入人之境已深，过人之城已多，津梁皆为所恃，要冲皆为所据，还师返旆，不可得也。〇杜佑曰：难返还也。背，去也。"背"与"倍"同。多，道里多也〔一二〕。远去己城郭，深入敌地，心专意一，谓之重地也。〇梅尧臣曰：乘虚而入，涉地愈深，过城已多，津要绝塞，故曰重难之地。〇王皙曰：兵至此者，事势重也。〇何氏曰：重地者，入敌已深，国粮难应资给，将士不掠何取？吴王问孙武曰："吾引兵深入重地，多所逾越，粮道绝塞。设欲归还，势不可过；欲食于敌，持兵不失，则如之何？"武曰："凡居重地，士卒轻勇，转输不通，则掠以继食，下得粟帛，皆贡于上，多者有赏，士卒无归意。若欲还出，即为戒备，深沟高垒，示敌且久。敌疑通途，私除要害之道，乃令轻车，衔枚而行〔一三〕，以牛马为饵。敌人若出，鸣鼓随之；阴伏吾士，与之中期，内外相应，其败可知也。"〇张预曰：深涉敌境，多过敌城，士卒心专，无有归志，是难退之地也。司马景王谓诸葛恪卷甲深入，其锋不可当是也。

行山林、险阻、沮泽，凡难行之道者，为圮地〔一四〕。

曹操曰：少固也。〇贾林曰：经水所毁曰圮。沮洳圮地，不得久留，宜速去也。〇梅尧臣曰：水所毁圮，行则犹难，况战守乎？〇何氏曰：圮地者，少固之地也，不可为城垒沟隍，宜速去之。吴王问孙武曰："吾入圮地，山川险阻，难从之道，行久卒劳；敌在吾前，而伏吾后；营在吾左，而守吾右；良车骁骑，要吾隘道，则如之何？"武曰："先进轻车，去军十里，与敌相候，接期险阻。或分而左，或分而右；大将四观，择空而取，皆会中道，倦而乃止。”〇张预曰：险阻、渐洳之地，进退艰难，而无所依。

所由入者隘，所从归者迂，彼寡可以击吾之众者，为围地。

李筌曰：举动难也。〇杜牧曰：出入艰难，易设奇伏覆胜也。〇杜佑曰：所从入厄险，归道远也。持久则粮乏，故敌可以少击吾众者，为围地也。〇梅尧臣曰：山川围绕，入则隘、归则迂也。〇何氏曰：围地，入则隘险，归则迂回，进退无从，虽众何用？能为奇变，此地可由。吴王问孙武曰：“吾入围地，前有强敌，后有险难，敌绝我粮道，利我走势，敌鼓噪不进，以观吾能，则如之何？”武曰：“围地之宜，必塞其阙，示无所往，则以军为家，万人同心，三军齐力，并炊数日，无见火烟，故为毁乱寡弱之形。敌人见我，备之必轻。则告励士卒，令其奋怒，陈伏良卒，左右险阻，击鼓而出。敌人若当，疾击务突。我则前斗后拓，左右掎角也。”又曰：“敌在吾围，伏而深谋，示我以利，萦我以旗，纷纭若乱，不知所之，奈何？”武曰：“千人操旌，分塞要道，轻兵进挑，陈而勿搏，交而勿去。此败谋之法。”〇张预曰：前狭后险之地，一人守之，千人莫向，则以奇伏胜。

疾战则存，不疾战则亡者，为死地〔一五〕。

曹操曰：前有高山，后有大水，进则不得，退则有碍。〇李筌曰：阻山、背水、食尽，利速不利缓也。〇杜牧曰：卫公李靖曰：“或有进军行师，不因乡导，陷于危败，为敌所制。左谷右山，束马悬车之径；前穷后绝，雁行鱼贯之岩。兵陈未整，而强敌忽临，进无所凭，退无所固，求战不得，自守莫安。驻则日月稽留，动则首尾受敌。野无水草，军乏资粮，马困人疲，智穷力极。一人守隘，万夫莫向。如彼要害，敌先据之，如此之利，我已失守，纵有骁兵利器，亦何以施其用乎？若此死地，疾战则存，不疾战则亡。当须上下同心，并气一力，抽肠溅血，一死于前，因败为功，转祸为福。”此乃是也。〇陈皞曰：人在死地，如坐漏船，伏烧屋。〇贾林曰：左右高山，前后绝涧，外来则易，内出则难；误居此地，速为死战则生；若待士卒气挫，粮储又无而持久，不死何待？〇梅尧臣曰：前不得进，后不得退，旁不得走，不得不速战也。〇何氏曰：死地力战或生，守隅则死。吴王问孙武曰：“吾师出境，军于敌人之地。敌人大至，围我数重，欲突以出，四塞不通。欲励士激众，使之投命溃围，则如之何？”武曰：“深沟高垒，示为守备。安静勿动，以隐吾能。告令三军，示不得已。杀牛燔车，以飨吾士。烧尽粮食，填夷井灶，割发捐冠，绝去生虑。将无馀谋，士有死志。于是砥甲砺刃，并气一力，或攻两旁，震鼓疾噪，敌人亦惧，莫知所当。锐卒分行，疾攻其后。此是失道而求生。故曰：困而不谋者穷，穷而不战者亡。”吴王曰：“若吾围敌，则如之何？”武曰：“山峻谷险，难以逾越，谓之穷寇。击之之法，伏卒隐庐，开其去道，示其走路。求生透出，必无斗意，因而击之，虽众必破。”兵法又曰：“若敌人在死地，士卒勇气；欲击之法，顺而勿抗，阴守其利，必开去道，以精骑分塞要路，轻兵进而诱之，陈而勿战，败谋之法也〔一六〕。”○张预曰：山川险隘，进退不能，粮绝于中，，敌临于外；当此之际，励士决战，而不可缓也。○〔一七〕

②是故散地则无战，

李筌曰：恐走散也。○杜牧曰：已具其上。○贾林曰：地无关阂，卒易散走；居此地者，不可数战。地形之说，一家之理，若号令严明，士卒爱服，死且不顾，何散之有？○梅尧臣曰：我兵在国，安土怀生，陈则不坚，斗则不胜，是不可以战也。○王晳曰：决于战，则惧散。○张预曰：士卒怀生，不可轻战。吴王问孙武曰：“散地不可战，则必固守不出。若敌攻我小城，掠吾田野，禁吾樵采，塞吾要道，待吾空虚而来急攻，则如之何？”武曰：“敌人深入，专志轻斗。吾兵安土，陈则不坚，战则不胜，当集人聚谷，保城备险，轻兵绝其粮道。彼挑战不得，转输不至，野无所掠，三军困馁，因而诱之，可以有功。若欲野战，则必因势，依险设伏；无险则隐于阴晦，出其不意，袭其懈怠〔一八〕。”

轻地则无止，

李筌曰：恐逃。○杜牧曰：兵法之所谓轻地者，出军行师，始入敌境，未背险要，士卒思还，难进易退，以入为难，故曰轻地也〔一九〕，当必选精骑，密有所伏；敌人卒至，击之勿疑；若是不至，逾之速去。○杜佑曰：志未坚，不可遇敌。○梅尧臣曰：始入敌境，未背险阻，士心不专，无以战为，勿近名城，勿由通路，以速进为利。○王晳曰：无故，不当止也。○张预曰：士卒轻返，不可辄留。吴王曰：“士卒思还，难进易退，未背险阻，三军恐惧，则如之何？”武曰：“军在轻地，士卒未专，以入为务，无以战为。故无近其名城，无由其通路，设疑佯惑，示若将去。乃选精骑，衔枚先入，掠其六畜。三军见得，进乃不惧。分吾良卒，密有所伏，敌人若来，击之勿疑；若其不至，舍之而去。”

争地则无攻，

曹操曰：不当攻，当先至为利也。〇李筌曰：敌先居地险，不可攻。〇杜牧曰：无攻者，言敌人若已先得其地，则不可攻也。〇梅尧臣曰：形胜之地，先据乎利；敌若已得其处，则不可攻〔二〇〕。〇张预曰：不当攻而争之，当后发先至也〔二一〕。吴王曰：“敌若先至，据要保利，简兵练卒，或出或守，以备我奇，则如之何？”武曰：“争地之法，让之者得，求之者失。敌得其处，慎勿攻之，引而佯走，建旗鸣鼓，趣其所爱，曳柴扬尘，惑其耳目；分吾良卒，密有所伏，敌必出救，人欲我与，人弃我取。此争先之道也。若我先至，而敌用此术，则选吾锐卒，固守其所，轻兵追之，分伏险阻，敌人还斗，伏兵旁起，此全胜之道也。”〇〔二二〕

交地则无绝〔二三〕，

曹操曰：相及属也。〇李筌曰：不可绝间也。〇杜牧曰：川广地平，四面交战，须车骑部伍，首尾联属，不可使之断绝，恐敌人因而乘我。〇贾林曰：可以交结，不可杜绝，绝之致隙。〇杜佑曰：相及属也，俱可进退，不可以兵绝之。〇梅尧臣曰：道既错通，恐其邀截，当令部伍相及，不可断也。〇王晳曰：利粮道也，交相往来之地，亦谓之通地。居高阳以待敌，宜无绝粮道。〇张预曰：往来交通，不可以兵阻绝其路，当以奇伏胜也。吴王曰：“交地吾将绝敌，使不得来，必令吾边城修其守备，深绝通道，固其隘塞。若不先图之，敌人已备，彼可得而来，吾不得而往，众寡又均，则如之何？”武曰：“既我不可以往，彼可以来，则分卒匿之，守而易怠，示其不能。敌人且至，设伏隐庐，出其不意。”

衢地则合交〔二四〕，

曹操曰：结诸侯也。〇李筌曰：结行也。〇杜牧曰：诸侯，即上文云旁国也。〇孟氏曰：得交则安，失交则危也。〇梅尧臣曰：地虽四通，何以得天下之助？当以重币合。〇王晳曰：四通之境，非交援不强。〇张预曰：四通之地，先交结旁国也。吴王曰：“衢地贵先。若吾道远而发后，虽驰车骤马，至不得先，则如之何?”武曰:“诸侯参属,其道四通。我与敌相当,而旁有他国。所谓先者,必重币轻使,约和旁国,交亲结恩,兵虽后至,众已属矣。简兵练卒,阻利而处。我有众助,彼失其党,诸国犄角,敌人莫当〔二五〕。”

重地则掠,

曹操曰:畜积粮食也。○李筌曰:深入敌境,不可非义,失人心也。汉高祖入秦,无犯妇女,无取宝货,得人心如此。筌以“掠”字为“无掠”字。○杜牧曰:言居于重地,进未有利,退复不得,则须运粮,为持久之计以伺敌也。○孟氏曰:因粮于敌也。○梅尧臣曰:去国既远,多背城邑,粮道必绝,则掠畜积以继食。○王皙曰:深入敌境,则掠其饶野,以丰储也。难地,食少则危。○张预曰:深入敌境,馈饷不继,当励士掠食,以备其乏也。吴王曰:“重地多逾城邑,粮道绝塞,设欲归还,势不可过,则如之何?”武曰:“凡居重地,士卒轻勇,转输不通,则掠以继食。下得粟帛,皆贡于上,多者有赏。若欲还出,深沟高垒,示敌且久。敌疑通途,私除要害,乃令轻车,衔枚而行,扬其尘埃,饵以牛马。敌人若出,鸣鼓随之;阴伏吾士,与之中期,内外相应,其败可知。”

圮地则行,

曹操曰:无稽留也。○李筌曰:不可为沟隍,宜急去之。○梅尧臣曰:既毁圮不可依止,则当速行,勿稽留也。○王皙曰:合聚军众,圮无舍止。○张预曰:难行之地,不可稽留也。吴王曰:“山川险阻,难从之道,行久卒劳;敌在吾前,而伏吾后;营在吾左,而守吾右;良车骁骑,要吾隘道,则如之何?”武曰:“先进轻车,去军十里,与敌相候,接期险阻。或分而左,或分而右;大将四观,择空而取,皆会中道,倦而乃止。”

围地则谋,

曹操曰:发奇谋也。○李筌曰:智者不困。○杜牧曰:难阻之地,与敌相持,须用奇险诡谲之计。○杜佑曰:居此,当权谋诈谲,可以免难。○梅尧臣曰:前有隘,后有险,归道又迂,则发谋虑以取胜。○张预曰:难以力胜,易以谋取也。吴王曰:“前有强敌,后有险难,敌绝我粮道,利我走势,彼鼓噪不进,以观吾能,则如之何?”武曰:“围地必塞其阙,示无所往,则以军为家,万人同心,三军齐力，并炊数日，无见火烟，故为毁乱寡弱之形。敌人见我，备之必轻。则告励士卒，令其奋怒，陈伏良卒，左右险阻，击鼓而出。敌人若当，疾击务突。则前斗后拓，左右掎角。”

死地则战。

曹操曰：殊死战也。〇李筌曰：殊死战，不求生矣。〇陈皞曰：陷在死地，则军中人人自战，故曰“置之死地而后生”也。〇贾林曰：力战或生，守隅则死。〇梅尧臣曰：前后左右，无所之，示必死，人人自战也。〇张预曰：陷在死地，则人自为战。吴王曰：“敌人大至，围我数重，欲突以出，四塞不通，欲励士激众，使之投命，则如之何？”武曰：“深沟高垒，安静勿动？告令三军，示不得已；杀牛燔车，以飨吾士；烧尽粮食，填夷井灶，割发捐冠，绝去生虑；砥甲砺刃，并气一力。或攻两旁，震鼓疾噪，敌人亦惧，莫知所当。锐卒分行，疾攻其后。此是失道而求生，故曰：困而不谋者穷，穷而不战者亡。”

③所谓古之善用兵者〔二六〕，能使敌人前后不相及，

梅尧臣曰：设奇冲掩。

众寡不相恃〔二七〕，

梅尧臣曰：惊挠之也。

贵贱不相救〔二八〕，

梅尧臣曰：散乱也。

上下不相收〔二九〕，

梅尧臣曰：仓惶也。

卒离而不集，兵合而不齐。

李筌曰：设变以疑之，救左则击其右，惶乱不暇计。〇杜牧曰：多设变诈，以乱敌人，或冲前掩后，或惊东击西，或立伪形，或张奇势，我则无形以合战，敌则必备而众分，使其意慑离散〔三〇〕，上下惊扰，不能和合，不得齐集。此善用兵也。〇孟氏曰：多设疑事，出东见西，攻南引北，使彼狂惑散扰，而集聚不得也。〇梅尧臣曰：或已离而不能集，或虽合而不能齐。〇王晳曰：将有优劣则然，要在于奇正相生、手足相应也。〇张预曰：出其不意，掩其无备，骁兵锐卒，

猝然突击。彼救前则后虚，应左则右隙。使仓惶散乱，不知所御，将吏士卒，不能相赴。其卒已散而不复聚，其兵虽合而不能一。○〔三一〕

④合于利而动，不合于利而止。

曹操曰：暴之使离，乱之使不齐，动兵而战。○李筌曰：挠之令见利乃动，不乱则止。○梅尧臣曰：然能使敌若此，当须有利则动，无利则止。○张预曰：彼虽惊扰，亦当有利则动，无利则止。

⑤敢问：敌众整而将来，待之若何〔三二〕？

曹操曰：或问也。○梅尧臣曰：此设疑以自问，言敌人甚众，将又严整，我何以待之耶？○张预曰：前所陈者，须兵众相敌，然后可为。故或人问武曰："彼兵众于我，而又整肃，则以何术待之也？"

曰：先夺其所爱，则听矣〔三三〕。

曹操曰：夺其所恃之利。若先据利地，则我所欲必得也。○李筌曰：孙子故立此问者，以此为秘要也。所爱，谓敌所便爱也，或财帛子女，吾先困辱之，则敌进退皆听也。○杜牧曰：据我便地，略我田野，利其粮道，斯三者，敌人之所爱惜倚恃者也；若能俱夺之，则敌人虽强，进退胜败皆须听我也。○陈皞曰：爱者，不止所恃利，但敌人所顾之事，皆可夺也。○梅尧臣曰：当先夺其所顾爱，则我志得行，然后使其惊挠散乱，无所不至也。○王晳曰：先据利地，以奇兵绝其粮道，则如我之谋也。○张预曰：武曰："敌所爱者，便地与粮食耳；我先夺之，则无不从我之计。"

⑥兵之情主速，乘人之不及，由不虞之道，攻其所不戒也。

曹操曰：孙子应难以覆陈兵情也〔三四〕。○李筌曰：不虞不戒，破敌之速。○杜牧曰：此统言兵之情状，以乘敌间隙，由不虞之道，攻其不戒之处。此乃兵之深情、将之至事也。○陈皞曰：此言乘敌人有不及、不虞、不戒之便，则须速进，不可迟疑也。盖孙子之旨，言用兵贵疾速也。○梅尧臣曰：兵机贵速，当乘人之不备。乘人之不备者，行不虞之道，攻不戒之所也。○王晳曰：兵上神速，夺爱尤当然也。○何氏曰：如蜀将孟达之降魏，魏朝以达领新城太守。达复连吴固蜀，潜图中国。谋泄，司马宣王秉政，恐达速发，以书给达以安之。达得书，犹与不决。宣王乃潜军进讨。诸将皆言达与二贼交构，宜审察而后动。宣王曰："达无信义，此其相疑之时也；当及其未定，往讨之。"乃倍道兼行，八日到其城下。吴蜀各遣其将，向西城安桥、木阑塞以救达，宣王分诸将拒之。初，达与诸葛亮书曰："宛去洛八百里，去吾一千一百里，闻吾举事，当表上天子，比相反覆，一月间也，则吾城已固，诸军足办。所在深险，司马公必不自来；诸将来，吾无患矣。"及兵到，达又告亮曰："吾举事八日，而兵至城下，何其神速也！"上庸城三面阻水，达于城下为木栅以自固。宣王渡水，破其栅，直造城下，八道攻之。旬有六日，达甥邓贤、将李辅等开门出降，遂斩达。李靖征萧铣〔三五〕，集兵于夔州。铣以时属秋潦，江水泛涨，三峡路陷，必谓靖不能进，遂休兵不设备。九月，靖乃率师而进。将下峡，诸将皆请停兵待水退，靖曰："兵贵神速，机不可失。今兵始集，铣尚未知。若乘水涨之势，倏忽至城下，所谓疾雷不及掩耳，此兵家上策。纵彼知我，仓卒征兵，无以应敌，此必成擒也。"遂降萧铣。卫公兵法曰："兵用上神，战贵其速，简练士卒，申明号令，晓其目以麾帜，习其耳以鼓金，严赏罚以诫之，重刍豢以养之，浚沟堑以防之，指山川以导之，召才能以任之，述奇正以教之。如此，则虽敌人有雷电之疾，而我则有所待也。若兵无先备，则不应卒；卒不应，则失于机；失于机，则后于事；后于事，则不制胜而军覆矣。"故吕氏春秋云："凡兵者，欲急捷，所以一决取胜，不可久而用之矣。"或曰：兵之情虽主速〔三六〕，乘人之不及。然敌将多谋，戎卒辑睦，令行禁止，兵利甲坚，气锐而严，力全而劲，岂可速而犯之邪？答曰：若此，则当卷迹藏声，蓄盈待竭，避其锋势，与其持久，安可犯之哉？廉颇之拒白起，守而不战；宣王之抗武侯，抑而不进是也。〇张预曰：复谓或人曰：用兵之理，惟尚神速。所贵乎速者，乘人之仓卒，使不及为备也。出兵于不虞之径，以掩其不戒，故敌惊扰散乱，而前后不相及，众寡不相待也。

⑦凡为客之道，深入则专，主人不克；

李筌曰：夫为客，深入则志坚，主人不能御也。〇杜牧曰：言大凡为攻伐之道，若深入敌人之境，士卒有必死之志，其心专一，主人不能胜我也。克者，胜也。〇梅尧臣曰：为客者，入人之地深，则士卒专精，主人不能克我。〇张预曰:深涉敌境,士卒心专,则为主者不能胜也。客在重地,主在轻地故耳。赵广武君谓韩信去国远斗,其锋不可当是也。

掠于饶野,三军足食;

王皙曰:饶野多稼穑。

谨养而勿劳,并气积力;运兵计谋,为不可测〔三七〕。

曹操曰:养士并气,运兵为不可测度之计〔三八〕。○李筌曰:气盛力积,加之以谋虑,则非敌之可测。○杜牧曰:斯言深入敌人之境,须掠田野,使我足食,然后闭壁养之,勿使劳苦,气全力盛,一发取胜,动用变化,使敌人不能测我也。○陈皞曰:所处之野,须水草便近,积蓄不乏,谨其来往,善抚士卒。王翦伐楚,楚人挑战,翦不出,勤于抚御,并兵一力。闻士卒投石为戏,知其养勇思战,然后用之,一举遂灭楚。但深入敌境,未见可胜之利,则须为此计。○梅尧臣曰:掠其富饶,以足军食,息人之力,并兵为不可测之计。○王皙曰:谨养,谓抚循饮食周谨之也。并锐气,积馀力,形藏谋密,使敌不测,俟其有可胜之隙,则进之。○张预曰:兵在重地,须掠粮于富饶之野,以丰吾食;乃坚壁自守,勤抚士卒,勿任以劳苦,令气盛而力全,常为不可测度之计。伺敌可击,则一举而克。王翦伐荆,常用此术。

投之无所往,死且不北;

李筌曰:能得其力者,投之无往之地。○杜牧曰:投之无所往,谓前后进退皆无所之,士以此皆求力战,虽死不北也。○梅尧臣曰:置在必战之地,知死而不退走。○张预曰:置之危地,左右前后皆无所往,则守战至死,而不奔北矣。

死焉不得,

曹操曰:士死,安不得也。○杜牧曰:言士必死,安有不得胜之理?○孟氏曰:士死,无不得也。○梅尧臣曰:兵焉得不用命?○张预曰:士卒死战,安不得志?尉缭子曰:“一贼仗剑击于市,万人无不避之者,非一人之独勇,万人皆不肖也,必死与必生不侔也。”

士人尽力〔三九〕。

曹操曰:在难地,心并也。○梅尧臣曰:士安得不竭力以赴战?○王皙曰:

人在死地，岂不尽力？○何氏曰：兽困犹斗，鸟穷则啄，况灵万物者人乎？○张预曰：同在难地，安得不共竭其力？

兵士甚陷则不惧，

杜牧曰：陷于危险，势不独死，三军同心，故不惧也。○梅尧臣同杜牧注。○王皙曰：陷之难地则不惧，不惧则斗志坚也。○张预曰：陷在危亡之地，人持必死之志，岂复畏敌也？

无所往则固，深入则拘〔四〇〕，

曹操曰：拘，缚也。○李筌曰：固，坚也。○杜牧曰：往，走也。言深入敌境，走无生路，则人心坚固，如拘缚者也。○梅尧臣曰：投无所往，则自然心固；入深，则自然志专也。○张预曰：动无所之，人心坚固；兵在重地，走无所适，则如拘系也。

不得已则斗〔四一〕。

曹操曰：人穷则死战也。○李筌曰：决命。○杜牧曰：不得已者，皆疑陷在死地，必不生；以死救死，尽不得已也，则人皆悉力而斗也。○梅尧臣、何氏同杜牧注。○张预曰：势不获已，须力斗也。

是故其兵不修而戒〔四二〕，不求而得，不约而亲，不令而信，

曹操曰：不求索其意，自得力也。○李筌曰：投之必死，不令而得其用也。○杜牧曰：此言兵在死地，上下同志，不待修整而自戒惧，不待收索而自得心，不待约令而自亲信也。○孟氏曰：不求其胜，而胜自得也。○梅尧臣曰：不修而兵自戒，不索而情自得，不约而众自亲，不令而人自信，皆所以陷于危难，故三军同心也。○王皙曰：谓死难之地，人心自然故也。○张预曰：危难之地，人自同力，不修整而自戒慎，不求索而得情意，不约束而亲上，不号令而信命，所谓同舟而济，则吴越何患乎异心也〔四三〕？

禁祥去疑，至死无所之。

曹操曰：禁妖祥之言，去疑惑之计。○一本作"至死无所灾"。○李筌曰：妖祥之言、疑惑之事而禁之，故无所灾。○杜牧曰：黄石公曰："禁巫祝不得为吏士卜问军之吉凶，恐乱军士之心。"言既去疑惑之路，则士卒至死无有异志

也。○梅尧臣曰：妖祥之事不作，疑惑之言不入，则军必不乱，死而后已。○王皙曰：灾祥神异有以惑人，故禁止之。○张预曰：欲士死战，则禁止军吏不得言妖祥之事，恐惑众也。去疑惑之计，则至死无他虑。司马法曰"灭厉祥"，此之谓也。傥士卒未有必战之心，则亦有假妖祥以使众者。田单守即墨，命一卒为神，每出入约束必称神，遂破燕是也。

吾士无馀财，非恶货也；无馀命，非恶寿也。

曹操曰：皆烧焚财物，非恶货之多也；弃财致死者，不得已也〔四四〕。○杜牧曰：若有财货，恐士卒顾恋，有苟生之意，无必死之心也。○梅尧臣曰：不得已，竭财货；不得已，尽死战。○王皙曰：足用而已。士顾财富则偷生，死战而已。士顾生路，则无斗志矣。○张预曰：货与寿，人之所爱也，所以烧掷财宝、割弃性命者，非憎恶之也，不得已也。

令发之日，士卒坐者涕沾襟，偃卧者涕交颐〔四五〕。

曹操曰：皆持必死之计。○李筌曰：弃财与命，有必死之志，故感而流涕也〔四六〕。○杜牧曰：士皆以死为约。未战之日，先令曰："今日之事，在此一举！若不用命，身膏草野，为禽兽所食也！"○梅尧臣曰：决以死力，牧说是也。○王皙曰：感励之使然。○张预曰：感激之，故涕泣也。未战之日，先令曰："今日之事，在此一举！若不用命，身膏草野，为禽兽所食！"或曰：凡行军飨士使酒，拔剑起舞，作朋角抵，伐鼓叫呼，所以增其气；若令涕泣，无乃挫其壮心乎？答曰：先决其死力，后激其锐气，则无不胜。傥无必死之心，其气虽盛，何由克之？若荆轲于易水，士皆垂泪涕泣，及复为羽声慷慷，则皆瞋目、发上指冠是也。

投之无所往者，诸、刿之勇也〔四七〕。

李筌曰：夫兽穷则搏，鸟穷则啄，令急迫，则专诸、曹刿之勇也。○杜牧曰：言所投之处，皆为专诸、曹刿之勇。○梅尧臣曰：既令以必死，则所往皆有专诸、曹刿之勇。○张预曰：人怀必死，则所向皆有专诸、曹刿之勇也。专诸，吴公子光使刺杀吴王僚者。刿当为沫。曹沫以勇力事鲁庄公，尝执匕首劫齐桓公。

⑧故善用兵者，譬如率然〔四八〕。

梅尧臣曰：相应之容易也。

率然者，常山之蛇也〔四九〕，击其首则尾至，击其尾则首至，击其中则首尾俱至〔五〇〕。

梅尧臣曰：蛇之为物也，不可击；击之，则率然相应。〇张预曰：率，犹速也。击之则速然相应，此喻陈法也。八陈图曰："以后为前，以前为后，四头八尾，触处为首，敌冲其中，首尾俱救。"

敢问兵可使如率然乎？

梅尧臣曰：可使兵首尾率然相应如一体乎？

曰：可。夫吴人与越人相恶也〔五一〕，当其同舟而济，遇风〔五二〕，其相救也如左右手。

梅尧臣曰：势使之然。〇张预曰：吴、越，仇雠也，同处危难，则相救如两手，况非仇雠者，岂不犹率然之相应乎？

是故方马埋轮，未足恃也〔五三〕；

曹操曰：方马，缚马也。埋轮，示不动也〔五四〕。此言专难不如权巧。故曰：虽方马埋轮，不足恃也。〇李筌曰：投兵无所往之地，人自斗如蛇之首尾，故吴越之人同舟相救，虽缚马埋轮，未足恃也。〇杜牧曰：缚马使为方陈，埋轮使不动，虽如此，亦未足称为专固而足为恃；须任权变，置士于必死之地，使人自为战，相救如两手，此乃守固必胜之道而足为恃也。〇陈皞曰：人之相恶，莫甚吴越，同舟遇风，而犹相救，何则？势使之然也。夫用兵之道，若陷在必战之地，使怀俱死之忧，则首尾前后不得不相救也。有吴越之恶，犹如两手相救，况无吴越之恶乎？盖言贵于设变使之，则勇怯之心一也。〇梅尧臣同杜牧注。〇王晳曰：此谓在难地自相救耳。蛇之首尾，人之左右手，皆喻相救之敏也。同舟而济，在险难也，吴越犹无异心，况三军乎？故其足恃甚于方马埋轮。曹公说是也。〇张预曰：上文历言置兵于死地，使人心专固，然此未足为善也。虽置之危地，亦须用权智，使人令相救如左右手，则胜矣。故曰：虽缚马埋轮，未足恃固以取胜；所可必恃者，要使士卒相应如一体也。

齐勇若一，政之道也；

李筌曰：齐勇者，将之道。○杜牧曰：齐正勇敢，三军如一，此皆在于为政者也。○陈皞曰：政令严明，则勇者不得独进，怯者不得独退，三军之士如一也。○梅尧臣曰：使人齐勇如一心而无怯者，得军政之道也。○王晳同梅尧臣注。○张预曰：既置之危地，又使之相救，则三军之众，齐力同勇如一夫，是军政得其道也。

刚柔皆得，地之理也。

曹操曰：强弱一势也。○李筌曰：刚柔得者，因地之势也。○杜牧曰：强弱之势，须因地形而制之也。○梅尧臣曰：兵无强弱，皆得用者，是因地之势也。○王晳曰：刚柔，犹强弱也。言三军之士，强弱皆得其用者，地利使之然也。曹公曰"强弱一势"是也。○张预曰：得地利，则柔弱之卒亦可以克敌，况刚强之兵乎？刚柔俱获其用者，地势使之然也。

故善用兵者，携手若使一人，不得已也〔五五〕。

曹操曰：齐一貌也。○李筌曰：理众如理寡也。○杜牧曰：言使三军之士，如牵一夫之手，不得已，皆须从我之命，喻易也。○贾林曰：携手，翻迭之貌，便于回运，以前为后，以后为前，以左为右，以右为左，故百万之众如一人也。○梅尧臣曰：用三军如携手使一人者，势不得已，自然皆从我所挥也。○王晳曰：携使左右前后，率从我也。○张预曰：三军虽众，如提一人之手而使之，言齐一也。故曰：将之所挥，莫不从移；将之所指，莫不前死。

⑨将军之事，静以幽，正以治。

曹操曰：谓清净、幽深、平正。○杜牧曰：清净简易，幽深难测，平正无偏，故能致治。○梅尧臣曰：静而幽邃，人不能测；正而自治，人不能挠。○王晳曰：静则不挠，幽则不测，正则不偷，治则不乱。○张预曰：其谋事，则安静而幽深，人不能测；其御下，则公正而整治，人不敢慢。

能愚士卒之耳目，使之无知〔五六〕；

曹操曰：愚，误也。民可与乐成，不可与虑始。○李筌曰：为谋未熟，不欲令士卒知之，可以乐成，不可与谋始。是以先愚其耳目，使无见知。○杜牧曰：

言使军士非将军之令，其他皆不知，如聋如瞽也。○梅尧臣曰：凡军之权谋，使由之，而不使知之。○王晳曰：杜其见闻。○何氏同杜牧注。○张预曰：士卒懵然无所闻见，但从命而已。

易其事，革其谋，使人无识〔五七〕；

李筌曰：谋事或变，而不识其原。○杜牧曰：所为之事，所有之谋，不使知其造意之端，识其所缘之本也。○梅尧臣曰：改其所行之事，变其所为之谋，无使人能识也。○王晳曰：已行之事，已施之谋，当革易之，不可再也。○何氏曰：将术以不穷为奇也。○张预曰：前所行之事，旧所发之谋，皆变易之，使人不可知也。若裴行俭令军士下营讫，忽使移就崇冈。初，将吏皆不悦，是夜风雨暴至，前设营所水深丈馀，将士惊服，因问曰："何以知风雨也？"行俭笑曰："自今但依吾节制，何须问我所由知也！"

易其居，迂其途，使人不得虑。

李筌曰：行路之便，众人不得知其情。○杜牧曰：易其居，去安从危；迂其途，舍近即远，士卒有必死之心。○陈皞曰：将帅凡举一事，切委曲而致之，无使人得计虑者。○贾林曰：居我要害，能使自移；途近于我，能使迂之；发机微，路人不能知也。○梅尧臣曰：更其所安之居，迂其所趋之途，无使人能虑也。○王晳曰：处易者，将致敌以求战也。迂途者，示远而密袭也。○张预曰：其居则去险而就易，其途则舍近而从远，人初不晓其旨，及胜乃服。太白山人曰："兵贵诡道者，非止诡敌也，抑诡我士卒，使由之而不使知之也。"

帅与之期，如登高而去其梯；

梅尧臣曰：可进而不可退也。

帅与之深入诸侯之地，而发其机，

杜牧曰：使无退心，孟明焚舟是也。○一本"帅与之登高"。○陈皞曰：发其心机。○贾林曰：动我机权，随事应变。○梅尧臣曰：发其危机，使人尽命。○王晳曰：皆励决战之志也。机之发，无复回也。贾诩劝曹公曰"必决其机"是也。○张预曰：去其梯，可进而不可退；发其机，可往而不可返。项羽济河沉舟之类也。

焚舟破釜，若驱群羊，驱而往，驱而来，莫知所之〔五八〕。

曹操曰：一其心也。○李筌曰：还师者，皆焚舟梁，坚其志，既不知谋，又无返顾之心，是以如驱羊也。○杜牧曰：三军但知进退之命，不知攻取之端也。○梅尧臣曰：但驯然从驱，莫知其他也。○何氏曰：士之往来，唯将之令，如羊之从牧者。○张预曰：群羊往来，牧者之随；三军进退，惟将之挥。

聚三军之众，投之于险，此谓将军之事也。

曹操曰：险，难也。○梅尧臣曰：措三军于险难而取胜者，为将之所务也。○张预曰：去梯发机，置兵于危险以取胜者，此将军之所务也

九地之变，屈伸之利，人情之理，不可不察。

曹操曰：人情见利而进，见害而退。○杜牧曰：言屈伸之利害，人情之常理，皆因九地以变化。今欲下文重举九地，故于此重言，发端张本也。○梅尧臣曰：九地之变，有可屈可伸之利，人情之常理，须审察之。○王晳曰：明九地之利害，亦当极其变耳。言屈伸之利者，未见便则屈，见便则伸。言人情之理者，深专、浅散、围御之谓也。○张预曰：九地之法，不可拘泥，须识变通，可屈则屈，可伸则伸，审所利而已。此乃人情之常理，不可不察。

⑩凡为客之道，深则专，浅则散。

梅尧臣曰：深则专固，浅则散归。此而下重言九地者，孙子勤勤于九变也。○张预曰：先举兵者为客，入深则专固，入浅则士散。此而下言九地之变。

去国越境而师者，绝地也。

梅尧臣曰：进不及轻，退不及散，在二地之间也。○王晳曰：此越邻国之境也，是谓孤绝之地，当速决其事，若吴王伐齐。近之兵如此者鲜，故不同九地之例。○张预曰：去已国，越人境而用师者，危绝之地也，若秦师过周而袭郑是也。此在九地之外而言之者，战国时间有之也。

四达者，衢地也〔五九〕。

梅尧臣曰：驰道四出，敌当一面。○张预曰：敌当一面，旁国四属。

入深者，重地也。

梅尧臣曰：士卒以军为家，故心无散乱。

入浅者，轻地也。

梅尧臣曰：归国尚近，心不能专。

背固前隘者，围地也。

梅尧臣曰：背负险固，前当厄塞。○张预曰：前狭后险，进退受制于人也。

无所往者，死地也〔六〇〕。

梅尧臣曰：穷无所之。○张预曰：左右前后，穷无所之地。

⑪是故散地，吾将一其志；

李筌曰：一卒之心。○杜牧曰：守则志一，战则易散。○梅尧臣曰：保城备险，一志坚守，候其虚懈，出而袭之。○张预曰：集人聚谷，一志固守，依险设伏，攻敌不意。

轻地，吾将使之属；

曹操、李筌曰：使相及属〔六一〕。○杜牧曰：部伍营垒密近联属，盖以轻散之地，一者备其逃逸，二者恐其敌至，使易相救。○杜佑曰：使，相仍也。轻地还师，当安道促行，然令相属续，以备不虞也。○梅尧臣曰：行则队校相继，止则营垒联属，脱有敌至，不有散逸也。○王皙曰：绝，则人不相恃。○张预曰：密营促队，使相属续，以备不虞，以防逃遁。

争地，吾将趋其后〔六二〕；

曹操曰：利地在前，当速进其后也。○李筌曰：利地必争，益其备也。此筌以"趋"字为"多"字。○杜牧曰：必争之地，我若已后，当疾趋而争，况其不后哉？○陈皞曰：二说皆非也。若敌据地利，我后争之，不亦后据战地而趋战之劳乎？所谓争地必趋其后者，若地利在前，先分精锐以据之，彼若恃众来争，我以大众趋其后，无不克者。赵奢所以破秦军也。○杜佑曰：利地在前，当进其后。争地，先据者胜，不得者负，故从其后，使相及也。○梅尧臣曰：敌未至其地，我若在后，则当疾趋以争之。○张预曰：争地贵速，若前驱至而后不及，则未可。故当疾进其后，使首尾俱至。或曰：趋其后，谓后发先至也。

交地，吾将谨其守〔六三〕；

杜牧曰：严壁垒也。○梅尧臣曰：谨守壁垒，断其通道。○王皙曰：惧袭我

也。○张预曰:不当阻绝其路,但严壁固守,候其来,则设伏击之。○〔六四〕

衢地,吾将固其结〔六五〕;

杜牧曰:结交诸侯,使之牢固。○梅尧臣曰:结诸侯使之坚固,勿令敌先。○王皙曰:固以德礼威信,且示以利害之计。○张预曰:财币以利之,盟誓以要之,坚固不渝,则必为我助。○〔六六〕

重地,吾将继其食〔六七〕;

曹操曰:掠彼也。○李筌曰:馆谷于敌也。"继"一作"掠"。○贾林曰:使粮相继而不绝也。○杜佑曰:深入,当继其粮饷。○梅尧臣曰:道既遐绝,不可归国取粮,当掠彼以食军。○张预曰:兵在重地,转输不通,不可乏粮,当掠彼以续食。

圮地,吾将进其涂;

曹操曰:疾过去也。○李筌曰:不可留也。○杜佑曰:疾行,无舍此地。○梅尧臣曰:无所依,当速过。○张预曰:遇圮毁之地,宜引兵速过。

围地,吾将塞其阙;

曹操、李筌曰:以一士心也〔六八〕。○杜牧曰:兵法"围师必阙",示以生路,令无死志,因而击之;今若我在围地,敌开生路以诱我卒,我返自塞之,令士卒有必死之心。后魏末,齐神武起义兵于河北,为尒朱兆、天光、度律、仲远等四将会于邺南,士马精强,号二十万,围神武于南陵山。时神武马二千,步军不满三万。兆等设围不合,神武连系牛驴自塞之。于是将士死战,四面奋击,大破兆等四将也。○孟氏曰:意欲突围,示以守固。○杜佑曰:塞其阙,不欲走之意。○梅尧臣曰:自塞其旁道,使士卒必死战也。○王皙曰:惧人有走心。○张预曰:吾在敌围,敌开生路,当自塞之,以一士心。齐神武系牛马以塞路,而士卒死战是也。

死地,吾将示之以不活。

曹操、李筌曰:励士心也〔六九〕。○杜牧曰:示之必死,令其自奋,以求生也。○贾林曰:禁财弃粮,堙井破灶,示必死也。○杜佑曰:励士也。焚辎重,弃粮食,塞井夷灶,示无生意,必殊死战也。○梅尧臣曰:必死可生,人尽力也。

○王晳同梅尧臣注。○何氏同杜牧注。○张预曰:焚辎重,弃粮食,塞井夷灶,示以无活,励之使死战也。

⑫故兵之情,围则御,

曹操曰:相持御也。○李筌曰:敌围,我则御之。○杜牧曰:言兵在围地,始乃人人有御敌持胜之心,相御持也。穷则同心守御〔七〇〕。○梅尧臣同杜牧注。○张预曰:在围,则自然持御。○〔七一〕

不得已则斗,

曹操曰:势有不得已也。○李筌曰:有不得已则战。○梅尧臣曰:势无所往,必斗。○王晳曰:脱死难者,唯斗而已。○张预曰:势不可已,须悉力而斗。○〔七二〕

过则从〔七三〕。

曹操曰:陷之甚过,则从计也。○李筌曰:过则审蹑。又云:陷之于过,则谋从之。○孟氏曰:甚陷,则无所不从。○梅尧臣同孟氏注。○张预曰:深陷于危难之地,则无不从计,若班超在鄯善,欲与麾下数十人杀虏使,乃谆谕之,其士卒曰"今在危亡之地,死生从司马"是也。

⑬是故不知诸侯之谋者,不能预交;不知山林、险阻、沮泽之形者,不能行军;不用乡导者,不能得地利〔七四〕。

曹操曰:上已陈此三事,而复云者,力恶不能用兵,故复言之。○李筌曰:三事,军之要也。○梅尧臣曰:已解军争篇中,重陈此三者,盖言敌之情状、地之利害,当预知焉。○王晳曰:再陈者,勤戒之也。○张预曰:知此三事,然后能审九地之利害,故再陈于此也。

四五者不知一,非霸王之兵也〔七五〕。

曹操曰:谓九地之利害。或曰:上四五事也。○张预曰:四五,谓九地之利害,有一不知,未能全胜。

夫霸王之兵,伐大国,则其众不得聚;威加于敌〔七六〕,则其交不得合。

李筌曰:夫并兵震威,则诸侯自顾,不敢预交。○杜牧曰:权力有馀也,能分散敌也。○孟氏曰:以义制人,人谁敢拒?○陈皞曰:虽有霸王之势,伐大国，则我众不得聚，要在结交外援。若不如此，但以威加于敌，逞己之强，则必败也。〇梅尧臣曰：伐大国，能分其众，则权力有馀也；权力有馀，则威加敌；威加敌，则旁国惧；旁国惧，则敌交不得合也。〇王晳曰：能知敌谋，能得地利，又能形之，使其不相救，不相恃，则虽大国，岂能聚众而拒我哉？威之所加者大，则敌交不得合。〇张预曰：恃富强之势，而亟伐大国，则己之民众将怨苦而不得聚也。甲兵之威，倍胜于敌国，则诸侯惧而不敢与我合交也。或曰：侵伐大国，若大国一败，则小国离而不聚矣。若晋楚争郑，晋胜，则郑附晋；败，则郑叛也。小国既离，则敌国之权力分而弱矣。或我之兵威得以增胜于彼，是则诸侯岂敢与敌人交合乎？

是故不争天下之交，不养天下之权，信音伸**己之私，威加于敌，故其城可拔，其国可隳**〔七七〕。

曹操曰：霸者，不结成天下诸侯之权也。绝天下之交，夺天下之权，故己威得伸而自私〔七八〕。〇李筌曰：能绝天下之交，惟得伸己之私志，威而无外交者。〇杜牧曰：信，伸也。言不结邻援，不蓄养机权之计，但逞兵威，加于敌国，贵伸己之私欲，若此者，则其城可拔，其国可隳。齐桓公问于管仲曰："必先顿甲兵、修文德、正封疆而亲四邻，则可矣。"于是复鲁、卫、燕所侵地，而以好成，四邻大亲。乃南伐楚，北伐山戎，东制令支、折孤竹〔七九〕，西服流沙，兵车之会六，乘车之会三。乃率诸侯而朝天子。吴夫差破越于会稽，败齐于艾陵，阙沟于商鲁，会晋于黄池，争长而反，威加诸侯，诸侯不敢与争。句践伐之，乞师齐楚，齐楚不应，民疲兵顿，为越所灭。越王句践问战于申包胥曰："越国南则楚，西则晋，北则齐，春秋皮币玉帛子女以宾服焉，未尝敢绝，求以报吴，愿以此战。"包胥曰："善哉，蔑以加焉！"遂伐吴，灭之。〇贾林曰：诸侯既惧，不得附聚，不敢合从，我之智谋威力有馀，诸侯自归，何用养交之也？〇"不养"一作"不事"。〇陈皞曰：智力既全，威权在我，但自养士卒，为不可胜之谋，天下诸侯无权可事也。仁智义谋，己之私有，用以济众，故曰：伸私，威振天下，德光四海，恩沾品物，信及豚鱼，百姓归心，无思不服，故攻城必拔，伐国必隳也。〇梅尧臣曰：敌既不得与诸侯合交，则我亦不争其交，不养其权，用己力而已尔。威亦增胜于敌矣，故可拔其城，可隳其国。此谓霸王之兵也。○王晳曰：结交养权，则天下可从；申私损威，则国城不保。○张预曰：不争交援，则势孤而助寡；不养权力，则人离而国弱；伸一已之私忿，暴兵威于敌国，则终取败亡也。或曰：敌国众既不得聚，交又不得合，则我当绝其交，夺其权，得伸己所欲，而威倍于敌国，故人城可得而拔，人国可得而隳也。

施无法之赏，悬无政之令，

贾林曰：欲拔城、隳国之时，故悬法外之赏罚〔八〇〕，行政外之威令，故不守常法、常政，故曰“无法”、“无政”。○梅尧臣曰：瞻功行赏，法不预设；临敌作誓，政不先悬。○王晳曰：杜奸偷也。曹公曰：“军法令不预施悬之。司马法曰：‘见敌作誓，瞻功行赏。’此之谓也〔八一〕。”○张预曰：法不先施，政不预告，皆临事立制，以励士心。司马法曰：“见敌作誓，瞻功行赏。”

犯三军之众，若使一人。

曹操曰：犯，用也。言明赏罚，虽用众，若使一人也。○李筌曰：善用兵者，为法作政而人不知〔八二〕，悬事无令而人从之，是以犯众如一人也。○梅尧臣曰：犯，用也。赏罚严明〔八三〕，用多若用寡也。○张预曰：赏功不逾时，罚罪不迁列。赏罚之典既明且速，则用众如寡也。

犯之以事，勿告以言；

梅尧臣曰：但用以战，不告以谋。○王晳曰：情泄则谋乖。○张预曰：任用之于战斗，勿论之以权谋；人知谋则疑也。若裴行俭不告士卒以徙营之由是也。○〔八四〕

犯之以利，勿告以害〔八五〕。

曹操曰：勿使知害。○李筌曰：犯，用也。卒知言与害，则生疑难。○梅尧臣曰：用令知利，不令知害。○王晳曰：虑疑惧也。○张预曰：人情见利则进，知害则避，故勿告以害也。

投之亡地然后存，陷之死地然后生。

曹操曰：必殊死战。在亡地无败者。孙膑曰：“兵恐不投之死地也。”○李筌曰：兵居死地，必决命而斗以求生。韩信水上军，则其义也。○梅尧臣曰：地虽曰亡，力战不亡；地虽曰死，死战不死。故亡者存之基，死者生之本也。○何氏曰：如汉王遣将韩信击赵，未至井陉口三十里，止舍，夜半传发，选轻骑二千人，人持一赤帜，从间道萆山而观赵军，诫曰："赵见我走，必空壁逐我；汝疾入赵壁，拔赵帜，立汉帜。"令其裨将传餐曰："今日破赵会食。"信乃使万人先行，出，背水陈。赵军遥见而大笑。平旦，信建大将军之旗鼓，行出井陉口。赵开壁击之。大战良久。于是信走水上军。赵空壁逐信，信已入水上军。军皆殊死战，不可败。信所出奇兵二千骑，驰入赵壁，皆拔赵帜，立汉赤帜。赵军攻信既不得，还壁见汉帜，大惊，遂乱，遁走。于是汉兵夹击，大破虏赵军，斩陈馀泜水上，擒赵王。诸将因问信曰："兵法：右背山陵，前左水泽。今者，将军令臣等反背水陈，曰'破赵会食'，臣等不服，然竟以胜，此何术也？"信曰："此在兵法，顾诸君不察耳。兵法不曰：陷之死地而后生，置之亡地而后存乎？且信非得素拊循士大夫也，此所谓驱市人而战，其势非置之死地，使人人自为战，今与之生地，皆走，宁尚可得而用之乎？"诸将皆服曰："非所及也。"梁将陈庆之守涡阳城，与后魏军相持，自春至冬，数十百战，师老气衰。魏之援兵复欲筑垒于军后，诸将恐腹背受敌，议退师。庆之曰："其来至此，涉历一岁，糜费粮仗，其数极多，诸军并无斗心，皆谋退缩，岂是欲立功名！直聚为钞暴耳！吾闻置兵死地乃可求生，须虏大合，然后与战，必捷。"诸将壮其计，从之。魏人掎角作十三城，庆之衔枚夜出，陷其四垒。所馀九城，兵甲犹盛。乃陈其俘馘，鼓噪而攻，遂大奔溃，斩获略尽。后魏末，齐神武兴义兵于河北，时尒朱兆等四将，兵马号二十万，夹洹水而军。时神武士马不满三万，以众寡不敌，遂于韩陵山为圆陈，系牛驴以塞道。于是将士皆死战，四面奋击，大破之。齐神武兵少，天光等兵十倍，围而缺之，神武乃自塞其缺，士皆有必死之志，是以破敌也。高齐北豫州刺史司马消难请降后周，周将杨忠与柱国达奚武援之。于是共率骑士五千人，各乘马一匹，从间道驰入齐境五百里，前后遣三使报消难，而皆不反命。去豫州三十里，武疑有变，欲还。忠曰："有进死，无退生！"独以千骑夜趣城下，四面峭绝，徒闻击柝之声，武亲来，麾数百骑以西。忠勒馀骑不动，候门开而入，乃驰遣召武。时齐镇城将伏敬远勒甲士二千人据东陴，举烽严警。武惮之，不欲保城，乃多取财帛，以消难及其属先归。忠以三千骑为殿，到洛南，皆解鞍而卧，齐众来追，至于洛北。忠谓将士曰："但饱食，今在死地，贼必不敢渡水以当吾锋。"食毕，齐兵佯若渡水，忠驰将击之。齐兵不敢逼，遂徐引而退。○张预曰：置之死亡之地，则人自为战，乃可存活也。项羽救赵〔八六〕，破釜焚庐，示以必死；诸侯从壁上观，楚战士无不一当十，遂虏秦将是也。

夫众陷于害，然后能为胜败。

梅尧臣曰：未陷难地，则士卒心不专；既陷危难，然后胜败在人为之尔。○张预曰：士卒用命，则胜败之事在我所为。

⑭故为兵之事，在于顺详敌之意，

曹操曰：佯，愚也。或曰：彼欲进，设伏而退；彼欲去，开而击之〔八七〕。○李筌曰：敌欲攻，我以守待之；敌欲战，我以奇待之。退伏利诱，皆顺其所欲。○杜牧曰：夫顺敌之意，盖言我欲击敌，未见其隙，则藏形闭迹，敌人之所为，顺之勿惊。假如强以陵我，我则示怯而伏，且顺其强，以骄其意，候其懈怠而攻之。假如欲退而归，则开围使去，以顺其退，使无斗心，遂因而击之。皆顺敌之旨也。○陈皞曰：顺敌之旨，不假多说。但强示之弱，进示之退，使敌心不戒，然后攻而破之必矣。○梅尧臣曰：佯怯、佯弱、佯乱、佯北，敌人轻来，我志乃得。○张预曰：彼欲进，则诱之令进；彼欲退，则缓之令退，奉顺其旨，设奇伏以取之。或曰：敌有所欲，当顺其意以骄之，留为后图。若东胡遣使谓冒顿曰："欲得头曼千里马。"冒顿与之。复遣使来曰："愿得单于一阏氏。"冒顿又与之。及其骄怠而击之，遂灭东胡是也。

并敌一向，千里杀将。

曹操曰：并兵向敌，虽千里能擒其将也〔八八〕。○杜牧曰：上文言为兵之事，在顺敌人之意，此乃未见敌人之隙耳。若已见其隙，有可攻之势，则须并兵专力，以向敌人，虽千里之远，亦可以杀其将也。○贾林曰：能以利诱敌人，使一向趋之，则我虽远千里，亦可擒杀其将。○梅尧臣曰：随敌一向，然后发伏出奇，则能远擒其将。○王晳曰：顺敌意，随敌形，及其空虚不虞，并兵一力以向之，乘势可千里而覆军杀将也。○张预曰：敌既骄惰，则并兵力以向之，可以覆其军、杀其将，则明如冒顿灭东胡之事是也。

此谓巧能成事者也〔八九〕。

曹操曰:是成事巧者也〔九〇〕。○一作"是谓巧攻成事"。○梅尧臣曰:能顺敌而取胜,机巧者也。○何氏曰:能如此者,是巧攻之成事也。○张预曰:始顺其意,后杀其将,成事之巧也。

⑮是故政举之日,夷关折符〔九一〕**,无通其使,**

曹操曰:谋定,则闭关以绝其符信,勿通其使〔九二〕。○李筌曰:政令既行,闭关折符,无得有所沮议,恐惑众士心也。○杜牧曰:其所不通,岂敌人之使乎?若敌人之使不受,则何必夷关折符,然后为不通乎?答曰:夷关折符者,不令国人出入,盖恐敌人有间使潜来,或藏形隐迹,由危历险,或窃符盗信,假托姓名,而来窥我也。无通其使者,敌人若有使来聘,亦不可受之,恐有智能之士,如张孟谈、娄敬之属,见其微而知著,测我虚实也。此乃兵形未成,恐敌人先事以制我也;兵形已成,出境之后,则使在其间,古之道也。○梅尧臣曰:夷,灭也。折,断也。举政之日,灭塞关梁,断毁符节,使不通也。使不通者,恐泄我事也。○张预曰:庙算已定,军谋已成,则夷塞关梁,毁折符信,勿通使命,恐泄我事也。彼有使来,则当纳之,故下文云"敌人开阖〔九三〕,必亟入之"。

厉于廊庙之上,以诛其事〔九四〕**,**

曹操曰:诛,治也。○杜牧曰:厉,揣厉也。言廊庙之上,诛治其事。成败先定,然后兴师。一本作"以谋其事"。○梅尧臣曰:严整于廊庙之上,以计其事,言其密也。○何氏曰:磨厉庙胜之策,以责成其事。○张预曰:兵者大事,不可轻议,当惕厉于庙堂之上,密治其事,贵谋不外泄也。

敌人开阖,必亟入之,

曹操曰:敌有间隙,当急入之也。○李筌曰:敌开阖未定,必急来也。○孟氏曰:开阖,间者也。有间来,则疾内之。○梅尧臣同孟氏注。○张预曰:开阖,谓间使也〔九五〕。敌有间来,当急受之。或曰:谓敌人或开或阖,出入无常,进退未决,则宜速乘之。

先其所爱〔九六〕**,**

曹操曰:据利便也〔九七〕。○李筌曰:先攻其积聚及妻子,利不择其用也。

〇杜牧曰：凡是敌人所爱惜倚恃以为军者，则先夺之也。〇梅尧臣曰：先察其便利爱惜之所也。〇何氏同杜牧注。

微与之期，

曹操曰：后人发，先人至。〇杜牧曰：微者，潜也，言以敌人所爱利便之处为期，将欲谋夺之，故潜往赴期，不令敌人知也。〇陈皞曰：我若先夺便地，而敌不至，虽有其利，亦奚用之？是以欲取其爱惜之处，必先微与敌人相期，误之使必至。〇梅尧臣曰：微露之期，使间归告，然后，我后人发、先人至也。〇王皙曰：权谲也。微者，所以示密。曹公曰："先敌至也。"后发者，欲其必赴也；先至者，夺其所爱也。〇张预曰：兵所爱者，便利之地。我欲先据，当微露其意，与之相期；敌方趋之，我乃后发而先至也。所以使敌先趋者，恐我至而敌不来也。故曰："争地，吾将趋其后。"

践墨随敌，以决战事。

曹操曰：行践规矩无常也。〇李筌曰：墨者，出道也。出迟道而从之，恐不及。〇杜牧曰：墨，规矩也。言我常须践履规矩，深守法制，随敌人之形；若有可乘之势，则出而决战也。〇陈皞曰：兵虽要在迅速，以决战事，然自始及末，须守法制，纵获胜捷，亦不可争竞扰乱也。城濮之战，晋文公登有莘之墟以望其师曰："少长有礼，其可用也。"〇"践墨"一作"刬墨"。〇贾林曰：刬，除也；墨，绳墨也。随敌计以决战事，惟胜是利，不可守以绳墨而为。〇梅尧臣曰：举动必践法度，而随敌屈伸，因利以决战也。〇王皙曰：践兵法如绳墨，然后可以顺敌决胜。〇张预曰：循守法度，践履规矩，随敌变化，形势无常，乃可以决战取胜。墨，绳墨也。妇人左右、前后、跪起，皆中规矩绳墨是也。

是故始如处女，敌人开户；后如脱兔，敌不及拒。

曹操、李筌曰：处女示弱，脱兔往疾也。〇杜牧曰：言敌人初时谓我无所能为，如处女之弱，我因急去攻之，险迅疾速，如兔之脱走，不可捍拒也。或曰：我避敌走如脱兔。曰：非也。〇梅尧臣曰：始若处女，践规矩之谓也；后若脱兔，应敌决战之速也。〇王皙曰：处女，随敌也；开户，不虞也；脱兔，疾也。若田单守即墨而破燕军是也。〇张预曰：守则如处女之弱，令敌懈怠，是以启隙；攻则犹脱兔之疾，乘敌仓卒，是以莫御。太史公谓田单守即墨攻骑劫，正如此语，不其然乎？

校 记

〔一〕首句“用兵之法”，通典卷一五九引无“之法”二字。“圮地”，说见九变篇校记〔二〕。

〔二〕“士卒恃土”，原本“土”字误作“之”，今据孙校本改正。

〔三〕以上何注所引孙武答吴王问，与通典卷一五九引稍有差异。末几句“若欲野战”以下，通典作“若欲战，必因势。势者，依险设伏，无险，则隐于天阴暗昏雾。出其不意，袭其懈怠”。

〔四〕“为楚所败”，原本“败”字误作“则”，今亦改正。

〔五〕“敌守其城垒”，通典引作“而敌盛守，修其城垒”。

〔六〕“争地之法，先据为利”，通典作“争地之法，让之者得，求之者失”。

〔七〕“交通无可绝”，原本“通”作“相”。今据通典改正。

〔八〕“使不得来，必令吾边城修其守备”，原本如此，孙校本同，通典卷一五九则作“令不得来，必全吾边城，修其所备”。

〔九〕“守而易怠”，原本如此，孙校本同。通典注云“‘易’原作‘勿’”，是通典旧本原作“勿”，而今本又据此何注改为“易”耳。查下文“交地则无绝”张注引此亦作“易”，是作“易”本不误，何以孙子明言“交地吾将谨其守”，而此又言“守而易怠”呢？因我不可以往而敌可以来，而非彼我均可往来，故需以奇伏胜，而不可固守，因固守易怠也。

〔一〇〕“众已属矣”之下，通典卷一五九引又有“简兵练卒，阻利而处。亲吾军事，实吾粮资，令吾车骑，出入瞻侯”，再接下文“我有众助”。

〔一一〕“入人之地深”，长短经地形引作“入人难反之地深”。“背城邑多”下，通典卷一五九引又有“难以返者”。

〔一二〕“道里多”，原本脱“多”字，今据通典卷一五九补。

〔一三〕“衔枚而行”之下，通典卷一五九又有“尘埃气扬”四字，再接下文“以牛马为饵”。

〔一四〕此句简本无“险阻”二字。平津本句首无“行”字，武经本与樱田本同，而简本则有，今并存之。

〔一五〕“疾战则存，不疾战则亡”，简本无二“战”字，通典卷一五九与长短经地形引无下“战”字。

〔一六〕以上何注所引孙武答吴王问末段“兵法又曰”以下，通典卷一五九引稍异，作“若敌在死地，士卒气勇，欲击之法：顺而勿抗，阴守其利，绝其粮道，恐有奇伏，隐而不睹，使吾弓弩，俱守其所”。今并录之，以相参较。

〔一七〕通典卷一五九此处经文下又有杜佑注云：“前有高山，后有大水，进不得前，退则有阻碍，又粮乏绝，故为死地。在死地者，当及士卒尚饱，强志殊死战，故可以俱免也。”

〔一八〕自此以下九地处置之法，张注所引孙武答吴王问，内容与前何注所引全同，唯文字稍有参差。如无明显错讹，不再一一出校。

〔一九〕“故曰轻地也”，原本误“也”为“北”。今改正。

〔二〇〕此处梅注，孙校本作王注，云：“王晳曰：敌居形胜之地，先据乎利，而我不得其处，则不可攻。”按：此处因道藏残缺，而孙氏又未见宋本及其他明本，故致误补，今仍之。

〔二一〕以上两句，孙校本作“我欲往而争之，而敌已先至也”，与原本有异。按：此处亦因道藏残缺，系校本误补。今并存之，以资参考。

〔二二〕通典卷一五九此句经文下又有佑注云：“三道攻，当先至；得其地者，不可攻。”

〔二三〕通典卷一五九引此作“交地则无制绝”。

〔二四〕孙校说原本作“交合”，据通典改为“合交”。但此处宋本原作“合交”，是其所据本误也。

〔二五〕以上张注所引孙武答吴王问末段，与前文“衢地”何注所引稍有不同，参见本篇校记〔一六〕。

〔二六〕“古之善用兵”，简本作“古善战”。

〔二七〕“不相恃”，通典卷一五三引作“不相待”，御览卷二九四引同。

〔二八〕“不相救”，御览引又误“救”作“求”。

〔二九〕“不相收”，通典、御览引皆作“不相扶”。孙校谓其底本作“救”，因据御览改为“扶”。今仍依原本。是孙校所据底本有误也。

〔三〇〕“使其意慑离散”，原本“意”误作“章”。

〔三一〕通典卷一五三此处经文下又有佑注云：“多设诈变，出东见西，攻南引北，乱之，使彼章惶离乱，而不集聚。”

〔三二〕“敌众整而将来”，诸本皆如此，唯简本作“敌众以整，将来”，校释从之。今两存之。

〔三三〕此句简本无“先”字，樱田本“听”作“得”。

〔三四〕此处曹注，平津本无。

〔三五〕“萧铣”，原本“铣”误作“锐”，下同。今据谈本及孙校本改。

〔三六〕“或曰”，原本又误作“故曰”，今亦据孙校本改。

〔三七〕“运兵计谋，为不可测”，菁华录“计谋”作“奇谋”，臆改之也，未可据。又，简本“测”借作“贼”。

〔三八〕此处曹注，平津本作“养士气，并兵力，为不可测度之计”，与原本稍有不同。

〔三九〕以上“死焉不得，士人尽力”，诸本无异文，唯句读不同，一般皆读作“死焉不得，士人尽力”。按：此读失之。各家于此之所以多牵附之言者，亦皆因误读所致。校释读作“死，焉不得士人尽力”，是，应从之。遗说亦谓“诸家断为二句者，非武之本意也”。又，赵注谓“死”字衍，黄巩集注又谓“士”乃“夫”字之讹，则无可据。

〔四〇〕“深入则拘”，十一家注本如此，平津本与武经各本则作“入深则拘”，樱田本同。校释从之。按：二者本义固无不同，今两存之。

〔四一〕“不得已则斗”，简本作“所往则斗”。

〔四二〕此句简本作“是故不调而戒”，无“其兵”二字，且“修”借为“调”。校释亦从删“其兵”二字。今亦两存之。

〔四三〕“吴越何患乎异心”，原本“吴”误作“胡”。据孙校本改。

〔四四〕曹注首句“皆烧焚财物”，平津本“烧焚”作“焚烧”，且无“财”字，是该本脱也。

〔四五〕以上三句，十一家注与武经各本皆如此，简本无“卒”字和“偃”字，校释从之。按：有无此二字，均无碍文意，故仍之。又“偃卧”，樱田本作“偃颐”，非是。

〔四六〕“感而流涕”，原本误“感”为“割”，亦据孙校本改。

〔四七〕“诸、刿”，樱田本作“曹刿”，或不明“诸、刿”为二人欤？

〔四八〕此句简本“兵”作“军”，“率”作“卫”，或“衛”之讹。御览卷二七〇引“率”作“帅”，古通用。

〔四九〕“常山”，简本作“恒山”，乃汉避文帝讳而宋又沿避真宗讳所改。校释回改。按：“常山”之称已约定成俗，故改否均可，今并存之。

〔五〇〕“击其中”，简本“中”作“中身”，御览卷三〇一引又“中”作“腹”，樱田本则“俱”作“共”。今均依原本。

〔五一〕“吴人与越人相恶”，各本皆如此，唯简本“吴”、“越”二字互乙。

〔五二〕“当其同舟而济，遇风”，十一家注各本如此，平津曹注与武经各本“而济”二字互乙,简本与长短经蛇势则无“遇风”二字,今仍之。

〔五三〕“方马埋轮”,长短经“方马”作“放马”,黄巩集注“埋轮”又作“理轮”。

〔五四〕“方马,缚马也”,原本无上“马”字,孙校本同,而平津本则有之。按:“方”字无缚马之义,而“方马”则可指缚马。今据平津本补“马”字。又“示不动”,平津本“示”作“恃”,追涉下“恃”字而误,未可据,今仍依原本。

〔五五〕“携手若使一人”,樱田本“若”在“携”字上。

〔五六〕“使之无知”,简本作“使无之”,误。校释据下两句皆称“民”之例,而改为“使民无知”。按:如此可使与下文同例,固善,唯“之”字在此亦即上句“士卒”或“民”之代词,故仍之亦可。

〔五七〕“使人无识”,各本皆如此,唯校释依简本改“人”为“民”,下句“使人不得虑”同。

〔五八〕“若驱群羊”之上,十一家注各本皆有“焚舟破釜”四字,而简本、平津本与武经各本则无,樱田本同。赵注亦谓有此四字非是。校释据删。按:焚舟固为春秋时事,而破釜则为项羽事,故删之是。唯李注“焚舟”,是原本之误,而非刊刻之过也。又“若驱群羊,驱而往,驱而来”,各本皆如此,唯孙校本作“若驱群羊而往,驱而来”。按:孙校本非善,今仍之。

〔五九〕“四达”,简本作“四㗖”,当即“彻”字。平津本与武经各本则又作“四通”,盖因避武帝讳改之,而后又未回改也。“达”、“通”,亦皆“彻”义,故改否均可,今仍之。

〔六〇〕以上两句,诸本无异,唯简本作“倍固前□□□□□,倍固前适(敌)者,死地也;毋所往者,穷地也”。因无其他参校依据,故仍依原本。自“四达者”至“死地也”仅有九地之五,顾福棠谓:“特言九地之重者耳,非阙文也。”认为九地之中有轻重之别。今录之以为参考。

〔六一〕“使相及属”，原本如此，平津本“及”作“交”。按：作“及”是也，故仍之。

〔六二〕“趋其后”，各本皆如此，唯简本作“使不留”。

〔六三〕“谨其守”，孙子各本皆如此，唯简本与通典卷一五九引并作“固其结”，孙校谓通典误，而长短经地形亦作“固其结”，是孙子传本有异也。按：处交地，彼我既均可往来，则我往攻敌，敌亦可来攻我，如此，则自当谨其守备，待机而动。故当言“谨其守”。而处衢地，因“诸侯之地三属”，则可言“固其结”。而此“交地”之“交”字并非结交诸侯之“交”，而指敌我均可交相往来也，故不当言“固其结”。孙校是，通典误也。

〔六四〕通典卷一五九此处经文下又有佑注云：“交结诸侯，固其交结。”是佑以“交地”之“交”字为结交诸侯之“交”矣。

〔六五〕“固其结”，简本作“谨其恃”，通典卷一五九引同，唯“恃”作“市”。“恃”字或“市”之借。孙校亦谓通典误。按：衢地，四通八达之地，自当以固结诸侯为务，故前言“衢地则合交”。唯如下佑注所云，则作“谨其市”固亦可通也。今两存之。

〔六六〕通典卷一五九引因正文作“衢地，吾将谨其市”，故其注文云：“衢地，四通交易之地。市，变事之端。方与诸侯结和，当谨约，使勿怠，使诸侯争之。”今亦录之，以为参考。

〔六七〕“继其食”，各本皆如此，唯简本作“趣其后”。今并存之。

〔六八〕“士心”，平津本作“其心”。

〔六九〕“励士心”，原本“士心”合并作“志”，今据平津本改。唯通典卷一五九引无“心”字，孙校本同，今并存之。

〔七〇〕“相御持也，穷则同心守御”两句，孙校本无。按：此二句全同通典卷一五九此处经文佑注，且牧注至“人人有御敌持胜之心”文意已足，故此二句颇有续貂之嫌，或原系佑注而误入于此，亦未可知。

〔七一〕通典卷一六〇此处经文下又有佑注云："相御持也。穷则同心守御。"

〔七二〕通典此处经文下又有佑注云："势有不得已也。言斗太过，战不可以恶胜，走不能脱，恐其有降人之心者。"

〔七三〕"过则从"，樱田本"过"作"逼"。

〔七四〕以上诸句，各本皆如此，而赵注则谓其与上下文意不接，因而疑是重出之误。查此三句确重见于军争篇，唯曹注于两处均有注文，可知操时已然。今仍之。

〔七五〕"四五者不知一"，明茅元仪武备志兵诀评曾疑"四五"乃"此三"之误，陆懋德集释亦谓传写有误，而简本则正作"四五"，故此疑迨可破矣；唯"不知一"作"一不智（知）"，则与原本有异。而作"不知一"，实十一家注各本如此，平津本与武经各本则均作"一不知"，樱田本同，唯"四"字上有"此"字。今并存之。又，"霸王之兵"简本作"王霸之兵"，校释从改。按："霸王"一词，在此即"霸"与"王"之合称，与"王霸"无异，故改否均可，今两存之。

〔七六〕"威加于敌"，御览卷三〇四引"敌"下又有"家"字，非是。

〔七七〕"不争天下之交"，御览卷三〇四引"争"字作"事"。"不养天下之权"，樱田本"养"字作"夺"；"其城可拔，其国可隳"，御览引又两句互乙。今皆仍依原本。

〔七八〕以上曹注，原本如此，而平津本"霸者"作"交者"，"己威得伸"亦无"己"字。按：以"不结成天下诸侯之权"释"交"字之义，显为不当，故疑该本有误。孙校本作"霸王者，不结成天下诸侯之权者也；绝天下之交，夺天下之权，以威德伸己之私"。按：孙校本词意明晰，文字亦较修整，似较原本为善。唯因对此节经文之解释存有原则分歧（观梅、张之注，即可窥其一斑),故原文与孙校本并予存之,以资参考。

〔七九〕“折孤竹”,原本“折”作“斩”,今从孙校本改。

〔八〇〕“悬法外之赏罚”,原本“法外”作“国外”,谈本同,孙校本亦未正。按:此作“国外之赏罚”于义难通,“国”字迨系涉上句“国”字而误,今予改正。

〔八一〕此王注所引“曹公曰”以下至“此之谓也”,平津本乃为此处经文本曹注,孙校本亦据通典补,而原本却无此曹注,或编者因王注援引而删之也。

〔八二〕“为法作政”,原本“政”作“攻”,孙校本及中华本同。按此显系误字,今改正。

〔八三〕“赏罚严明”,原本“罚”又误作“犯”。孙校未正,中华本改之,是。

〔八四〕平津本此处经文下又有曹注“兵尚诈力”四字。

〔八五〕“犯之以利,勿告以害”,孙子各本皆如此,历来各家于此亦相沿成说,而无异辞。但简本却作“……害,勿告以利”,与传本正相反对,校释从之。按:下文明言“投之亡地”、“陷之死地”,既如此,则何利之可犯?“夫众陷于害”,岂非正是“犯之以害”之义乎?且既陷于害,则何利之可告?此非“勿告以利”之义乎?至于何以要犯之以害而勿告之以利,迨以此迫使部众拼死力斗以求存活也。孙子此意,上文已屡见之,如说“投之无所往,死且不北,死焉不得士人尽力”,“不得已则斗”,以及“帅与之期,如登高而去其梯”等等。既投之无所往矣,既如登高而去其梯矣,若再说“犯之以利,勿告以害”,岂非南其辕而北其辙乎?故改之是。原文及诸家注均无取,唯可供参考而已。

〔八六〕“项羽”,原本误“羽”为“将”。孙校本未正,中华本正之,是。

〔八七〕“彼欲去”,原本无“彼”字,孙校本与中华本同,今据平津本补之。

〔八八〕“并敌”，樱田本眉批云“并敌，今文作‘并力’”，武备志兵诀评、邓廷罗集注亦皆作“并力”。又，此处曹注，平津本作“先示之以间空虚弱之处，敌则并向而利之，虽千里，可擒其将也”。按：此注谓“并敌一向”指“敌则并向而利之”，非是，而原本“并兵向敌”则是也。今并存之，以资参夺。

〔八九〕简本此句作“此胃巧事”，平津本与武经无“者也”二字。

〔九〇〕“成事巧者也”，平津本作“成事之巧也”。

〔九一〕“折符”，樱田本作“折节”。又眉批云：“折，一本作‘析’。”

〔九二〕“闭关以绝其符信”，平津本“以”字作“梁”。

〔九三〕“敌人开阖”，原本“人”字作“之”。孙校本与中华本同。按：此既明言所引下文成语，故当为“人”字，今改正。

〔九四〕“廊庙之上”，简本作“廊上”。樱田本眉批云：“一本作‘庙堂’。”

〔九五〕“谓间使”，原本作“间谓使”。孙校与中华本已正，是。

〔九六〕樱田本此句作“先夺其所爱”，诸本则无“夺”字。

〔九七〕平津本“利便”二字互乙。

火攻篇〔一〕

曹操曰:以火攻人,当择时日也〔二〕。○王皙曰:助兵取胜,戒虚发也。○张预曰:以火攻敌,当使奸细潜行;地里之远近,途径之险易,先熟知之,乃可往。故次九地。

①孙子曰:凡火攻有五:一曰火人〔三〕,

李筌曰:焚其营,杀其士卒也。○杜牧曰:焚其营栅,因烧兵士。吴起曰:"凡军居荒泽,草木幽秽,可焚而灭。"蜀先主伐吴,吴将陆逊拒之于夷陵。先攻一营不利,诸将曰:"空杀兵耳。"逊曰:"吾已晓破敌之术矣。"乃敕各持一把茅,以火攻拔之。一尔势成,通率诸军,同时俱攻。斩张南、冯习及胡王沙摩柯等,破四十馀营,死者万数。备因夜遁,军资器械略尽,遂欧血而殂〔四〕。○梅尧臣曰:焚营栅荒秽,以助攻战也。○何氏曰:鲁桓公世,焚邾娄之咸丘,始以火攻也。后世兵家者流,故有五火之攻,以佐取胜之道也。如后汉班超使西域,到鄯善。初夜,将吏士奔虏营。会天大风,超令十人持鼓藏虏舍后,约曰:"见火燃,皆当鸣鼓大呼。"馀人悉持兵弩,夹门而伏。超顺风纵火,前后鼓噪,虏众惊乱。超手格杀三人,馀众悉烧死。又,皇甫嵩率兵讨黄巾贼张角,嵩保长社。贼来围城,嵩兵少,军中皆恐。召军吏谓曰:"兵有奇变,不在众寡。今贼依草结营,易为风火;若因夜纵火,必大惊乱,吾出兵击之,其功可成。"其夕,遂大风。嵩乃约勒军士,皆束苣乘城,使锐士间出围外,纵火大呼,城上举燎应之。嵩因鼓而奔其陈，贼惊乱奔走，大破之。又，五代梁太祖乾宁中，亲领大军，由郓州东路北次于鱼山。朱宣瑾觇知〔五〕，即以兵径至，且图速战。帝整军出砦。时宣瑾已陈于前。须臾，东南风大起，帝军旌旗失次，甚有惧色。帝即令骑士扬鞭呼啸。俄而，西北风骤发。时两军皆在草莽中，帝因令纵火。既而烟焰亘天，乘势以攻贼陈。宣瑾大破，馀众拥入清河。因筑京观于鱼山之下。又，后唐伐蜀，工部任圜以大军至汉州，康延孝来逆战。圜命董璋以东川懦卒当其锋，伏精兵于其后。延孝击退东川之军，急追之，遇伏兵。延孝败，驰入汉州，闭壁不出。西川孟知祥以兵二万，与圜合势攻之。汉州四面树竹木为栅。三月，圜陈于金雁桥，即率诸军鼓噪而进，四面纵火，风焰亘空。延孝危急，引骑出陈于金雁桥，又大败之。○张预曰：焚彼营舍，以杀其士，火攻之先也。班超烧匈奴使者是也。○〔六〕

二曰火积，

李筌曰：焚积聚也。○杜牧曰：积者，积蓄也，粮食薪刍是也。高祖与项羽相持成皋，为羽所败，北渡河，得张耳、韩信军，军修武，深沟高垒。使刘贾将二万人、骑数百，渡白马津，入楚地，烧其积聚，以破其业。楚军乏食。隋文帝时，高颎献取陈之策曰："江南土薄，舍多茅竹，所有储积，皆非地窖。可密遣行人，因风纵火；待彼修葺，复更烧之。不出数年，自可财力俱尽。"帝行其策，由是陈人益弊。○梅尧臣曰：焚其委积，以困刍粮。○张预曰：焚其积聚，使刍粮不足。故曰："军无委积则亡。"刘贾烧楚积聚是也。○〔七〕

三曰火辎，四曰火库，

李筌曰：烧其辎重，焚其库室。○杜牧曰：器械、财货及军士衣装，在车中上道未止曰辎，在城营垒已有止舍曰库，其所藏二者皆同。后汉末，袁绍相许攸降曹公曰："今袁氏辎重有万馀两车，屯军不严；今以轻兵袭之，不意而至，焚其积聚，不过三日，袁氏自败。"公大喜，选精骑五千，皆用袁氏旗帜，衔枚缚马口，从间道出入，抱束薪。所历道有问者，语之曰："袁公恐曹操抄略后军，遣兵以益备。"闻者信以为然，皆自若。既至围屯，大放火，营中惊乱，因大破之，辎重悉焚之矣。○陈皞曰：夫敌有爱惜之物，亦可以攻之；彼若出救，是我以火分其势也。更遇其心神挠惑，自可破军杀将也。○梅尧臣曰：焚其辎重，以窘货财；焚其库室，以空蓄聚。○何氏曰：如前秦苻坚遣将王猛伐前燕慕容暐，师至潞川，燕将慕容评率兵四十万御之，以持久制之。猛遣将郭庆率步骑五千，夜从间道起火于晋山，烧评辎重，火见邺中，因而灭之。○张预曰：焚其辎重，使器用不供，故曰："军无辎重则亡。"曹操烧袁绍辎重是也。焚其府库，使财货不充，故曰："军无财，则士不来。"○〔八〕

五曰火队〔九〕。

李筌曰：焚其队仗兵器。○杜牧曰：焚其行伍，因乱而击之。○梅尧臣曰：焚其队仗，以夺兵具。○"队"一作"隧"。○贾林曰：隧，道也。烧绝粮道及转运也。○何氏同贾林注。○张预曰：焚其队仗，使兵无战具。故曰"器械不利，则难以应敌"也。○〔一〇〕

②行火必有因，

曹操曰：因奸人。○李筌曰：因奸人而内应也。○陈皞曰：须得其便，不独奸人。○贾林曰：因风燥而焚之。○张预曰：凡火攻，皆因天时燥旱，营舍茅竹，积刍聚粮，居近草莽，因风而焚之。○〔一一〕

烟火必素具〔一二〕。

曹操曰：烟火，烧具也。○李筌曰：干荎、蒿艾、粮粪之属。○杜牧曰：艾蒿、荻苇、薪荎、膏油之属，先须修事以备用。兵法有火箭、火帘、火杏、火兵、火兽、火禽、火盗、火弩，凡此者皆可用也。○梅尧臣曰：潜奸伺隙，必有便也；秉秆持燧，必先备也。传曰："惟事事有备，乃无患也。"○张预曰：贮火之器，燃火之物，常须预备，伺便而发。○〔一三〕

发火有时，起火有日。

梅尧臣曰：不妄发也。○张预曰：不可偶然，当伺时日。

时者，天之燥也；

曹操曰：燥者，旱也。○梅尧臣曰：旱熯易燎。○张预曰：天时旱燥，则火易燃。○〔一四〕

日者，月在箕、壁、翼、轸也〔一五〕。凡此四宿者，风起之日也。

李筌曰:天文志:月宿此者多风。玉经云:"常以月加日,从营室顺数十五至翼,月在宿于此也。"〇杜牧曰:宿者,月之所宿也。四宿者,风之使也。〇梅尧臣曰:箕,龙尾也;壁,东壁也;翼、轸,鹑尾也。宿在者,谓月之所次也。四宿好风,月离必起。〇张预曰:四星好风,月宿则起。当推步躔次,知所宿之日,则行火。一说:春丙丁、夏戊己、秋壬癸、冬甲乙,此日有疾风猛雨。又占风法:取鸡羽,重八两,挂于五丈竿上,以候风所从来。四宿,即箕、壁、翼、轸也。〇〔一六〕

③凡火攻,必因五火之变而应之〔一七〕。

梅尧臣曰:因火为变,以兵应之。〇张预曰:因其火变,以兵应之。五火,即人、积、辎、库、队也。

火发于内,则早应之于外〔一八〕。

曹操曰:以兵应之也。〇李筌曰:乘火势而应之也。〇杜牧曰:凡火,乃使敌人惊乱,因而击之,非谓空以火败敌人也。闻火初作即攻之;若火阑众定而攻之,当无益,故曰早也。〇杜佑曰:使间人纵火于敌营内,当速进以攻其外也。〇梅尧臣曰:内若惊乱,外以兵击。〇张预曰:火才发于内,则兵急击于外,表里齐攻,敌易惊乱。

火发兵静者,待而勿攻〔一九〕;

杜牧曰:火作不惊,敌素有备,不可遽攻,须待其变者也。〇梅尧臣曰:不惊挠者,必有备也。〇王晳曰:以不变也。〇何氏曰:火作而敌不惊呼者,有备也。我往攻,则反或受害〔二〇〕。〇张预曰:火虽发而兵不乱者,敌有备也;复防其变,故不可攻。

极其火力,可从而从之,不可从而止〔二一〕。

曹操曰:见可而进,知难而退。〇李筌曰:夫火发兵不乱,不可攻。〇杜牧曰:俟火尽已来,若敌人扰乱,则攻之;若敌终静不扰,则收兵而退也。〇杜佑曰:见利则进,知难则退。极,尽也。尽火力,可则应,不可则止,无使敌知其所为。〇梅尧臣曰:极其火势,待其变则攻,不变则勿攻。〇王晳曰:伺其变乱,则乘之;终不变乱,则自治而蓄力。〇何氏曰:如魏满宠征吴,敕诸将曰:

“今夕风甚猛，贼必来烧我营，宜为之备。”诸军皆警。夜半，果来烧营，宠掩击，破之者是也。○张预曰：尽其火势，变乱则攻，安静则退。

火可发于外，无待于内，以时发之〔二二〕。

李筌曰：魏武破袁绍于官渡，用许攸计，烧辎重万馀，则其义也。○杜牧曰：上文云五火变须发于内，若敌居荒泽草秽，或营栅可焚之地，即须及时发火，不必更待内发作然后应之，恐敌人自烧野草，我起火无益。汉时李陵征匈奴，战败，为单于所逐，及于大泽。匈奴于上风纵火，陵亦先放火烧断蒹葭，用绝火势。○陈皞曰：以时发之，所谓天之燥，月之宿在四星也〔二三〕。○贾林曰：火可发于外，不必待内应，得时即应发，不可拘于常势也。○梅尧臣同杜牧注。○张预曰：火亦可发于外，不必须待作于内，但有便则应时而发。黄巾贼张角围汉将皇甫嵩于长社，贼依草结营，嵩使锐士间出围外，纵火大呼，城上举燎应之，嵩因鼓而奔其陈，贼惊乱，遂败走。

火发上风，无攻下风〔二四〕。

曹操曰：不便也。○李筌曰：隋江东贼刘元进攻王世充于延陵，令把草东方，因风纵火。俄而回风，悉烧元进营，军人多死者。○杜牧曰：若是东，则焚敌之东，我亦随以攻其东；若火发东面，攻其西，则与敌人同受也。故无攻下风，则顺风也。若举东，可知其他也。○梅尧臣曰：逆火势，非便也，敌必死战。○王晳曰：或击其左右可也。○张预曰：烧之必退，退而逆击之，必死战，故不便也。○〔二五〕

昼风久，夜风止〔二六〕。

曹操曰：数当然也。○李筌曰：不终始也。○杜牧曰：老子曰：“飘风不终朝。”○梅尧臣曰：凡昼风必夜止，夜风必昼止，数当然也。○王晳同梅尧臣注。○张预曰：昼起则夜息，数当然也。故老子曰：“飘风不终朝。”○〔二七〕

凡军必知有五火之变，以数守之。

杜牧曰：须算星躔之数，守风起日，乃可发火，不可偶然而为之。○杜佑曰：既知起五火五变，当复以数消息其可否。○梅尧臣曰：数星之躔，以候风起之日，然而发火，亦当自防其变。○张预曰：不可止知以火攻人，亦当防人攻已。推四星之度数，知风起之日，则严备守之。

④故以火佐攻者明，

梅尧臣曰：明白易胜。○张预曰：用火助攻，灼然可以取胜。○〔二八〕

以水佐攻者强；

杜佑曰：水以为冲，故强。○梅尧臣曰：势之强也。○张预曰：水能分敌之军；彼势分，则我势强。

水可以绝，不可以夺。

曹操曰：火佐者，取胜明也。水佐者，但可以绝敌道，分敌军，不可以夺敌蓄积〔二九〕。○李筌曰：军者必守术数，而佐之水火，所以明强也。光武之败王莽，魏武之擒吕布，皆其义也。以水绝敌人之军，分为二则可，难以夺敌人之蓄积。○杜牧曰：水可绝敌粮道，绝敌救援，绝敌奔逸，绝敌冲击，不可以水夺险要蓄积也。○王皙曰：强者，取其决注之暴。○张预曰：水止能隔绝敌军，使前后不相及，取其一时之胜，然不若火能焚夺敌之积聚，使之灭亡。若韩信决水斩楚将龙且，是一时之胜也。曹公焚袁绍辎重，绍因以败，是使之灭亡也。水不若火，故详于火而略于水。

⑤夫战胜攻取，而不修其功者，凶，命曰“费留”。

曹操曰：若水之留，不复还也。或曰：赏不以时，但费留也，赏善不逾日也。○李筌曰：赏不逾日，罚不逾时。若功立而不赏，有罪而不罚，则士卒疑惑，日有费也。○杜牧曰：修者，举也。夫战胜攻取，若不藉有功举而赏之，则三军之士必不用命也；则有凶咎，徒留滞费耗，终不成事也。○贾林曰：费留，惜费也。○梅尧臣曰：欲战必胜、攻必取者，在因利乘便、能作为功也。作为功者，修火攻、水攻之类，不可坐守其利也。坐守其利者，凶也，是谓费留矣。○王皙曰：战胜攻取，而不修功赏之差，则人不劝；不劝，则费财老师，凶害也已。○张预曰：战攻所以能必胜必取者，水火之助也；水火所以能破军败敌者，士卒之用命也。不修举有功而赏之，凶咎之道也。财竭师老而不得归，费留之谓也。

故曰：明主虑之，良将修之，

杜牧曰：黄石公曰：“夫霸者，制士以权，结士以信，使士以赏；信衰则士疏，赏亏则士不为用。”〇贾林曰：明主虑其事，良将修其功。〇梅尧臣曰：始则君发其虑，终则将修其功。〇张预曰：君当谋虑攻战之事，将当修举克捷之功。

非利不动〔三〇〕，

李筌曰：明主贤将，非见利不起兵。〇杜牧曰：先见起兵之利，然后兵起。〇梅尧臣曰：凡兵非利于民，不兴也。一作“非利不起”也。

非得不用，

杜牧曰：先见敌人可得，然后用兵。〇贾林曰：非得其利，不用也。

非危不战。

曹操曰：不得已而用兵。〇李筌曰：非至危不战。〇梅尧臣曰：凡用兵，非危急不战也，所以重凶器也。〇张预曰：兵，凶器；战，危事。须防祸败，不可轻举，不得已而后用。

⑥主不可以怒而兴师〔三一〕，

王晳曰：不可但以怒也，若息侯伐郑。〇张预曰：因怒兴师，不亡者鲜。若息侯与郑伯有违言而伐郑，君子是以知息之将亡。

将不可以愠而致战〔三二〕；

王晳曰：不可但以愠也，若晋赵穿。〇张预曰：因忿而战，罕有不败。若姚襄怒苻黄眉压垒而陈，因出战，为黄眉所败是也。怒大于愠，故以主言之；愠小于怒，故以将言之。君则可以兴兵，将则止可言战。

合于利而动，不合于利而止〔三三〕。

曹操曰：不得以己之喜怒而用兵也。〇贾林曰：愠怒内作，不顾安危，固不可也。〇杜佑曰：人主聚众兴军，以道理胜负之计，不可以己之私怒。将举兵，则以策，不可以愠恚之故而合战也。〇梅尧臣曰：兵以义动，无以怒兴；战以利胜，无以愠败。〇张预曰：不可因己之喜怒而用兵，当顾利害所在。尉缭子曰：“兵起非可以忿也。见胜则兴，不见胜则止。”

怒可以复喜，愠可以复悦，

张预曰：见于色者，谓之喜；得于心者，谓之悦。

亡国不可以复存,死者不可以复生。

杜牧曰:亡国者,非能亡人之国也,言不度德,不量力,因怒兴师,因愠合战,则其兵自死、其国自亡者也。〇杜佑曰:凡主怒兴军伐人,无素谋明计,则破亡矣。将愠怒而斗,仓卒而合战,所伤杀必多。怒愠复可以悦喜,言亡国不可复存、死者不可复生者,言当慎之〔三四〕。〇梅尧臣曰:一时之怒,可返而喜也;一时之愠,可返而悦也。国亡军死,不可复已。〇王晳曰:喜怒无常,则威信去矣。〇张预曰:君因怒而兴兵,则国必亡;将因愠而轻战,则士必死。

故明君慎之〔三五〕,良将警之,此安国全军之道也〔三六〕。

杜牧曰:警言戒之也。〇梅尧臣曰:主当慎重,将当警惧。〇张预曰:君常慎于用兵,则可以安国;将常戒于轻战,则可以全军。

校　记

〔一〕此篇篇题,樱田本无"攻"字,只作"火篇第十二"。

〔二〕"以火攻人",平津本无"人"字。

〔三〕"凡火攻",简本作"凡攻火"。

〔四〕"欧",中华本改为"呕"。按:"欧"本有呕义,汉书丙吉传"醉欧丞相车上",即言呕于丞相车上。故可不改字。孙校本即未改。今仍之。

〔五〕"朱宣瑾",原本脱"瑾"字,孙校未及,中华本补之,是,从之。

〔六〕通典卷一六〇此句经文下又有佑注云:"与敌陈师,敌傍近草,因风烧之,战之助也。"

〔七〕通典卷此句经文下又有佑注"烧其蓄积"四字。

〔八〕通典此处经文下又有佑注"烧其辎重"和"当使间人入敌营,烧其兵库也"。唯两句注文分别在"火辎"、"火库"两句经文之后,与原本稍异。

〔九〕"火队",通典卷一六〇与御览卷三二一引作"火坠",而御览卷八六九则又引作"火燧",长短经水火引同。通典佑注又云"一曰火道”。按：“队”、“燧”、“坠”古通，皆“隧”之借，在此乃道径通路之义。左文十六年传：“楚子会师临品，分为二队以伐庸。”即言兵分两路以伐庸。贾注“道也，烧绝粮道及转运也”，是。而如李、牧等家以焚其队仗或行伍释之者，则失之。故原本“队”字可仍之，但不能以队仗或行伍为解，至于以“坠”为坠，堕之义，则更失之远矣。

〔一〇〕通典卷一六〇此句经文下佑注云：“坠，堕也，以火堕入营中也。矢头之法，以铁笼火著箭头，强弩射敌营中。一曰火道，烧绝其粮道也。”

〔一一〕通典此句经文下又有佑注云：“因奸人也。又因风燥而焚烧。”

〔一二〕此句各本皆如此，历来各家亦未置疑，唯简本作“因必素具”，校释从之。案：依简本作“因”固可，唯原本“烟火”如张注所云，指“贮火之器，燃火之物”，于义亦可通，且上句“因”字如曹、贾所说，指“奸人”或“风燥”，则此句“因”亦似未可言“素具”。故两存之。

〔一三〕通典卷一六〇此句经文下又有佑注云：“烧烟具也。先具烧燧之属。”

〔一四〕通典卷一六〇此句经文下佑注同曹注。

〔一五〕“月在箕、壁、翼、轸也”，通典卷一六〇引作“宿在戊箕、东壁、翼、轸也”，御览卷三二一引同。长短经水火引作“宿在箕、壁、参、轸”。孙校本据通典、御览改“月”为“宿”。按：“宿”即指月之所在，故作“宿在”、“月在”，其义一也，今并存之。

〔一六〕通典卷一六〇此处经文下又有佑注云：“戊、翼参四宿。此宿之日，则风起也。萧世诚曰：‘春丙丁，夏戊己，秋壬癸，冬甲乙，此日有疾风猛雨也。吾勘太乙中有飞鸟十，精知风雨期，五子元运式也。各候其时，可以用火也。”唯“萧世诚”误作“萧世识”，通典注未正，今予正之。再，此佑注原在“日者”与

"凡此四宿者"两句正文之下,今原文二句连属,故此处注文亦合而为一。

〔一七〕此句各本皆有之,且无异文,唯简本自上句"风起之日也"之下,即紧接下句"火发……",其间空字无多,故疑无此句。

〔一八〕"早应之于外",御览卷三二一引"早"作"军",孙校已指其误,是。

〔一九〕此句诸本皆如此,唯孙校本据通典、御览作"火发而其兵静者,待而勿攻",简本则作"火发其兵静,而勿攻"。校释从之。按:此与原本虽有差异,而其义则无不同,故并存之。

〔二〇〕"反或受害",原本"反"作"返"。按:"反"、"返"二字虽声义并同,互可通假,但此处则当作"反",故孙校本作"反"而不作"返",是。

〔二一〕"极其火力",简本作"极其火央",校释从之。菁华录又作"猛其火力"。今仍之。

〔二二〕樱田本于此句下又有"因变应之"四字,为他本所未见。

〔二三〕"月之宿",原本"月"作"日",孙校本已正,是。

〔二四〕"火发上风",通典卷一六〇引作"发于上风"。

〔二五〕通典此句经文下又有佑注云:"不便也。烧之必退,退而逆攻之,必为所害也。"

〔二六〕此句诸本亦无异文,唯直解引张贲说谓"久"乃古"从"字之讹,言白昼因风放火,可从而击之,夜风放火,则止而勿从,以免敌人逞我也。按:此说不谓无理,唯依各本作"昼风久,夜风止",言欲用火攻,亦需知昼风夜止之数,如此亦自可通。故仍之,并存张说。

〔二七〕通典卷一六〇此句经文下又有佑注云:"数常也。阳,风也,昼风则火气相动也,夜风卒。欲纵火,亦当如风之长短。"按:此注个别文字有误。末句"亦当如风之长短"之"如"字,孙校本改为“知”,是。但次句“阳,风也”,孙校本则仍之。但正文无“阳”字,何注文又出“阳”字?故疑“阳,风也”当是“风,阳也”之误倒。正因风为阳,故昼风而致“火气相动”也。

〔二八〕平津本此句经文下又有曹注“取胜明也”四字。而此四字十一家注本在下“不可以夺”句下。

〔二九〕此处曹注,平津本无首句“火佐者,取胜明也”,此乃上“火佐”句之注。“水佐者,但可以绝敌道”,平津本则作“水但能绝敌粮道”。今并存之,以相参较。

〔三〇〕御览卷二七二引“不动”作“不起”,总要卷一又作“不赴”。今仍之。

〔三一〕“兴师”,简本作“兴军”,通典卷一五六与御览卷二七二、三一一引并同。今两存之。

〔三二〕“致战”,御览卷二七二引作“合战”。

〔三三〕此二句诸本皆如此,简本作“合乎利而用,不合而止”,通典卷一五六与御览卷二七二引“动”亦皆作“用”,但通典卷一五三引则又同原本作“动”,是“动”、“用”二字亦常相乱也。今仍之。

〔三四〕此处佑注“怒愠复可以悦喜,言亡国不可复存,死者不可复生者”三句,通典卷一五六作“怒愠可以复悦喜,言亡国不可以复存,死者不可复生者”,文字稍有参差。又,原注“悦”作“说”,古通。今统作“悦”,以与经文一致。

〔三五〕“慎”字,原本缺笔,当是避南宋孝宗赵昚(即古“慎”字)讳。此字关涉对原本刊刻时间的推断(见前代序),故值得重视。

〔三六〕“安国全军之道”,通典卷一五六引作“安危之道”,御览卷三一一引同,而卷二七二引则又作“安国之道”。

用间篇〔一〕

曹操、李筌曰：战者，必用间谍，以知敌之情实也〔二〕。○张预曰：欲素知敌情者，非间不可也。然用间之道，尤须微密，故次火攻也。

①孙子曰：凡兴师十万，出征千里，百姓之费，公家之奉，日费千金；内外骚动，怠于道路，不得操事者七十万家〔三〕。

曹操曰：古者，八家为邻，一家从军，七家奉之。言十万之师举，不事耕稼者七十万家。○李筌曰：古者，发一家之兵，则邻里三族共资之，是以不得耕作者七十万家，而资十万之众矣。○杜牧曰：古者，一夫田一顷。夫九顷之地，中心一顷，凿井树庐，八家居之，是为井田。怠，疲也。言七十万家奉十万之师，转输疲于道路也。○梅尧臣曰：输粮供用，公私烦役，疲于道路，废于耒耜也。曹说是也。○张预曰：井田之法：八家为邻，一家从军，七家奉之。兴兵十万，则辍耕作者七十万家也。或问曰：重地则掠，疲于道路而转输何也？曰：非止运粮，亦供器用也。且兵贵掠敌者，谓深践敌境，则当备其乏，故须掠以继食，非专馆谷于敌也。亦有碛卤之地，无粮可因，得不饷乎？

相守数年，以争一日之胜，而爱爵禄百金，不知敌之情者，不仁之至也，

李筌曰：惜爵赏，不与间谍，令窥敌之动静，是为不仁之至也。○杜牧曰：言不能以厚利使间也。○梅尧臣曰：相守数年，则七十万家所费多矣；而乃惜

爵禄百金之微，不以遗间钓情取胜，是不仁之极也。○王晳曰：吝财赏，不用间也。○张预曰：相持且久，七十万家财力一困；不知恤此，而反靳惜爵赏之细，不以啖间求索知敌情者，不仁之甚也。

非人之将也〔四〕，

梅尧臣曰：非将人成功者也。

非主之佐也，

一本作"非仁之佐"也。○梅尧臣曰：非以仁佐国者也。

非胜之主也。

梅尧臣曰：非致胜主利者也。○张预曰：不可以将人，不可以佐主，不可以主胜。勤勤而言者，叹惜之也。

故明君贤将〔五〕，所以动而胜人、成功出于众者，先知也。

李筌曰：为间也。○杜牧曰：知敌情也。○梅尧臣曰：主不妄动，动必胜人；将不苟功，功必出众。所以者何也？在预知敌情也。○王晳曰：先知敌情，制胜如神也。○何氏曰：周官"士师掌邦谍"，盖异国间伺之谓也。故兵家之有四机、二权，曰事机〔六〕，曰智权，皆善用间谍者也。故能敌人动静，我预知矣。韦孝宽为骠骑大将军，镇玉壁。孝宽善于抚御，能得人心。所遣间谍入齐者，皆为尽力；亦有齐人得孝宽金货，遥通书疏，故齐之动静，朝廷皆先知之。时有主帅许盆，孝宽委以心膂，令守一戍。盆乃以城东入。孝宽怒，遣谍取之。俄而斩首而还。其能致物情如此。又，李达为都督义州、弘农等二十一防诸军事，每厚抚境外之人，使为间谍，敌中动静，必先知之。至有事泄被诛戮者，亦不以为悔，其得人心也如此。○张预曰：先知敌情，故动则胜人，功业卓然，超绝群众。

先知者，不可取于鬼神〔七〕，

张预曰：视之不见，听之不闻，不可以祷祀而取。

不可象于事，

曹操曰：不可以祷祀而求〔八〕，亦不可以事类而求也。○李筌曰：不可取于鬼神象类，唯间者能知敌之情。○杜牧曰：象者，类也。言不可以他事比类而求。○梅尧臣曰:不可以卜筮知也,不可以象类求也。○张预曰:不可以事之相类者,拟象而求。

不可验于度,

曹操曰:不可以事数度也。○李筌曰:度,数也。夫长短、阔狭、远近、小大,即可验之于度数;人之情伪,度不能知也。○梅尧臣曰:不可以度数验也,言先知之难也。○张预曰:不可以度数推验而知。

必取于人,知敌之情者也〔九〕。

曹操曰:因人也。○李筌曰:因间人也。○梅尧臣曰:鬼神之情,可以卜筮知;形气之物,可以象类求;天地之理,可以度数验。唯敌之情,必由间者而后知也。○张预曰:鬼神、象类、度数,皆不可以求,先知必因人而后知敌情也。

②故用间有五:有因间〔一○〕,有内间,有反间,有死间,有生间。

梅尧臣曰:五间之名也。○张预曰:此五间之名。"因间"当为"乡间",故下文云"乡间可得而使"。

五间俱起,莫知其道,是谓神纪,人君之宝也〔一一〕。

曹操曰:同时任用五间也。○李筌曰:五间者,因五人用之。○杜牧曰:五间俱起者,敌人不知其情泄形露之道,乃神鬼之纲纪、人君之重宝也。○梅尧臣曰:五间俱起以间敌,而莫知我用之之道,是曰神妙之纲纪,人君之所贵也。○王皙曰:五间俱起,人不之测,是用兵神妙之大纪、人主之重宝也。○贾林曰:纪,理也。言敌人但莫知我以何道,如通神理也。○张预曰:五间循环而用,人莫能测其理,兹乃神妙之纲纪、人君之重宝也。

因间者,因其乡人而用之。

杜牧曰:因敌乡国之人而厚抚之,使为间也。晋豫州刺史祖逖之镇雍丘,爱人下士,虽疏交贱隶,皆恩礼而遇之。河上堡固先有任子在胡者,皆听两属;时遣游军伪抄之,明其未附。诸坞主感戴〔一二〕,胡有异图,辄密以闻,前后克获,盖由于此。西魏韦孝宽使齐人斩许盆而来,犹其义也。○贾林曰:读"因间"为"乡间"。○杜佑曰:因敌乡人知敌表里虚实之情,故就而用之,可使伺候也。○梅尧臣曰：因其国人，利而使之。○何氏曰：如春秋时楚师伐宋，九月不服，将去宋，楚大夫申叔时曰："筑室反耕者，宋必听命。"楚子从之。宋人惧，使华元夜入楚师，登子反之床，起之，曰："寡君使元以病告，曰：弊邑易子而食，析骸而爨；虽然，城下之盟有以国毙，不能从也。去我三十里，唯命是听。"子反惧，与之盟，而告楚子，退三十里，宋及楚平。○张预曰：因敌国人知其底里，就而用之，可使伺候也。韦孝宽以金帛啖齐人，而齐人遥通书疏是也。

内间者，因其官人而用之。

李筌曰：因敌人失职之官，魏用许攸也。○杜牧曰：敌之官人，有贤而失职者，有过而被刑者，亦有宠嬖而贪财者，有屈在下位者，有不得任使者，有欲因败丧以求展己之材能者，有翻覆变诈、常持两端之心者，如此之官，皆可以潜通问遗，厚贶金帛而结之，因求其国中之情，察其谋我之事，复间其君臣，使不和同也。○杜佑曰：因在其官失职者，若刑戮之子孙与受罚之家也，因其有隙，就而用之。○梅尧臣曰：因其官属，结而用之。○何氏曰：如益州牧罗尚遣将隗伯攻蜀贼李雄于郫城，互有胜负。雄乃募武都人朴泰，鞭之见血，使谲罗尚，欲为内应，以火为期。尚信之，悉出精兵，遣隗伯等率兵从泰击雄。雄将李骧于道设伏，泰以长梯倚城而举火。伯军见火起，而争缘梯，泰又以绳汲上尚军百馀人，皆斩之。雄因放兵，内外击之，大破尚军。此用内间之势也。又，隋阴寿为幽州总管，高宝宁举兵反，寿讨之。宝宁奔于碛北。寿班师，留开府成道昂镇之。宝宁遣其子僧伽率轻骑掠城下而去，寻引契丹靺鞨之众来攻。道昂苦战连月，乃退。寿患之，于是重购宝宁，又遣人阴间其所亲任者赵世模、王威等。月馀，世模率其众降。宝宁复走契丹，为其麾下赵修罗所杀，北边遂安。又，唐太宗讨窦建德，入武牢，进薄其营，多所伤杀。凌敬进说曰："宜悉兵济河，攻取怀州河阳，使重将居守；更率众鸣鼓建旗，逾太行，入上党，先声后实，传檄而定；渐趋壶口，稍骇蒲津，收河东之地，此策之上也。行必有三利：一则入无人之境，师有万全；二则拓土得兵；三则郑围自解。"建德将从之，王世充之使长孙安世阴赍金玉，啖其诸将，以乱其谋。众咸进谏曰："凌敬书生耳，岂可与言战乎？"建德从之，退而谢敬曰："今众心甚锐，此天赞我矣！因此决战，必然大捷，已依众议，不得从公言也。”敬固争，建德怒，扶出焉。于是悉众进逼武牢。太宗按甲，挫其锐。建德中枪，窜于牛口渚，车骑将军白士让、杨武威生获之。又，王翦为秦将，攻赵，赵使李牧、司马尚御之〔一三〕。李牧数破走秦军，杀秦将桓齮。翦恶之，乃多与赵王宠臣郭开等金，使为反间，曰：“李牧、司马尚欲与秦反赵，以多取封于秦。”赵王疑之，使赵葱及颜聚代将，斩李牧，废司马尚。后三月，翦因急击赵，大破，杀赵葱，虏赵王迁及其将颜聚也。○张预曰：因其失意之官，或刑戮之子弟，凡有隙者，厚利使之。晋任析公，吴纳子胥，皆近之。

反间者，因其敌间而用之。

李筌曰：敌有间来窥我得失，我厚赂之，而令反为我间也。○杜牧曰：敌有间来窥我，我必先知之，或厚赂诱之，反为我用，或佯为不觉，示以伪情而纵之，则敌人之间反为我用也。陈平初为汉王护军尉，项羽围于荥阳城，汉王患之。请割荥阳以西和，项王弗听。平曰：“顾楚有可乱者，彼项王骨鲠之臣亚父、锺离昧、龙且、周殷之属，不过数人耳。大王能出捐数万斤金，行反间间其君臣，以疑其心；项王为人意忌信谗，必内相诛，汉因举兵而攻之，破楚必矣。”汉王以为然，乃出黄金四万斤与平，恣所为，不问出入。平既多以金纵反间于楚军，宣言：诸将锺离昧等为项王将，功多矣，然终不得列地而王，欲与汉为一，以灭项氏，分王其地。项王果疑之，使使至汉。汉为太牢之具，举进，见楚使，即阳惊曰：“吾以为亚父使，乃项王使也！”复持去，以恶草具进楚使。使归，具以报项王。果大疑亚父。亚父欲急击下荥阳城，项王不信，不肯听亚父。亚父闻项王疑之，乃大怒，疽发而死。卒用陈平之计灭楚也。○梅尧臣曰：或以伪事绐之，或以厚利啖之。○王皙曰：反间，反为我间也。或留之使言其情，又或示以诡形而遣之。○何氏曰：如燕昭王以乐毅为将，破齐七十馀城。及惠王立，与乐毅有隙。齐将田单乃纵反间于燕，宣言曰：“齐王已死，城之不拔者二耳。乐毅畏诛而不敢归，以伐齐为名，实欲连兵南面而王齐；齐人未附，故且缓即墨以待其事。齐人所惧，唯恐他将之来，即墨残矣！”燕王以为然，使骑劫代乐毅。燕人士卒离心。单又纵反间曰：“吾惧燕人掘吾城外冢墓，戮辱先人。”

燕军从之。即墨人激怒,请战,大破燕师,所亡七十馀城,悉复之。又,秦师围赵阏与,赵将赵奢救之,去赵国都三十里不进。秦间来,奢善食遣之。间以报秦将,以为奢师怯弱而止不行。奢随而卷甲趋秦师,击破之。又,范雎为秦昭王相,使左庶长王龁攻韩,取上党。上党民走赵。赵军长平。龁因攻赵,赵使廉颇将。廉颇坚壁以待秦。秦数挑战,赵兵不出。赵王数以为让。而雎使人行千金于赵,为反间曰:"秦之所恶,独畏赵括耳,廉颇军易与,且降矣。"赵王既怒廉颇军多亡失数败,又反坚壁不战,又闻秦反间之言,因使括代颇。秦闻括将,以白起为上将军,射杀括及坑降卒四十万。○张预曰:敌有间来,或重赂厚礼以结之,告以伪辞,或佯为不知,疏而慢之,示以虚事,使之归报,则反为我利也。赵奢善食秦间,汉军佯惊楚使是也。○〔一四〕

死间者,为诳事于外,令吾间知之,而传于敌间也〔一五〕。

李筌曰:情诈伪,不足信,吾知之,令吾动此间而待之〔一六〕。此筌以"待"字为非"传"也。○杜牧曰:诳者,诈也。言吾间在敌,未知事情,我则诈立事迹,令吾间凭其诈迹,以输诚于敌,而得敌信也。若我进取,与诈迹不同,间者不能脱,则为敌所杀,故曰死间也。汉王使郦生说齐,下之;齐罢守备,韩信因而袭之;田横怒烹郦生,此事相近。○杜佑曰:作诳诈之事于外,佯漏泄之,使吾间知之。吾间至敌中,为敌所得,必以诳事输敌〔一七〕,敌从而备之;吾所行不然,间则死矣。又云:敌间来,闻我诳事以持归,然皆非所图也。二间皆不能知幽隐深密,故曰死间也。萧世诚曰:"所获敌人及己叛亡军士有重罪系者,故为贷免,相敕勿泄,佯不秘密,令敌间窃闻之。吾因纵之使亡,亡必归,敌必信焉,往必死,故曰死间。"○梅尧臣曰:以诳告敌,事乖必杀。○王皙曰:诈吾间,使敌得之:间以吾诈告敌,事决必杀之也。○何氏曰:如战国郑武公欲伐胡,先以其子妻胡,因问群臣曰:"吾欲用兵,谁可伐者?"大夫关期思曰:"胡可〔一八〕。"武公怒而戮之,曰:"胡,兄弟之国;子言伐之,何也?"胡君闻之,以郑为亲己,不备。郑袭而取之。此用死间之势也。又,班超发于阗诸国兵击莎车、龟兹二国,扬言兵少不敌,罢散。乃阴缓生口,归以告。龟兹王喜而不虞。超即潜勒兵,驰赴莎车,大破降之。斯亦同死间之势。又,李靖伐突厥颉利可汗,以唐俭先在突厥结和亲,突厥不备,靖因掩击,破之。○张预曰:欲使敌人杀其贤能,乃令死士持虚伪以赴之。吾间至敌,为彼所得,彼以诳事为实,必俱杀之。我朝曹太尉尝贷人死,使伪为僧,吞蜡弹入西夏。至,则为其所囚。僧以弹告,即下之。开读,乃所遗彼谋臣书也。戎主怒,诛其臣,并杀间僧。此其义也。然死间之事非一,或使吾间诣敌约和,我反伐之,则间者立死。郦生烹于齐王,唐俭杀于突厥是也。

生间者,反报也。

李筌曰:往来之使。○杜牧曰:往来相通报也。生间者,必取内明外愚、形劣心壮、趫捷劲勇、闲于鄙事、能忍饥寒垢耻者为之。○贾林曰:身则公行,心乃私觇,往反报复,常无所害,故曰生间。○杜佑曰:择己有贤材智谋,能自开通于敌之亲贵,察其动静,知其事计,彼所为已知其实,还以报我,故曰生间。○梅尧臣曰:使智辨者往觇其情,而以归报也。○何氏曰:如华元登子反之床而归。又如隋达奚武为东秦刺史时,齐神武趣沙苑,太祖遣武觇之,武从三骑,皆衣敌人衣服,至日暮,去营数百步,下马潜听,得其军号。因上马历营,若警夜者;有不如法者,往往挞之。具知敌之情状,以告太祖,太祖深嘉焉,遂破之。○张预曰:选智能之士,往视敌情,归以报我,若娄敬知匈奴之强,以告高祖之类。然生间之事亦众,或己欲退,告敌以战;或己欲战,告敌以退。若秦行人夜戒晋师曰:"来日请相见。"臾骈曰:"使者目动而言肆,惧我也。"秦果夜遁。又,吕延攻乞伏乾归,大败之。乾归乃遣间称东奔成纪。延信而追之。耿稚曰:"告者视高而色动,必有奸计。"延不从,遂为所败是也。

③故三军之事,莫亲于间〔一九〕,

杜牧曰:受辞指踪,在于卧内。○杜佑曰:若不亲抚,重以禄赏,则反为敌用,泄我情实。○梅尧臣曰:入幄受词,最为亲近。○王皙曰:以腹心亲结之。○张预曰:三军之士,然皆亲抚,独于间者以腹心相委,是最为亲密也。

赏莫厚于间〔二〇〕,

杜佑曰:以重赏赏之,而赖其用。○梅尧臣曰:爵禄金帛,我无爱焉。○王皙曰:军功之赏,莫厚于此。○张预曰:非高爵厚利,不能使间。陈平曰:"愿出黄金四十万斤,间楚君臣。"

事莫密于间。

杜牧曰:出口入耳也。"密"一作"审"。〇杜佑曰:间事不密,则为己害。〇梅尧臣曰:几事不密,则害成。〇王晳曰:独将与谋。〇张预曰:惟将与间得闻其事,非密与?

非圣智不能用间〔二一〕,

杜牧曰:先量间者之性,诚实多智,然后可用之。厚貌深情,险于山川,非圣人莫能知。〇梅尧臣曰:知其情伪,辨其邪正,则能用。〇王晳曰:圣通而先识,智明于事。〇张预曰:圣,则事无不通;智,则洞照几先,然后能为间事。或曰:圣智则能知人。〇〔二二〕

非仁义不能使间〔二三〕,

陈皞曰:仁者有恩以及人,义者得宜而制事。主将者,既能仁结而义使,则间者尽心而觇察,乐为我用也。〇孟氏曰:太公曰:"仁义著,则贤者归之。"贤者归之,则其间可用也。〇梅尧臣曰:抚之以仁,示之以义,则能使。〇王晳曰:仁结其心,义激其节,仁义使人,有何不可?〇张预曰:仁则不爱爵赏,义则果决无疑。既啖以厚利,又待以至诚,则间者竭力。

非微妙不能得间之实〔二四〕。

杜牧曰:间亦有利于财宝,不得敌之实情,但将虚辞以赴我约,此须用心渊妙,乃能酌其情伪虚实也。〇杜佑曰:用意密而不漏〔二五〕。〇梅尧臣曰:防间反为敌所使,思虑故宜几微臻妙。〇王晳曰:谓间者必性识微妙,乃能得所间之事实。〇张预曰:间以利害来告,须用心渊微精妙,乃能察其真伪。

微哉微哉,无所不用间也!

杜牧曰:言每事皆须先知也。〇梅尧臣曰:微之又微,则何所不知?〇王晳曰:丁宁之,当事事知敌之情也。〇张预曰:密之又密,则事无巨细,皆先知也。

④间事未发而先闻者,间与所告者皆死〔二六〕。

杜牧曰:告者非诱间者,则不得知间者之情,杀之可也。〇陈皞曰:间者未发其事,有人来告,其闻者、所告者亦与间者俱杀以灭口,无令敌人知之。○梅尧臣曰:杀间者,恶其泄;杀告者,灭其言。○何氏曰:兵谋大事,泄者当诛;告人亦杀,恐传诸众。○张预曰:间敌之事,谋定而未发,忽有闻者来告,必与间俱杀之,一恶其泄,一灭其口。秦已间赵不用廉颇,秦乃以白起为将,令军中曰:"有泄武安君将者,斩!"此是已发其事,尚不欲泄,况未发乎?

凡军之所欲击,城之所欲攻,人之所欲杀,必先知其守将、左右、谒者、门者、舍人之姓名,令吾间必索知之。

李筌曰:知其姓名,则易取也。○杜牧曰:凡欲攻战,先须知敌所用之人贤愚巧拙,则量材以应之。汉王遣韩信、曹参、灌婴击魏豹,问曰:"魏大将谁也?"对曰:"柏直。"汉王曰:"是口尚乳臭,不能当韩信。骑将谁也?"曰:"冯敬。"曰:"是秦将冯无择子也。虽贤,不能当灌婴。步卒将谁也?"曰:"项它。"曰:"是不能当曹参。吾无患矣。"○陈皞曰:此言敌人左右姓名,必须我先知之。或敌使间来,我当使间去,若不知其左右姓名,则不能成间者之说。汉高伐秦,至峣关,张良曰:"吾闻其将贾竖尔,可以利啖之。"又曰:"其将虽曰欲和,其军士未肯,不如因其懈而击之。"乃进兵击破之。又,宋华元夜登子反之床,以告宋病,若非素知门人、舍人、左右姓名,先使间导之,又何由得登其床也?○杜佑曰:守,谓官守职任者。谒,告也,主告事者也。门者,守门者也。舍人,守舍之人也。必先知之为亲旧,有急则呼之,则不可不知,亦因此知敌之情〔二七〕。○梅尧臣曰:凡敌之左右前后之姓名,皆须审省,而令吾间先知,则吾间可行矣。○王晳曰:不可临事求也。○张预曰:守将,守官任职之将也。谒者,典宾客之官也。门者,阍吏也。舍人,守舍之人也。凡欲击其军,欲攻其城,欲杀其人,必先知此左右之姓名,则可也。欲潜入其军,则呼其姓名而往,若华元夜登子反之床,以告宋病,杜元凯注引此文谓元用此术,得以自通是也。又,汉高祖入韩信卧内,取其印,亦近之。

必索敌人之间来间我者,因而利之,导而舍之〔二八〕,

杜佑曰:舍,居止也。令吾人遗以重利,复遇而舍之,则可令诡其辞〔二九〕。

故反间可得而用也。

曹操曰：舍，居止也。○杜牧曰：敌间之来，必诱以厚利而止舍之，使为我反间也。○杜佑曰：故能取敌之间而用之。○梅尧臣曰：必探索知敌之来间者，因而利诱之，引而舍止之，然后可为我反间也。○王晳曰：此留敌间以询其情者也。必谨舍之，曲为辩说，深致情爱，然后啖以大利，威以大刑，自非至忠于其君王者，皆为我用矣。○张预曰：索，求也。求敌间之来窥我者，因以厚利，诱导而馆舍之，使反为我间也。言舍之者，谓稽留其使也。淹延既久，论事必多，我因得察敌之情。下文言四间皆因反间而知，非久留其人，极论其事，则何以悉知？

因是而知之，故乡间、内间可得而使也。

杜牧曰：若敌间，以利导之，尚可使为我反间，因此乃知，厚利亦可使乡间、内间也。此言使间非利不可。故上文云："相守数年，争一日之胜，而爱爵禄百金，不知敌情者，不仁之至也。"下文皆同其义也。○陈皞曰：此说疏也。言敌使间来，以利啖之，诱令止舍，因得敌之情，因间、内间可使反间诱而使之。○杜佑曰：因反敌间而知敌情，乡间、内间者皆可得使〔三○〕。○梅尧臣曰：其国人之可使者，其官人之可用者，皆因反间而知之。○张预曰：因是反间，知彼乡人之贪利者，官人之有隙者，诱而使之。

因是而知之，故死间为诳事，可使告敌〔三一〕。

张预曰：因是反间，知彼可诳之事，使死间往告之。

因是而知之，故生间可使如期。

杜牧曰：可使往来如期。○陈皞曰：言五间皆循环相因，惟生间可使如期。○杜佑曰：因诳事而知敌情。生间往返，可使知其敌之腹心所在。○梅尧臣曰：令吾间以诳告敌者，须因反间而知敌之可诳也。生间以利害觇敌情，须因反间而知其疏密，则可往得实而归如期也。○张预曰：因是反间，知彼之情，故生间可往复如期也。

五间之事，主必知之，

李筌曰：孙子殷勤于五间，主切知之。

知之必在于反间，故反间不可不厚也。

杜牧曰：乡间、内间、死间、生间，四间者，皆因反间知敌情而能用之，故反间最切，不可不厚也。○杜佑曰：人主当知五间之用，厚其禄，丰其财。而反间者，又五间之本，事之要也，故当在厚待。○梅尧臣曰：五间之始，皆因缘于反间，故当厚遇之。○张预曰：人主当用五间以知敌情，然五间皆因反间而用，则是反间者，岂可不厚待之耶？

⑤昔殷之兴也，伊挚在夏；

曹操曰：伊挚，伊尹也〔三二〕。

周之兴也，吕牙在殷。

曹操曰：吕牙，太公也〔三三〕。○梅尧臣曰：伊尹、吕牙，非叛于国也，夏不能任而殷任之，殷不能用而周用之，其成大功者，为民也。○何氏曰：伊、吕，圣人之耦，岂为人间哉？今孙子引之者，言五间之用，须上智之人如伊、吕之才智者，可以用间，盖重之之辞耳。○张预曰：伊尹，夏臣也，后归于殷；吕望，殷臣也，后归于周。伊、吕相汤、武，以兵定天下者，顺乎天而应乎人也，非同伯州犁之奔楚、苗贲皇之适晋、狐庸之在吴、士会之居秦也。

故惟明君贤将，能以上智为间者，必成大功。此兵之要，三军之所恃而动也。

李筌曰：孙子论兵，始于计而终于间者，盖不以攻为主，为将者可不慎之哉？○杜牧曰：不知敌情，军不可动；知敌之情，非间不可，故曰“三军所恃而动”。李靖曰：“夫战之取胜，此岂求于天地？在乎因人以成之。历观古人之用间，其妙非一，即有间其君者，有间其亲者，有间其贤者，有间其能者，有间其助者，有间其邻好者，有间其左右者，有间其纵横者，故子贡、史廖、陈轸、苏秦、张仪、范雎等，皆凭此而成功也。且间之道有五焉：有因其邑人，使潜伺察而致辞焉；有因其仕子，故泄虚假令告示焉；有因敌之使，矫其事而返之焉；有审择贤能，使觇彼向背虚实而归说之焉；有佯缓罪戾，微漏我伪情浮计使亡报之焉。凡此五间，皆须隐秘，重之以赏，密之又密，始可行焉。若敌有宠嬖、任以腹心者，我当使间遗其珍玩，恣其所欲，顺而旁诱之。敌有重臣失势、不满其志者，我则啖以厚利，诡相亲附，采其情实而致之。敌有亲贵左右、多辞夸诞、好论利害者，我则使间曲情尊奉，厚遗珍宝，揣其所间而反间之。敌若使聘于我，我则稽留其使，令人与之共处，矫致殷勤，伪相亲昵，朝夕慰谕，倍供珍味，观其辞色而察之；仍朝夕令使独与己伴居，我遣聪耳者，潜于复壁中听之；使既迟违，恐彼怪责，必是窃论心事。我知事计，遣使用之。且夫用间间人，人亦用间以间己；己以密往，人以密来。理须独察于心，参会于事，则不失矣。若敌人来，欲候我虚实，察我动静，觇知事计而行其间者，我当佯为不觉，舍止而善饭之，微以我伪言诳事，示以前却期会，则我之所须为彼之所失者，因其有间而反间之。彼若将我虚以为实，我即乘之而得志矣。夫水所以能济舟，亦有因水而覆没者。间所以能成功，亦有凭间而倾败者。若束发事主，当朝正色，忠以尽节，信以竭诚，不诡伏以自容，不权宜以为利，虽有善间，其可用乎?”〇陈皞曰：晋伯州犁奔楚，楚苗贲皇奔晋，及晋、楚合战于鄢陵，苗贲皇在晋侯之侧，伯州犁侍于楚王，二人各言旧国长短之情。然则晋所以胜楚者，楚所以败者，其故何也？二子则有优劣也。是知用间之道，间敌之情，得不慎择其人，深究其说也？故上文云“非圣智莫能用间”者。夫圣智知人，人即附之；贤者受知，则戮力为效。非圣非智，必猜必忌。公道不启，仁义不施，则义士贤人因而衔愤，此将上天不祐，幽有鬼神，设无人事之变，恐有阴诛之祸，岂上智之士为其用哉？故上文云：“非仁义莫能使间。”然则，汤、武之圣，伊、吕宜用；伊、吕获用，事宜必济。圣贤一会，交泰时乘，道合乾坤，功格寰宇，当其耕夫于畎亩，钓叟于渭滨，知我者，谁能无念也？〇贾林曰：军无五间，如人之无耳目也。〇王皙曰：未知敌情者，不可动也。〇张预曰：用师之本，在知敌情，故曰“此兵之要”也。未知敌情，则军不可举，故曰“三军所恃而动”也。然处十三篇之末者，盖用非兵之常也。若计、战、攻、形、势、虚实之类，兵动则用之；至于火攻与间，则有时而为耳。

校　记

〔一〕樱田本无“用”字，作“间篇第十三”。

〔二〕“必用间谍”，原本如此，孙校本同，而平津本则作“必先用间谍”。按：孙子用兵，强调“先知”，下文明言“明君贤将，所以动而胜人、成功出于众者，先知也”，故当以平津本有“先”字。又“敌之情实”，平津本作“敌情”，亦较原本简练。

〔三〕“兴师十万”，长短经还师引“十”作“百”。又“出征”，孙校本作“出兵”，御览卷二九二引又作“出师”，且无“怠于道路”四字。

〔四〕“非人之将”，简本“人”字作“民”。

〔五〕“明君贤将”，御览卷二九二引作“明王圣主，贤君胜将”。

〔六〕“机”字，原本误作“几”，孙校本已正，是。

〔七〕御览卷二九二引无“先知者”三字。

〔八〕“不可以祷祀而求”，平津本在上句“不可取于鬼神”句下。

〔九〕此句诸本虽稍有参差，但无异义，唯简本作“必取于人知者”。

〔一〇〕“因间”，十一家注与武经各本皆如此，通典卷一五一与御览卷二九二引并同。简本残缺，不得而知。而直解则作“乡间”，樱田本同。校释从之。按：下文明言“乡间可得而使”，何来“因间”？张注亦谓“因间”当作“乡间”。故改之。孙校未及，失之。“因”字追涉下文中有“因其××而用之”而误。以下凡作“因间”者，并当改之。据通典引文与下句贾注，可知唐时已有此误，非原本刊刻之过也。

〔一一〕通典卷一五一引无末句“人君之宝也”。

〔一二〕“固先有任子在胡者”，原本“固”字误作“因”，今据晋书祖逖传改正。又“坞主”，原本误“主”字为“王”，今据孙校本改正。

〔一三〕“司马尚”，原本误“尚”字为“商”，孙校未正，中华本正之，是。

〔一四〕通典卷一五一此句经文下又有佑注云：“敌使间来视我，我知之，因厚赂重许，反使为我间也。萧世诚曰：‘言敌使人来候我，我佯不知，而示以虚事，前却期会，使归相语，故曰反间。’”又，长短经五间将佑注前四句作为曹注。据佑注例，或如此。

〔一五〕此句樱田本作“死间者，委敌也”，为其他各本所未见，亦未知其版本来源，故存以待详。至于诸传本之歧异，主要在末句。十一家注与武经各本皆作“传于敌间”，而通典卷一五一、御览卷二九二与长短经五间引则皆作“待于敌间”，孙校本又改为“待于敌”。按：作“待于敌间”，于义未妥，而作“待于敌”亦与下文“为诳事，可使告敌”之旨似有未合，且既言“告敌”，亦自是“传”义，故仍依原文。

〔一六〕“情诈伪，不足信”，原本“伪”字作“为”。“令吾动此间而待之”，原本“此”字作“也”，今据孙校本改正。

〔一七〕“以诳事输敌”，原本误“输”字作“谕”，今亦据孙校本正之。

〔一八〕“关期思”，原本作“关思期”，孙校本与中华本并同。按：据韩非子说难，郑大夫名关其思，而非“关思期”，故当据改。

〔一九〕“三军之事”，十一家注及武经诸本皆如此，平津本与樱田本同；而简本则作“三军之亲”，通典、御览与长短经引并同。孙校本改“事”字为“亲”，与简本正合。按：以作“亲”为是，如作“事”，则与下句“事莫密于间”重复，故当据改。

〔二〇〕此句樱田本作“交莫厚于间”，亦为他本所未见。

〔二一〕简本此句“非圣”下空四字，故疑无“智”字。校释据删，今两存之。

〔二二〕通典卷一五一此句经文下又有佑注云：“不能得间人之用。”

〔二三〕简本此句无“义”字，校释亦据删，今亦两存之。

〔二四〕“非微妙”，通典卷一五一引作“非微密者”，御览卷二九二引同。长短经五间“不”又作“莫”，今皆仍之。

〔二五〕此处佑注与通典卷一五一同，而孙校本则作“精微用意，密不泄漏”，未知所据。

〔二六〕“间与所告者皆死”，十一家注与武经各本皆如此，通典引文虽有小异，“间与所告者”作“其间者与所告者”，而其意则无不同。但樱田本作“闻与所告者皆死”,则差别大矣。赵注亦云:一本作“闻”。按:间事未发而先闻,必为间者所泄,故必斩此间者以正军法,而其所告者——亦即闻者,亦需斩之以灭口。故当依原本作“间与所告者皆死”,否则,间者泄密,则反逍遥矣。

〔二七〕以上佑注,据通典卷一五一,原系“必先知其守将、左右、谒者、门者、舍人之姓名”句之注,前三句“凡军之所欲击”、“城之所攻”与“人之所欲杀”之注则分别为“所欲击之军”、“所欲攻之城者”与“所欲杀之人者”,此三句注文原本无。又“必先知之为亲旧”,孙校本“旧”作“善”;“不可不知”又作“不知呵止”,未知所据。

〔二八〕“必索敌人之间来间我者”,平津本与武经本无“人”字,通典、御览引无“必索”二字。又“因而利之,导而舍之”,通典引作“因以利导而舍之”。今皆仍之。

〔二九〕“复遇而舍之”,通典今本同原本。孙校本乃据通典旧本作“导而舍止之”,二者皆通,故并存之。

〔三〇〕原本脱“内间”二字,孙校据通典补,今从之。

〔三一〕“可使告敌”下,通典卷一五一引又有“因是可得而攻也”七字,为他本所无。

〔三二〕此句曹注,平津本止作“伊尹也”。

〔三三〕此句曹注,平津本止作“吕望也”。

附　录

一、孙子本传

汉 司马迁

孙子武者，齐人也。以兵法见于吴王阖闾。阖闾曰："子之十三篇，吾尽观之矣，可以小试勒兵乎？"对曰："可。"阖闾曰："可试以妇人乎？"曰："可。"于是许之，出宫中美人〔一〕，得百八十人。孙子分为二队，以王之宠姬二人各为队长，皆令持戟。令之曰："汝知而心与左右手背乎？"妇人曰："知之。"孙子曰："前，则视心；左，视左手；右，视右手；后，即视背。"妇人曰："诺。"约束既布，乃设铁钺，即三令五申之。于是鼓之右，妇人大笑。孙子曰："约束不明，申令不熟，将之罪也。"复三令五申，而鼓之左，妇人复大笑。孙子曰："约束不明，申令不熟，将之罪也。既已明，而不如法者，吏士之罪也。"乃欲斩左右队长。吴王从台上观，见且斩爱姬，大骇，趣使使下令曰："寡人已知将军能用兵矣。寡人非此二姬，食不甘味，愿勿斩也。"孙子曰："臣既已受命为将，将在军，君命有所不受。"遂斩队长二人以徇，用其次为队长。于是复鼓之，妇人左右、前后、跪起，皆中规矩绳墨，无敢出声。于是孙子使使报王曰："兵既整齐，王可试下观之，唯王所欲用之，虽赴水火犹可也。"吴王曰："将军罢休就舍，寡人不愿下观。"孙子曰："王徒好其言，不能用其实。"于是阖闾知孙子能用兵，卒以为将，西破强楚，入郢，北威齐、晋，显名诸侯，孙子与有力焉。

孙武既死，越绝书曰："吴县巫门外大冢，孙武冢也，去县十里。"后百馀岁有孙膑。膑生阿、鄄之间，膑亦孙武之后世子孙也。孙膑尝与庞涓俱学兵法。庞涓既事魏，得为惠王将军，而自以为能不及孙膑，乃阴使召孙膑。膑至，庞涓恐其贤于己，疾之，则以法刑断其两足而黥之，欲隐勿见。齐使者如梁，孙膑以刑徒阴见，说齐使。齐使以为奇，窃载与之齐。齐将田忌善而客待之。忌数与齐公子驰逐重射，孙子见其马足不甚相远，马有上、中、下辈。于是孙子谓田忌曰："君第重射，臣能令君胜。"田忌信然之，与王及诸公子逐射千金。及临质，孙子曰："今以君之下驷与彼上驷，取君上驷与彼中驷，取君中驷与彼下驷。"既驰三辈毕，而田忌一不胜而再胜，卒得王千金。于是忌进孙子于威王。威王问兵法，遂以为师。其后，魏伐赵，赵急请救于齐。齐威王欲将孙膑，膑辞谢曰："刑馀之人不可。"于是乃以田忌为将，而孙子为师，居辎车中，坐为计谋。田忌欲引兵之赵，孙子曰："夫解杂乱纷纠者不控卷，救斗者不搏撠，批亢捣虚，形格势禁，则自为解耳。今梁赵相攻，轻兵锐卒必竭于外，老弱罢于内，君不若引兵疾走大梁，据其街路，冲其方虚，彼必释赵而自救，是我一举解赵之围而收弊于魏也。"田忌从之。魏果去邯郸，与齐战于桂陵，大破梁军。

后十三年〔二〕，魏与赵攻韩，韩告急于齐。齐使田忌将而往，直走大梁。魏将庞涓闻之，去韩而归，齐军既已过而西矣。孙子谓田忌曰："彼三晋之兵，素悍勇轻齐〔三〕，齐号为怯。善战者，因其势而利导之。兵法：百里而趋利者蹶上将，魏武帝曰："蹶，犹挫也。”五十里而趋利者军半至。使齐军入魏地为十万灶，明日为五万灶，又明日为二万灶。”庞涓行三日，大喜曰：“我固知齐军怯。入吾地三日，士卒亡者过半矣。”乃弃其步军，与其轻锐倍日并行逐之。孙子度其行，暮当至马陵。马陵道狭，而旁多阻隘，可伏兵。乃斫大树，白而书之曰：“庞涓死于此树之下。”于是，令齐军善射者万弩，夹道而伏，期曰〔四〕：“暮见火举而俱发。”庞涓果夜至斫木下，见白书，乃钻火烛之。读其书未毕，齐军万弩俱发，魏军大乱相失。庞涓自知智穷兵败，乃自刭，曰：“遂成竖子之名！”齐因乘胜，尽破其军，虏魏太子申以归。孙膑以此名显天下，世传其兵法。

（原本附录）

校 记

〔一〕史记“人”字作“女”。

〔二〕原本作“十五”，孙校本同，而史记原文则作“十三”，今据改。唯索隐引王劭曰：纪年云：“梁惠王十七年，齐田忌败梁于桂陵，至二十七年十二月，齐田朌败梁于马陵”，计相去无十三岁。今一并录之，以资参考。

〔三〕史记“轻”上有“而”字。

〔四〕原本“曰”作“日”，孙校与中华校点本同。按：“日”迨“曰”字之误。史记原文即作“曰”。“期曰暮见火举而俱发”，言与部众相约之曰“暮见火举而俱发”。此“期”亦即孙子行军篇“奔走而陈兵车者，期也”之“期”，而非“期日”、“期月”之“期”。诗鄘风桑中“期我乎桑中”，即邀约之义。如依原本作“期日”，则与下文“暮见火举而俱发”及“庞涓果夜至斫木下”文意失属矣。故据史记改“曰”为是。

二、注孙子序

三国　曹操

操闻:上古有“弧矢”之利,论语曰“足兵”,尚书“八政”曰“师”,易曰“师贞,丈人吉”,诗曰“王赫斯怒,爰征其旅”,黄帝、汤、武咸用干戚以济世也。司马法曰“人故杀人,杀之可也。恃武者灭,恃文者亡”,夫差、偃王是也。圣人之用兵,戢而时动,不得已而用之。吾观兵书战策多矣,孙武所著深矣〔一〕,审计重举,明画深图,不可相诬。而但世人未之深亮训说,况文烦富,行于世者失其旨要,故撰为略解焉。

(孙星衍平津馆丛书孙吴司马法)

校　记

〔一〕此句之下,孙校据御览增补“孙子者,齐人也,名武,为吴王阖闾作兵法一十三篇,试之妇人,卒以为将,西破强楚,入郢,北威齐、晋。后百岁馀,有孙膑,是武之后也”五十字,并谓史记正义引“魏武帝云:孙子者,齐人,事于吴王阖闾,为吴将,作兵法十三篇”,即为此文。按:此平津本系孙氏属顾广圻据其从兄顾之逵小读书堆旧藏宋本影刊。唯据孙诒让说,此本乃删节之本,此序是否经过删节,不可确知。御览所引全文为“操闻上古弧矢之刊，论语足食足兵，易曰‘师贞’，传云‘王赫斯怒’，黄帝、汤、武咸用干戚为民也。用武者灭，用文者亡，夫差、偃王是也。圣贤之于兵也，戢而时动，不得已而用之。观兵书战策，孙武深矣。孙子者，齐人也，名武，为吴王阖闾作兵法一十三篇，试之妇人，卒以为将，西破强楚，入郢，北灭齐、晋。后百馀岁，有孙膑，是武之后也”，可知引文非但残缺不全，而且错讹殊甚，故无取，而录作参考可也。

三、注孙子序

唐　杜牧

兵者刑也，刑者政事也，为夫子之徒，实仲由、冉有之事也。今者，据案听讼、械系罪人、笞死于市者，吏之所为也。驱兵数万，橛其城郭，系累其妻子，斩其罪人，亦吏之所为也。木索兵刃，无异意也；笞之与斩，无异刑也。小而易制，用力少者，木索笞也；大而难制，用力多者，兵刃斩也。俱期于除去恶民，安活善人。为国家者，使教化通流，无敢辄有不由我而自恣者，其取吏无他术也，无异道也，俱止于仁义忠信、智勇严明也。苟得其道一二者，可以使之为小吏；尽得其道者，可以使之为大吏。故用力少者，其吏易得也，功易见也；用力多者，其吏难得也，功难就也。止此而已，无他术也，无异道也。自三代已降，皆由斯也。

子贡讼夫子之德曰："文武之道，未坠于地。在人贤者，识其大者、远者；不贤者，识其小者、近者。"季孙问冉有曰："子于战，学之乎，性达之也？"对曰："学之。"季孙曰："事孔子，恶乎学？"冉有曰："即学之于孔子者。大圣兼该，文武并用。适闻其战法，犹未之详也。"复不知自何代、何人分为二道，曰文、曰武，离而俱行。因使搢绅之士不敢言兵，或耻言之；苟有言者，世以为粗暴异人,人不比数。呜呼!亡失根本,斯最为甚。

周公相成王,制礼作乐,尊大儒术,有淮夷叛,则出征之。夫子相鲁公,会于夹谷,曰:“有文事者,必有武备,叱辱齐侯,服不敢动。是二大圣人岂不知兵乎〔一〕?周有齐太公,秦有王翦,两汉有韩信、赵充国、耿弇、虞诩、段颎,魏有司马懿,吴有周瑜,蜀有诸葛武侯,晋有羊祜、杜公元凯,梁有韦叡,元魏有崔浩,周有韦孝宽,隋有杨素,国朝李靖、李勣、裴行俭、郭元振,如此人者,当其一时,其所出计画,皆考古校今,奇秘长远,策先定于内,功后成于外。彼壮健轻死善击刺者,供其呼召指使耳,岂可知其由来哉?

某幼读礼,至于“四郊多垒,卿大夫辱也”,谓其书真不虚说。年十六时〔二〕,见盗起,圜二三千里,系戮将相,族诛刺史及其官属,尸塞城郭,山东崩坏,殷殷焉声震朝廷。当其时,使将兵行诛者,则必壮健善击刺者。卿大夫行列进退,一如常时;笑歌嬉游,辄不为辱。非当辱不辱,以为山东乱事,非我辈所宜当知。某自此谓幼所读礼,真妄人之言,不足取信,不足为教。及年二十,始读尚书、毛诗、左传、国语、十三代史书,见其树立其国,灭亡其国,未始不由兵也。主兵者,圣贤材能、多闻博识之士,则必树立其国也;壮健击刺、不学之徒,则必败亡其国也。然后信知为国家者,兵最为大,非贤卿大夫,不可堪任其事;苟有败灭,真卿大夫之辱,信不虚也。因求自古以兵著书列于后世、可以教于后生者,凡十数家,且百万言。其孙武所著十三篇,自武死后凡千岁,将兵者有成者,有败者,勘其事迹,皆与武所著书一一相抵当,犹印圈模刻,一不差跌〔三〕。武之所论,大约用仁义、使机权也。武所著书,凡数十万言。曹魏武帝削其繁剩，笔其精切，凡十三篇〔四〕，成为一编。曹自为序，因注解之，曰："吾读兵书战策多矣，孙武深矣。"然其所为注解，十不释一。此者，盖非曹不能尽注解也。予寻魏志，见曹自作兵书十馀万言。诸将征伐，皆以新书从事。从令者克捷，违教者负败。意曹自于新书中驰骤其说，自成一家事业，不欲随孙武后，尽解其书；不然者，曹岂不能耶？今新书已亡，不可复知。予因取孙武书，备其注。曹之所注，亦尽存之，分为上、中、下三卷。后之人，有读武书予解者，因而学之，犹盘中走丸。丸之走盘，横斜圆直，计于临时，不可尽知；其必可知者，是知丸不能出于盘也。议于廊庙之上，兵形已成，然后付之于将。汉祖言"指踪者人也，获兔者犬也"，此其是也。彼为相者曰："兵非吾事，吾不当知。"君子曰："叨居其位可也。"

（四部丛刊樊川文集卷十）

校 记

〔一〕"二大圣人"，原本作"一大圣人"。按：此接上言周公、孔子之事，自当作"二大圣人"。唐文粹卷九五与文苑英华卷七三八"一"均作"二"，是，故据改。

〔二〕"年十六"，原本字坏，作"午十六"。

〔三〕"差跌"，原本作"著跌"，"著"盖"差"之讹。

〔四〕"笔其精切"，原本"其"误作"不"，今改正。

四、孙子后序一作书孙子后

宋　欧阳修

世所传孙武十三篇，多用曹公、杜牧、陈皞注，号三家孙子。余顷与撰四库书目，所见孙子注者尤多。一有“至二十馀家”五字。武之书本于兵，兵之术非一，而以不穷为奇，宜其说者之多也。凡人之用智，有短长，其施设各异，故或胶其说于偏见，然无出所谓“三家”者。三家之注，皞最后，其说时时攻牧之短。牧亦慨然最喜论兵，欲试而不得者。其学能道春秋战国时事，甚博而详。然前世言善用兵，称曹公。曹公尝与董、吕、诸袁角其力而胜之，遂与吴、蜀分汉而王。传言：魏之诸将，出兵千里，一有“公”字。每坐计胜败，授其成算，诸将用之，十不失一，一有违者，兵辄败北。故魏世用兵，悉以新书从事。其精于兵也如此。牧谓曹公于注孙子尤略，盖惜其所得，自为一书，是曹公悉得武之术也。然武尝以其书干吴王阖闾，阖闾用之，西破楚，北服齐、晋，而霸诸侯。夫使武自用其书，止于强伯；及曹公用之，然亦终不能灭吴、蜀，岂武之术尽于此乎？抑用之不极其能也？后之学者，徒见其书，又各牵于己见〔一〕，是以注者虽多，而少当也。独吾友圣俞不然，尝评武之书曰：“此战国相倾之说也，三代王者之师，司马‘九伐’之法，武不及也。然亦爱其文略而意深，其行师用兵、料敌制胜亦皆有法，其言甚有次序。而注者汩之〔二〕，或失其意。乃自为注。凡胶于偏见者，皆抉一作“排”。去，傅以己意而发之。然后武之说不汩而明。”吾知此书当与三家并传，而后世取其说者，往往于吾圣俞多焉。圣俞为人谨质、温恭，一有“仁厚而明”四字。衣冠进趋，眇然儒者也。后世之视其书者，与太史公疑张子房为壮夫何异？

（四部丛刊欧阳文忠公文集卷四三）

校 记

〔一〕“己”，原作“已”，下同，今予正之。

〔二〕“汩”，原作“汨”。按：此二字因形近而常相乱，此当作“汩”，乱义。

五、十家注孙子遗说并序

宋 郑友贤

求之而益深者，天下之备法也；叩之而不穷者，天下之能言也。为法、立言，至于益深不穷，而后可以垂教于当时，而传诸后世矣。儒家者流，惟苦易之为书，其道深远而不可穷；学兵之士，尝患武之为说，微妙而不可究，则亦儒者之易乎？盖易之为言也，兼三才，备万物，以阴阳不测为神。是以仁者见之谓之仁，智者见之谓之智，百姓日用而不知。武之为法也，包四种，笼百家，以奇正相生为变。是以谋者见之谓之谋，巧者见之谓之巧，三军由之而莫能知之。迨夫九师百氏之说兴，而益见大易之义，如日月星辰之神，徒推步其辉光之迹，而不能考其所以为神之深。十家之注出，而愈见十三篇之法如五声、五色之变，惟详其耳目之所闻见，而不能悉其所以为变之妙。是则武之意，不得谓尽于十家之注也。然而学兵之徒，非十家之说，亦不能窥武之藩篱。寻流而之源，由径而入户，于武之法，不可谓无功矣。顷因馀暇，摭武之微旨而出于十家之不解者，略有数十事，托或者之问，具其应答之义，名曰十注遗说。学者见其说之有遗，则始信益深之法、不穷之言，庶几大易不测之神矣。

或问：死生之地，何以先存亡之道？曰：武意以兵事之大，在将得其人。将能，则兵胜而生；兵生于外，则国存于内。将不能，则兵败而死；兵死于外，则国亡于内。是外之生死，系内之存亡也。是故兵败长平而赵亡，师丧辽水而隋灭。太公曰："无智略大谋，强勇轻战，败军散众，以危社稷，王者慎勿使为将。"此其先后之次也。故曰："知兵之将，生民之司命，国家安危之主也。"

或问：得算之多，得算之少，况于无算，何以是多、少、无之义？曰：武之文，固不汗漫而无据也。盖经之以"五事"，校之以"七计"，彼我之算，尽于此矣。"五事"之经，得三、四者为多，得一、二者为少。"七计"之校，得四、五者为多，得二、三者为少。五、七俱得者为全胜，不得者为无算，所谓冥冥而决事、先战而求胜、图乾没之利、出浪战之师者也。

或问：计利之外，所佐者何势？曰：兵法之传有常，而其用之也有变。常者，法也；变者，势也。书者，可以尽常之言，而言不能尽变之意。"五事"、"七计"者，常法之利也；"诡道"不可先传者，权势之变也。守常而求胜，如胶柱鼓瑟，以书御马。赵括所以能书而不能战，易言而不知变也。尽法在书之传，而势在人之用。武之意，初求用于吴，恐吴王得书听计而弃己也〔一〕，故以此辞动之，乃谓书之外，尚有"因利制权"之势〔二〕，在我能用耳。

或问："因粮于敌"者，无远输之费也，"取用必于国"者何也？曰：兵械之用，不可假人，亦不可假于人。器之于人，固在积习便熟，而适其短长重轻之宜，与夫手足不相钮铻，而后可以济用而害敌矣。吾之器，敌不便于用；敌之器，吾不习其利。非国中自备，而习惯于三军，则安可一旦仓卒，假人之兵，而给己之用哉？易曰："萃除戎器，以戒不虞。"太公曰："虑不先设，器械不备。”此皆言取用于国,不可因于人也。

或问:兵以伐谋为上者,以其有屈人之易,而无血刃之难;“伐兵”、“攻城”为之次下明矣;“伐交”之智,何异于“伐谋”之工而又次之?曰:破谋者,不费而胜;破交者,未胜而费。帷幄樽俎之间〔三〕,而揣摩折冲,心战计胜其未形已成之策,不烦毫厘之费,而彼奔北降服之不暇者,“伐谋”之义也。或遣使介,约车乘聘币之奉;或使间谍,出土地金玉之资。张仪散六国之从,阴厚者数年;尉缭子破诸侯之援,出金三十万。如此之类,费已广而敌未服,非加以征伐之劳,则未见全胜之功,宜乎次于晏婴、子房、寇恂、荀彧之智也。

或问:武之书皆法也,独曰“此谋攻之法也”、“此军争之法也”〔四〕?曰:馀法概论兵家之术,惟二篇之说及于用,诚其易用而称其所难。夫告人以所难,而不济之以成法,则不足为完书。盖“谋攻”之法,以全为上,以破次之。得其法,则兵不钝而利可全;非其法,则有杀士三分之灾。“军争”之法,以迂为直,以患为利。得其法,则后发而先至;非其法,则至于擒三将军。此二者,岂用兵之易哉?乃云“必以全争于天下”,又云“莫难于军争”,难之之辞也。欲济其所难者,必详其法。凡所谓“屈人非战”、“拔城非攻”、“毁国非久”者,乃“谋攻”之法也。凡所谓“十一而至”、“先知迂直之计”者,乃“军争”之法也。见其法,而知其难于馀篇矣。

或问:“将能而君不御者胜”,后魏太武命将出师,从命者无不制胜,违教者率多败失;齐神武任用将帅出讨,奉行方略,罔不克捷,违失指教,多致奔亡,二者不几于御之而后胜哉?曰:知此而后可以起武之意。既曰“将能而君不御者胜”,则其意固谓将不能而君御之则胜也。夫将帅之列，才不一概，智愚、勇怯，随器而任。能者，付之以阃寄；不能者，授之以成算。亦犹后世责曹公使诸将以新书从事，殊不识公之御将，因其才之小大而纵抑之。张辽、乐进，守斗之偏才也。合淝之战，封以函书，节宣其用；夏侯惇兄弟，有大帅之略，假以节度，便宜从事，不拘科制，何尝一概而御之邪？传曰："将能而君御之，则为縻军；将不能而君委之，则为覆军。"惟公得武法之深，而后太武、神武庶几公之英略耳，非司马宣王，安能发武之蕴哉？

或问："胜可知而不可为"者，以其在彼者也；"佚而劳之"，"亲而离之"，佚与亲在敌，而吾能劳且离之，岂非可为欤？曰：传称"用师观衅而动"，敌有衅，不可失。盖吾观敌人无可乘之衅，不能强使为吾可胜之资者，"不可为"之义也。敌人既有可乘之隙，吾能置术于其间，而不失敌之败者，"可知"之义也。使敌人主明而贤，将智而忠，不信小说而疑，不见小利而动，其佚也，安能劳之？其亲也，安能离之？有楚子之暗与囊瓦之贪，而后吴人亟肄以疲之；有项王之暴与范增之隘，而后陈平以反间疏之。夫衅隙之端，隐于佚亲之前，劳离之策，发于衅隙之后者，乃所谓"可知"也；则惟无衅隙者，乃"不可为"也。

或问："守则不足，攻则有馀"，其义安在？曰：谓吾所以守者力不足、吾所以攻者力有馀者，曹公也。谓力不足者可以守、力有馀者可以攻者，李筌也。谓非强弱为辞者，卫公也。谓守之法要在示敌以不足、攻之法要在示敌以有馀者，太宗也。夫攻守之法，固非己实强弱，亦非虚形示敌也〔五〕。盖正用其有馀不足之形势，以固己胜敌。夫所谓"不足"者，吾隐形于微，而敌不能窥也；"有馀"者，吾乘势于盛，而敌不能支也。"不足"者，微之称也。当吾之守也,灭迹于不可见,韬声于不可闻,藏形于微妙不足之际,而使敌不知其所攻矣,所谓“藏于九地之下”者是也。“有馀”者,盛之称也。当吾之攻也,若迅雷惊电,坏山决塘,作势于盛强有馀之极,而使敌不知其所守矣,所谓“动于九天之上”者是也。此“有馀”、“不足”之义也。

或问:“三军之众,可使必受敌而无败者,奇正是也”,“受敌”、“无败”,二义也,其于“奇”、“正”有所主乎?曰:武论“分数”、“形名”、“奇正”、“虚实”四者,独于“奇正”云云者,知其法之深而二义所主未白也。复曰“凡战,以正合,以奇胜”,“正合”者,“正”主于受敌也;“奇胜”者,“奇”主于无败也。以“合”为受敌,以“胜”为无败,不其明哉?

或问:武论“奇”、“正”之变,二者相依而生,何独曰“善出奇者”?曰:阙文也。凡所谓如“天地”、“江河”、“日月”、“四时”、“五色”、“五味”,皆取无穷无竭、相生相变之义,故首论以“正合”、“奇胜”,终之以“奇正之变,不可胜穷,相生如循环之无端”,岂以一“奇”而能生变,交相无已哉?宜曰“善出奇正者,无穷如天地”也。

或问:“其势险”者,其义易明;“其节短”者,其旨安在?曰:力虽甚劲者,非节量短近而适其宜,则不能害物。鲁缟之脆也,强弩之末不能穿;毫末之轻也,冲风之衰不能起;鸷鸟虽疾也,高下而远来,至于竭羽翼之力,安能击搏而毁折哉?尝以远形为难战者此也。是故麴义破公孙瓒也,发伏于数十步之内;周访败杜曾也,奔赴于三十步之外,得“节短”之义也。

或问:十三篇之法,各本于篇名乎?曰:其义各主于题篇之名,未尝泛滥而为言也。如虚实者,一篇之义,首尾次序,皆不离虚、实之用，但文辞差异耳。其意所主，非实即虚，非虚即实，非我实而彼虚，则我虚而彼实。不然，则虚实在于彼此，而善者变实而为虚，变虚而为实也。虽周流万变，而其要不出此二端而已。凡所谓“待敌者佚”者，力实也；“趋战者劳”者，力虚也。“致人”者，虚在彼也；“不致于人”者，实在我也。“利之也”者，役彼于虚也；“害之也”者，养我之实也。“佚能劳之”、“饱能饥之”、“安能动之”者，佚、饱、安，实也；劳、饥、动，虚也。彼实而我能虚之也。“行于无人之地”者，趋彼之虚而资我之实也。“攻其所不守”者，避实而击虚也。“守其所不攻”者，措实而备虚也。“敌不知所守”者，斗敌之虚也；“敌不知所攻”者，犯我之实也。“无形”、“无声”者，虚实之极而入神微也。“不可御”者，乘敌备之虚也；“不可追”者，畜我力之实也。“攻所必救”者，乘虚则实者虚也；“乖其所之”者，能实则虚者实也。“形人”而“敌分”者，见彼虚实之审也；“无形”而“我专”者，示吾虚实之妙也。“所与战约”者，彼虚无以当吾之实也。“寡而备人者”，不识虚实之形也；“众而备已”者，能料虚实之情也。“千里会战”者，预见虚实也。“左右不能救”者，信人之虚实也。“越人无益于胜败”者，越将不识吴之虚实也。“策之”、“候之”、“形之”、“角之”者，辨虚实之术也。“得”也、“动”也、“生”也、“有馀”也者，实也；“失”也、“静”也、“死”也、“不足”也者，虚也。“不能窥谋”者，外以虚实之变惑敌人也；“莫知吾制胜之形”者，内以虚实之法愚士众也。“水因地制流，兵因敌制胜”者，以水之高下喻吾虚实变化不常之神也。五行胜者，实也；囚者，虚也。四时来者，实也；往者，虚也。日长者，实也；短者，虚也。月生者，实也；死者，虚也。皆虚实之类，不可拘也。以此推之，馀十二篇之义皆仿于此，但说者不能详之耳。

或问："军争为利，众争为危"，军之与众也，利之与危也，义果异乎？曰：武之辞未尝妄发而无谓也。"军争为利"者，下所谓"军争之法"也；夫惟所争而得此"军争之法"，然后获胜敌之利矣。"众争为危"者，下所谓"举军而争利"也；夫惟全举三军之众而争，则不及于利而反受其危矣。盖"军争"者，案法而争也；"众争"者，举军而趋也。"为利"者，后发而先至也；"为危"者，擒三将军也。

或问："兵以诈立，以利动，以分合为变"，"立"也，"动"也，"变"也，三者先后而用乎？曰：先王之道〔六〕，兵家者流，所用皆有本末先后之次，而所尚不同耳。盖先王之道，尚仁义而济之以权；兵家者流，贵诈利而终之以变。司马法以仁为本，孙武以诈立；司马法以义治之，孙武以利动；司马法以正不获意权则，孙武以分合为变。盖本仁者，治必为义；立诈者，动必为利。在圣人谓之权，在兵家名曰变。非本与立，无以自修；非治与动，无以趋时；非权与变，无以胜敌。有本、立，而后能治、动；能治、动，而后可以权、变。权、变所以济治、动，治、动所以辅本、立。此本末先后之次略同耳。

或问：武所论"举军"、"动众"，皆法也，独称"此用众之法"者何也？曰：武之法，奇正贵乎相生，节制、权变两用而无穷。既以正兵节制，自治其军，未尝不以奇兵权变而胜敌。其于论势也，以"分数"、"形名"居前者，自治之节制也；以"奇正"、"虚实"居后者，胜敌之权变也。是先节制而后权变也。凡所谓"立于不败之地，而不失敌之败"、"修道而保法"、"自保而全胜"者，皆相生两用，先后之术也。盖"鼓铎、旌旗，所以一人之耳目。人既专一,勇者不得独进,怯者不得独退”,此何法也?是节制自治之正法也,止能用吾三军之众而已。其法也,固未尝及于胜人之奇也。谈兵之流〔七〕,往往至此而止矣。武则不然,曰:此用吾众之法也。凡所谓变人之耳目而夺敌之心气,是权谋胜敌之奇法也。

或问:夺气者必曰“三军”,夺心者必曰“将军”,何也?曰:三军主于斗,将军主于谋;斗者乘于气,谋者运于心。夫鼓作斗争、不顾万死者,气使之也;深思远虑、以应万变者,心主之也。气夺,则怯于斗;心夺,则乱于谋。下者不能斗,上者不能谋,敌人上下怯乱,则吾一举而乘之矣。传曰“一鼓作气,三而竭”者,夺斗气也;“先人有夺人之心”者,夺谋心也。“三军”、“将军”之事异矣。

或问:自计及间,上下之法皆要妙也,独云“此用兵之法妙”者,何也〔八〕?曰:夫事至于可疑,而后知不疑者,为明;机至于难决,而后知能决者,为智。用兵之法,出于众人之所不可必者,而吾之明智了然不至于犹豫者,其所得固过于众人,而通于法之至妙也。所谓“高陵勿向”、“背丘勿逆”,盖亦有可向、可逆之机。“佯北勿从”、“锐卒勿攻”,亦有可从、可攻之利。“饵兵勿食”、“归兵勿遏”,亦有可食、可遏之理。“围师必阙”、“穷寇勿追”,亦有不阙、可追之胜。此兵家常法之外,尚有反复微妙之术,智者不疑而能决,所谓“用兵之法妙”也。

或问:“九变”之法,所陈五事者何?曰:“九变”者,“九地”之变也。“散”、“轻”、“争”、“交”、“衢”、“重”、“圮”、“围”、“死”,此“九地”之名也。“一其志”、“使之属”、“趋其后”、“谨其守”、“固其结”、“继其食”、“进其涂”、“塞其阙”、“示不活”,

此"九地"之变也。九而言五者,阙而失次也。下文曰"将通于九变之地利者,知用兵矣;将不通九变之利者,虽知地形,不能得地之利矣",是"九变"主于"九地"明矣。故特于九地篇曰:"九地之变,人情之理,不可不察也。"然则既有"九地",何用"九变"之文乎?曰:武所论"将不通九变之利",又曰"治兵不知九变之术",盖"九地"者陈变之利,故曰"不知变,不得地之利";"九变"者言术之用,故曰"不知术,不得人之用"。是故"六地"有形,"九地"有名;"九名"有变,"九变"有术。知形而不知名,决事于冥冥;知名而不知变,驱众而浪战;知变而不知术,临用而事屈。此所以"六地"、"九地"、"九变"皆论地利,而为篇异也。李筌以"涂有所不由"而下"五利"兼之为十变者,误也;复指下文为"五利",何尝有"五利"之义也?"绝地无留",当作"轻地",盖"轻"有"无止"之辞。

或问:"凡军好高而恶下",太公曰"凡三军处山之高,则为敌所栖",岂"好高"之义乎?曰:武之"高",非太公之"高"也。公所论,天下之绝险也,高山盘石,其上亭亭,无有草木,四面受敌。盖无草木,则乏茑牧樵采之利;四面受敌,则绝出入运馈之路。可上而不可下,可死而不可久,此固有栖之之害也。武之所论,假势利之便也。处隆高丘陵之地,使敌人来战,则有登隆、向陵、逆丘之害,而我得因高乘下、建瓴走丸、转石决水之势;加以养生处实,先利粮道,战则有乘势之便,守则有处实之固,居则有养生足食之利,去则有便道向生之路,虽有百万之敌,安能栖我于高哉?太武栖姚兴于天渡,李先计令遣奇兵邀伏,绝柴壁之粮道,此兴犯处高之忌,而先得栖敌之法,明矣。学孙武者,深明"好高"之论,而不悟处于太公之"绝险",知其势利之便者，后可与议其书矣。

或问："六地"者，地形也，复论将有"六败"者何？曰：恐后世学兵者泥胜负之理于地形也。故曰"地形者，兵之助"，非上将之道也。太公论主帅之道：择善地利者三人而委之，则地形固非将军之事也。所谓"料敌制胜"者，上将之道也。知此为将之道者，战则必胜；不知此为将之道者，战则必败。凡所言"曰走"、"曰弛"、"曰崩"、"曰陷"、"曰乱"、"曰北"者，此六者，败之道，将之至任，不可不察也。是胜败之理，不可泥于地形，而系于将之工拙也。至于"九地"亦然。曰"刚柔皆得，地之理也"、"将军之事，静以幽正以治"、"驱三军之众，如群羊往来，不知其所之"者，将军之事也。特垂诫于"六地"、"九地"者，孙武之深旨也。

或问："死焉不得士人尽力"，诸家释为二句者何？曰：夫人之情，就其甚难者，不顾其甚易；舍其至大者，不吝其至微。死，难于生也；甘其万死之难，则况出于生之甚易者哉？身，大于力也；弃其一身之大，则况用于力之至微者哉？武意以谓，三军之士，投之无所往，则白刃在前，有所不避也；死且不避，况于生乎？身犹不虑，况于力乎？故曰"死且不北"。夫三军之士，不畏死之难者，安得不人人尽其力乎？"死焉不得士人尽力"，诸家断为二句者，非武之本意也。

或曰："方马埋轮"，诸家释"方"为缚，或谓缚马为方陈者，何也？曰：解"方"为缚者，义不经；据缚而方之者，非武本辞。盖"方"当作"放"字。武之说本乎：人心离散，则虽强为固止，而不足恃也；固止之法，莫过于梱其所行。古者用兵，人乘车而战，车驾马而行。今欲使人固止而不散，不得"齐勇"之政，虽放去其马而牧之,陷轮于地而埋之,亦不足恃之为不散也。噫!车中之士,辕不得马而驾,轮不得辙而驰,尚且奔走散乱而不一,则固在以政而齐其心也。

或问:“兵情主速”,又曰“为兵之事”,夫“情”与“事”义果异乎?曰:不可探测而蕴于中者,情也;见于施为而成乎其外者,事也。情隐于事之前,而事显于情之后。此用兵之法,隐显先后之不同也。所谓“兵之情主速”者,盖吾之所由、所攻,欲出于敌人之不虞、不诫也。夫以神速之兵,出于人之所不能虞度而诫备者,固在中情秘密而不露,虽智者,深间不能前谋、先窥也。所谓“为兵之事”者,盖敌意既顺而可详,敌衅已形而可乘,一向并敌之势,千里杀敌之将,使陈不暇战而城不及守者,彼败事已显,而吾兵业已成于外也。故曰“所谓巧能成事者”,此也。是则情、事之异,隐显先后也。

或曰:“九地”之中复有“绝地”者,何也?曰:兴师动众,去吾之国中,越吾之境土,而初入敌人之地,疆埸之限,所过关梁津要,使吾踵军在后,告毕书绝者,所以禁人内顾之情,而止其还遁之心也。司马法曰:“书亲绝,是谓绝顾壹虑。”尉缭子踵军令曰:“遇有还者,诛之。”此“绝地”之谓也。然而不预“九地”者何?“九地”之法皆有变,而“绝地”无变,故论于“九地”之中,而不得列其数也。或以“越境”为越人之国,如秦越晋伐郑者,凿也。

或问:“不知诸侯之谋,不能预交;不知山林、险阻、沮泽之形,不能行军;不用乡导,不能得地利”,重言于军争、九地二篇者,何也?曰:此三法者,皆行师争利、出没往来、迟速先后之术也。盖“军争”之法,“变迂为直”〔九〕、“后发先至”之为急也;“九地”之利,盛言“为客”深入利害之为大也,非此三法,安能举哉？噫！与人争迂直之变，趋险阻之地，践敌人之生地，求不识之迷涂，若非和邻国之援为之引军，明山川林麓、险难阻厄、沮洳濡泽之形而为之标表，求乡人之习熟者为之前导，则动而必迷，举而必穷，何异即鹿无虞，惟入于林，不行其野，强违其马，欲争迂直之胜，图深入之利，安能得其便乎？称之二篇，不其旨哉！

或问：何谓"无法之赏"、"无政之令"？曰：治军御众，行赏之法，施令之政，盖有常理。今欲犯三军之众，使不知其利害，多方误敌，而因利制权，故赏不可以拘常法，令不可以执常政。噫！常法之赏不足以愚众，常政之令不足以惑人，则赏有时而不拘、令有时而不执者，将军之权也。夫进有重赏，有功必赏，赏法之常也。吴子相敌，北者有赏；马隆募士，未战先赏。此无法之赏也。先庚后甲，三令五申，政令之常也。武曰："若驱群羊往来，莫知所之。"李愬袭元济，初出，众请所向，曰："东六十里止。"至张柴，诸将请所止，复曰："入蔡州。"此无政之令也。

或问：用间、使间，"圣智"、"仁义"，其旨安在？曰：用间者，用间之道也，或以事，或以权，不必人也。圣者无所不通，智者深思远虑；非此圣智之明，安能坐以事权间敌哉？使间者，使人为间也。吾之与间，彼此有可疑之势。吾疑间有覆舟之祸，间疑我有害己之计。非仁恩不足以结间之心，非义断不足以决己之惑。主无疑于客，客无猜于主，而后可以出入于万死之地而图功矣。秦王使张仪相魏，数年无效；而阴厚之者，恩结间之心也。高祖使陈平用金数十万离楚君臣，平，楚之亡虏也，吾无问其出入者，义决己之惑也。

或问：伊挚、吕牙，古之圣人也，岂尝为商、周之间邪？武之所称，岂非尊间之术而重之哉？曰：古之人，立大事，就大业，未尝不守于正;正不获意,则未尝不假权以济道。夫事业至于用权,则何所不为哉?但处之有道,而卒反于正,则权无害于圣人之德也。盖在兵家名曰"间"〔一○〕,在圣人谓之"权"。汤不得伊挚,不能悉夏政之恶;伊挚不在夏,不能成汤之美。武不得吕牙,不能审商王之罪;吕牙不在商,不能就武之德。非此二人者,不能立顺天应人、伐罪吊民之仁义,则非为间于夏、商而何?惟其处之有道而终归于正,故名曰"权"。兵家之间,流而不反,不能合道,而入于诡诈之域,故名曰"间"。所谓以上智成大功者,真伊、吕之权也。权与间,实同而名异。

或问:间何以终于篇之末?曰:用兵之法,惟间为深微神妙,而不可易言也。所谓"非圣智不能用间,非微妙不能得间之实"者,难之之辞也。武始以十三篇干吴者,亦欲以其书之法教阖闾之知兵也。教人之初,蒙昧之际,要在从易而入难,先明而后幽,本末次序而导之,使不惑也。是故始教以计量、校算之法,而次及于战攻、形势、虚实、军争之术,渐至于行军、九变、地形、地名、火攻之备。诸法皆通,而后可以论间道之深矣。噫!教人之始者,务令明白易晓,而遽期之以圣智微妙之所难,则求之愈劳,而索之愈迷矣,何异王通谓不可骤而语易者哉?或曰:庙堂多算,非不难也,何不列之终篇也?曰:计之难者,"经之以五事,校之以七计而索其情"也。夫敌人之情,最为难知,不可取于鬼神,不可求象于事,不可验于度,先知者必在于间。盖计待情而后校,情因间而后知,宜乎以间为深而以计为浅也。孙武之蕴至于此,而后知十家之说不能尽矣。

（原本附录）

校　记

〔一〕原本“己”或作“巳”，今予正之。下不出校。

〔二〕原本“因”误作“困”，中华校点本已正，是。

〔三〕“间”，原本或作“閒”，或作“间”。按：“间”乃“閒”之俗体，今统作“间”。下同。

〔四〕该文诸节皆系以答问形式解释经义，故问句皆有疑问副词如“何”、“焉”、“安”、“岂”等，此节亦当不例外。“何”字或在“独曰”之上，其句式可如下节：“或问：武论奇正之变，二者相依而生，何独曰‘善出奇者’？”“何”字亦可在句末，其句式如再下节：“或问：武所论举军、动众，皆法也，独称‘此用众之法何也’？”若无此字，则句首虽有“或问”二字，但下面却是一陈述句，而不成其为问句矣，故当补“何”为宜。

〔五〕原本“虚形示敌”作“虚形视敌”。按上文既言“示敌以不足”、“示敌以有馀”，下文又言“隐形于微”、“灭迹于不可见，韬声于不可闻，藏形于微妙不足之际”，皆以示形为言，故作“视敌”则失其义矣，当作“示敌”。

〔六〕“先王之道”，原本作“兵王之道”。按：“兵”盖涉下“兵家者流”之“兵”字而误。下文即以“先王之道”与“兵家者流”对言，故当据改。

〔七〕“谈兵之流”，原文如此，唯据文意，“之”当作“者”。

〔八〕“用兵之法妙”，原本如此，但十三篇无“法妙”之说，唯下文亦言“用兵之法妙”，故仍之。所谓“法妙”盖亦妙法之意，言法之妙者也。明其旨义而存其旧说可也。

〔九〕“变迂为直”，原本作“方变迂为直”。“方”字无义，当系衍文，今删之。

〔一〇〕此句“盖”字下原有“尽”字，孙校本与中华校点本已删，是，从之。

六、孙子集注序

明　谈恺

欧阳文忠公撰四库书目，言孙子注二十馀家，予所见仅此：汉有曹操，唐有杜牧、李筌、陈皞、孟氏、贾林、杜佑，宋有张预、梅尧臣、王皙、何氏。诸家多托之空言，而曹操则见之行事者也。操尝别为新书，诸将征伐，即以新书授之，从者胜，违者负。今新书不传，而见于李卫公问答者，机权应变实本之孙子。其注多隐辞，引而不发。操之所以如鬼也。杜牧自序云："孙武死后凡千岁，将兵者有成有败，勘其事迹，皆与武所著书一一相抵当，犹印圈模刻，一不差跌。予解犹盘中走丸，横斜曲直，计于临时，不可尽知；其必可知者，知丸之不能出于盘也。"牧未尝用兵，观其与时宰论兵二书，谓尚古兵柄，本出儒术，援古证今，若绳裁刀解；使其言用，山东不足平矣。陈皞注多指谪杜之谬误。人各有见，未必为樊川病也。李筌注依太乙遁甲，杂引诸史以证太乙遁甲，与今所存书往往不同。意古书散逸久矣，孟氏、贾林、杜佑，即唐纪燮所集者。岐公相业足称，而文章议论亦炳焕杰出。其注即里居时撰，见通典。张预取历代名将用兵制胜有合于孙子者，编次为传，于孙子多所发明。梅尧臣注，文忠公谓其当与"三家"并传，晦翁有定论矣。孟氏、贾林、王皙、何氏，虽言人人殊，而皆于观者有所裨益。此注之所以集也。

夫兵，凶器也，不得已而用之者也。然不素习于承平之时，而姑试于有事之日，吾不知其可也。故生而悬弧，长而习射，冬而讲武，凡人之所当知者也。诗云："文武吉甫，万邦为宪。"孔子曰："有文事者，必有武备。"又曰："我战则克。"圣人之所以教者也。余夙有四方之志，每涉猎群书，而尤嗜孙子。孙子上谋而后攻，"修道而保法"；论将则曰"仁"、"智"、"信"、"勇"、"严"，与孔子合。至于战守、攻围之道，批抗、捣虚之术，山林、险阻之势，料敌、用间之谋，靡不毕具，其他韬钤机略，孰能过之？然其言约而该，近而远，未易窥测。今观诸家所注，或本隐以之显，或由粗而识精，或援史而证之以事，或因言而实之以人，于是孙子之微词奥义彰彰明矣。故曰孙子十三篇不惟武人根本，文士亦当尽心焉。旨哉言乎！

予奉命督军虔台，进武弁及生儒问之，无有知是书者。故授之以梓，以广其传。

嘉靖乙卯春正月谷日，锡山谈恺书于虔台之思归轩。

（四部丛刊孙子集注）

七、孙子兵法序

清　孙星衍

黄帝李法、周公司马法已佚，太公六韬原本今不传，兵家言惟孙子十三篇最古。古人学有所受，孙子之学或即出于黄帝，故其书通三才、五行，本之仁义，佐以权谋。其说甚正。古之名将，用之则胜，违之则败，称为"兵经"，比于六艺，良不愧也。孙子为吴将兵，以三万破楚二十万，入郢、威齐晋之功归之子胥，故春秋传不载其名，盖功成不受官。越绝书称"巫门外大冢〔一〕，吴王客孙武冢"，是其证也。其著兵书八十二篇、图九卷，见艺文志。其图"八陈"，有"苹车"之陈，见周官郑注。有算经，今存；有杂占、六甲兵法，见隋志。其与吴王问答，见于吴越春秋诸书者甚多，或即八十二篇之文。今惟传此十三篇者，史记称阖闾有"十三篇吾尽观之"之语。七录孙子兵法三卷，史记正义云"十三篇为上卷，又有中下二卷"，则上卷是孙子手定，见于吴王，故历代传之勿失也。秦汉已来，用兵皆用其法，而或秘其书，不肯注以传世。魏武始为之法，云"撰为略解"，谦言解其粗略。汉官解诂称"魏氏琐连孙武之法〔二〕，则谓其捷要"，杜牧疑为魏武删削者，谬也。此本十五卷〔三〕，为宋吉天保所集，见宋艺文志，称十家会注。十家者：一魏武，二梁孟氏，三唐李筌，四杜牧，五陈皞，六贾林，七宋梅圣俞，八王皙〔四〕，九何延锡，十张预也。书中或改“曹公”为“曹操”，或以孟氏置唐人之后，或不知何延锡之名，称为“何氏”，或多出杜佑，而置在其孙杜牧之后。吉天保之不深究此书可知。今皆校勘更正。杜佑实未注孙子，其文即通典也，多与曹注同，而文较备。疑佑用曹公、王凌、孟氏诸人古注，故有“王子曰”，即凌也，今或非全。注本孙子有王凌、张子尚、贾诩、沈友，郑本所采不足，今佚矣。曩，予游关中，读华阴岳庙道藏，见有此书，后有郑友贤遗说一卷。友贤亦见郑樵通志，盖宋人。又从大兴朱氏处见明人刻本，馀则世无传者。国家令甲，以孙子校士，所传本或多错谬，当用古本是正其文。适吴念湖太守毕恬溪孝廉皆为此学，所得或过于予，遂刊一编，以课武士。

孔子曰：“军旅之事，未之学。”又曰：“我战则克。”孔子定礼正乐，兵则“五礼”之一，不必以为专门之学，故云“未学”。所为圣人有所不知。或行军好谋则学之，或善将将如伍子胥之用孙子，又何必自学之？故又曰“我战则克”也。今世泥孔子之言，以为兵书不足观。又泥“赵括徒能读父书”之言，以为成法不足用。又见兵书有权谋，有反间，以为非圣人之法，皆不知吾儒之学者。吏之治事，可习而能，然古人犹有学制之惧。兵凶战危，将不素习，未可以人命为尝试，则十三篇之不可不观也。项梁教籍兵法，籍略知其意，不肯竟学，卒以倾覆。不知兵法之弊，可胜言哉？宋襄、徐偃仁而败。兵者危机，当用权谋。孔子犹有“要盟勿信”、微服过宋之时，安得妄责孙子以言之不纯哉？

孙子盖陈书之后。陈书见春秋传，称孙书。姓氏书以为景公赐姓，言非无本。又泰山新出孙夫人碑，亦云与齐同姓。史迂未及深考。吾家出乐安，真孙子之后，愧余徒读祖书，考证文字，不通方略，亦享承平之福者久也。阳湖孙星衍撰。

（岱南阁丛书孙子十家注）

校记

〔一〕“冢”，原本误作“家”。今改正。

〔二〕“魏氏琐连孙武之法”，原文如此，下文叙录引同。按：此“魏氏”当指曹操，而曹操可称“魏武”，而未见有以“魏氏”相称者。

〔三〕“十五卷”，疑“十三卷”之误。或十三篇为十三卷，另有附录二卷，亦未可知。

〔四〕“王晳”，原文作“王哲”。查王哲虽确有其人（见龚鼎臣东原录），但未见有孙子注之作。而王晳乃实注孙子者，诸本注文皆称“晳”，通志、通考与晁氏读书志亦并作“晳”，故当据改。

八、孙子叙录

清　毕以珣

史记曰："孙子武者，齐人也，以兵法见于吴王阖闾，卒以为将。"

吴越春秋曰："吴王登台，向南风而啸，有顷而叹，群臣莫有晓王意者。子胥知王之不定，乃荐孙子于王。孙子者，吴人也，善为兵法，辟隐幽居，世人莫知其能。"

按：孙子本齐人，后奔吴，故吴越春秋谓之吴人也。邓名世姓氏辨证书曰："齐敬仲五世孙书，为齐大夫，伐莒有功，景公赐姓孙氏，食采于乐安，生冯，为齐卿。冯生武，字长卿；以田、鲍四族谋作乱，奔吴，为将军。"是也。

史记又曰："后百馀岁，有孙膑，亦武之后世孙也。"

按：姓氏辨证书曰："武生三子：驰、明、敌。明食采于富春，生膑，即破魏军、擒太子申者也。"按此所说，则膑乃武之孙也。史记之言，犹为未审。

又按：绍兴四年，邓名世上其书。胡松年称其学有渊源，多所按据。序又云："自五经、子史，以及风俗通、姓苑、百家谱、姓纂诸书，凡有所长，尽用其说。"是其书内所云，皆可依据也。

越绝书曰："巫门外大冢，吴王客孙武冢也，去县十里。"

按：武惟为客卿，故春秋左氏传言伍员，而不详孙武也；其史称伐楚及齐、晋者，盖武以客卿将兵故也。

史记："阖闾曰：'可以小试勒兵乎？'对曰：'可。'阖闾曰：'可试以妇人乎？'曰：'可。'于是许之，出宫中美人，得百八十人。孙子分为二队，以王之宠姬二人各为队长，皆令持戟。令之曰：'汝知而心与左右手背乎？'妇人曰：'知之。'孙子曰：'前，则视心；左，视左手；右，视右手；后，即视背。'妇人曰：'诺。'约束既布，乃设铁钺，即三令五申之。于是，鼓之右，妇人大笑。孙子曰：'约束不明，申令不熟，将之罪也。'复三令五申，而鼓之左，妇人复大笑。孙子曰：'约束不明，申令不熟，将之罪也；既已明，而不如法者，吏士之罪也。'乃欲斩左右队长。吴王在台上观，见且斩爱姬，大骇，趣使使下，令曰：'寡人已知将军能用兵矣，寡人非此二姬，食不甘味，愿勿斩也。'孙子曰：'臣既已受命为将，将在军，君命有所不受。'遂斩队长二人以徇，用其次为队长。于是，复鼓之。妇人左右、前后、跪起，皆中规矩绳墨，无敢出声。于是孙子使使报王曰：'兵既整齐，王可试下观之，唯王所欲用之，虽赴水火犹可也。'吴王曰：'将军罢休就舍，寡人不愿下观。'孙子曰：'王徒好其言，不能用其实。'于是阖闾知孙子能用兵，卒以为将，西破强楚，入郢，北威齐、晋，显名诸侯，孙子与有力焉。"

吴越春秋曰："吴王问曰：'兵法宁可以小试耶？'孙子曰：'可。可以小试于后宫之女。'王曰：'诺。'孙子曰：'得大王宠姬二人，以为军队长，各将一队。令三百人皆被甲兜鍪，操剑盾而立，告以军法，随鼓进退，左右回旋，使知其禁。'乃令曰：'一鼓皆振，二鼓操进〔一〕，三鼓为战形。'于是宫女皆掩口而笑。孙子乃亲自操枹击鼓，三令五申。其笑如故。孙子顾视诸女连笑不止，孙子大怒，两目忽张，声如骇虎，发上冲冠，项旁绝缨，顾谓执法曰：'取钛锧！'孙子曰：'约束不明，申令不信，将之罪也；既以约束，三令五申，卒不却行，士之过也，军法如何？'执法曰：'斩！'武乃令斩队长二人，即吴王之宠姬也。吴王登台观望，正见斩二爱姬，驰使下之，令曰：'寡人已知将军能用兵矣〔二〕。寡人非此二姬，食不甘味，宜勿斩之。'孙子曰：'臣既已受命为将，将在军〔三〕，君虽有令，臣不受之。'孙子复㧑鼓之，当左右、进退、回旋规矩，不敢瞬目。二队寂然，无敢顾者。于是乃报吴王曰：'兵已整齐，愿王观之，惟所欲用，使赴水火犹无难矣，而可以定天下。'吴王忽然不悦，曰：'寡人知子善用兵，虽可以霸，然而无所施也。将军罢兵就舍，寡人不愿。'孙子曰：'王徒好其言，而不用其实。'子胥谏曰：'臣闻：兵者凶事，不可空试。故为兵者，诛伐不行，兵道不明。今大王虔心思士，欲兴兵戈以诛暴楚，以霸天下而威诸侯，非孙武之将，而谁能涉淮逾泗、越千里而战者乎？'于是吴王大悦，因鸣鼓会军，集而攻楚。孙子为将，拔舒，杀吴亡将二公子盖馀、烛佣。"

史记曰："光谋欲入郢，将军孙武曰：'民劳，未可，且待之。'"

又曰："阖庐谓伍子胥、孙武曰：'始子之言郢未可入，今果何如？'二子对曰：'楚将子常贪，而唐、蔡皆怨之。王必欲大伐，必得唐、蔡乃可。'阖庐从之，悉兴师。五战，楚五败，遂入郢。"

吴越春秋曰："吴王谋欲入郢，孙武曰：'民劳，未可恃也。'楚闻吴使孙子、伍子胥、白喜为将，楚国苦之，群臣皆怨。"

又曰:“阖闾闻楚得湛卢之剑,遂使孙武、伍胥、白喜伐楚,拔六与潜二邑。”

又曰:“楚使公子囊瓦伐吴,吴使伍胥、孙武击之,围于豫章,大破之。”

又曰:“吴王谓子胥、孙武曰:‘始子言郢不可入,今果何如?’二将曰:‘夫战,借胜以成其威,非常胜之道。’吴王曰:‘何谓也?’二将曰:‘楚之为兵,天下强敌也,今臣与之争锋,十亡一存;而王入郢者,天也。臣不敢必。’吴王曰:‘吾欲复击楚,奈何而有功?’伍胥、孙武曰:‘囊瓦者,贪而多过于诸侯,而唐、蔡怨之。王必伐,得唐、蔡。’”

又曰:“乐师扈子非荆王信谗佞,作穷劫之曲曰〔四〕:‘吴王哀痛助忉怛,垂涕举兵将西伐;伍胥、白喜、孙武决,三战破郢王奔发。’”

淮南子曰:“君臣乖心,则孙子不能以应敌。”

刘向新序曰:“孙武以三万破楚二十万者,楚无法故也。”

汉官解诂曰:“魏氏琐连孙武之法。”

史记又曰:“孙武以兵法见于吴王阖闾,阖闾曰:‘子之十三篇,吾尽观之矣。’”

按:史记惟言“以兵法见阖闾”,不言十三篇作于何时。考魏武序云:“为吴王阖闾作兵法一十三篇,试之妇人,卒以为将。”则是十三篇特作之以干阖闾者也。今考其首篇云“将听吾计,用之必胜,留之;将不听吾计,用之必败,去之”,言听从吾计,则必胜,吾将留之;不听吾计,则必败,吾将去之。是其干之之事也。

又按:虚实篇云:“越人之兵虽多,亦奚益于胜败哉?”

是为阖闾言之也。九地篇云:"吴人与越人相恶也,当其同舟而济,遇风,其相救也如左右手。"亦对阖闾言也。故魏武云"为吴王阖闾作之",其言信已。

吴越春秋曰:"吴王召孙子,问以兵法;每陈一篇,王不知口之称善。"

按:十三篇之外,又有问答之辞,见于诸书征引者,盖武未见阖闾,作十三篇以干之;既见阖闾,相与问答,武又定著为若干篇,皆在汉志八十二篇之内也。

吴王问孙武曰:"散地士卒顾家,不可与战,则必固守不出。若敌攻我小城,掠吾田野,禁吾樵采,塞吾要道,待吾空虚,而急来攻,则如之何?"武曰:"敌人深入吾都,多背城邑,士卒以军为家,专志轻斗;吾兵在国,安土怀生,以陈则不坚,以斗则不胜,当集人合众〔五〕,聚谷蓄帛,保城备险,遣轻兵绝其粮道。彼挑战不得,转输不至,野无所掠,三军困馁,因而诱之,可以有功。若与野战,则必因势〔六〕,依险设伏;无险,则隐于天气阴晦昏雾〔七〕,出其不意,袭其懈怠,可以有功。"

吴王问孙武曰:"吾至轻地,始入敌境,士卒思还,难进易退;未背险阻,三军恐惧;大将欲进,士卒欲退,上下异心。敌守其城垒,整其车骑〔八〕,或当吾前,或击吾后,则如之何?"武曰:"军至轻地,士卒未专,以入为务,无以战为。故无近其名城,无由其通路,设疑佯惑,示若将去。乃选骁骑〔九〕,衔枚先入,掠其牛马六畜。三军见得,进乃不惧。分吾良卒,密有所伏,敌人若来,击之勿疑;若其不至,舍之而去。"

吴王问孙武曰:"争地,敌先至,据要保利,简兵练卒,或出或守,以备我奇,则如之何?"武曰:"争地之法,让之者得,争之者失。敌得其处,慎勿攻之,引而佯走;建旗鸣鼓,趣其所爱;曳柴扬尘,惑其耳目;分吾良卒,密有所伏,敌必出救,人欲我与,人弃吾取。此争先之道。若我先至,而敌用此术,则选吾锐卒,固守其所;轻兵追之,分伏险阻;敌人还斗,伏兵旁起。此全胜之道也。”

吴王问孙武曰:“交地,吾将绝敌,令不得来,必全吾边城,修其所备〔一○〕,深绝通道,固其厄塞。若不先图,敌人已备,彼可得来,而吾不可往,众寡又均,则如之何?”武曰:“既我不可以往,彼可以来,吾分卒匿之,守而易怠〔一一〕,示其不能。敌人且至,设伏隐庐,出其不意,可以有功也〔一二〕。”

吴王问孙武曰:“衢地必先,吾道远,发后,虽驰车骤马,至不能先,则如之何?”武曰:“诸侯参属,其道四通;我与敌相当,而傍有国。所谓先者,必重币轻使,约和傍国,交亲结恩,兵虽后至,众以属矣。简兵练卒,阻利而处;亲吾军事,实吾资粮;令吾车骑,出入瞻候。我有众助,彼失其党;诸国犄角,震鼓齐攻。敌人惊恐,莫知所当。”

吴王问孙武曰:“吾引兵深入重地,多所逾越,粮道绝塞。设欲归还,势不可过。欲食于敌,持兵不失,则如之何?”武曰:“凡居重地,士卒轻勇,转输不通,则掠以继食。下得粟帛,皆贡于上,多者有赏,士无归意。若欲还出,切为戒备,深沟高垒,示敌且久。敌疑通途,私除要害之道,乃令轻车,衔枚而行,尘埃气扬,以牛马为饵。敌人若出,鸣鼓随之,阴伏吾士,与之中期,内外相应,其败可知。”

吴王问孙武曰:“吾入圮地,山川险阻,难从之道,行久卒劳;敌在吾前,而伏吾后,营居吾左,而守吾右,良车骁骑,要吾隘道，则如之何？”武曰：“先进轻车，去军十里，与敌相候，接期险阻。或分而左，或分而右，大将四观，择空而取，皆会中道，倦而乃止。”

吴王问孙武曰：“吾入围地，前有强敌，后有险难，敌绝粮道，利我走势，敌鼓噪不进，以观吾能，则如之何？”武曰：“围地之宜，必塞其阙，示无所往，则以军为家，万人同心，三军齐力，并炊数日，无见火烟，故为毁乱寡弱之形。敌人见我，备之必轻。告励士卒，令其奋怒；陈伏良卒，左右险阻，击鼓而出。敌人若当，疾击务突，前斗后拓〔一三〕，左右犄角。”

又问曰：“敌在吾围，伏而深谋，示我以利，萦我以旗，纷纷若乱，不知所之，奈何？”武曰：“千人操旍，分塞要道；轻兵进挑，陈而勿搏，交而勿去，此败谋之法。”

已上皆孙子遗文，见通典。

又曰：“军入敌境，敌人固垒不战，士卒思归，欲退且难，谓之轻地。当选骁骑伏要路，我退敌追，来则击之也。”

吴王问孙武曰：“吾师出境，军于敌人之地，敌人大至，围我数重，欲突以出，四塞不通，欲励士激众，使之投命溃围，则如之何？”武曰：“深沟高垒，示为守备；安静勿动，以隐吾能；告令三军，示不得已；杀牛燔车，以飨吾士；烧尽粮食，填夷井灶；割发捐冠，绝去生虑。将无馀谋，士有死志。于是砥甲砺刃，并气一力，或攻两旁，震鼓疾噪，敌人亦惧，莫知所当。锐卒分兵〔一四〕，疾攻其后，此是失道而求生。故曰：困而不谋者穷，穷而不战者亡。”吴王曰：“若我围敌，则如之何？”武曰：“山峻谷险，难以逾越，谓之穷寇，击之之法：伏卒隐庐，开其去道，示其走路；求生逃出，必无斗志，因而击之，虽众必破。”兵法又曰：“若敌人在死地,士卒勇气,欲击之法:顺而勿抗,阴守其利,绝其粮道,恐有奇兵,隐而不睹,使吾弓弩,俱守其所。”按:何氏引此文,亦云“兵法曰”,则知问答之词亦在八十二篇之内也。

已上见何氏注。

按:此皆释九地篇义,辞意甚详,故其篇帙不能不多也。

吴王问孙武曰:“敌勇不惧,骄而无虑,兵众而强,图之奈何?”武曰:“诎而待之,以顺其意,无令省觉,以益其懈怠;因敌迁移,潜伏候待;前行不瞻,后往不顾,中而击之,虽众可取。攻骄之道,不可争锋。”

见通典。

吴王问孙武曰:“敌人保据山险,擅利而处之,粮食又足,挑之则不出,乘间则侵掠,为之奈何?”武曰:“分兵守要,谨备勿懈;潜探其情,密候其怠;以利诱之,禁其樵牧。按:“牧”字误,当作“采”。久无所得,自然变改;待离其固,夺其所爱。敌据险隘,我能破之也。”

见通典及太平御览。

按:以上问答,皆非十三篇文。吴越春秋所云“问以兵法,不知口之称善”者是也。

孙子曰:“将者:智也,仁也,敬也,信也,勇也,严也。”是故智以折敌,仁以附众,敬以招贤,信以必赏,勇以益气,严以一令。故折敌,则能合变;众附,则思力战;贤智集,则阴谋利;赏罚必,则士尽力;气勇益,则兵威令自倍;威令一,则惟将所使。

按:此所释计篇“五事”,亦答阖闾之问也,见潜夫论。

孙子曰:“凡地多陷曲,曰天井。”

按：此释行军篇义，见太平御览。

孙子曰："故曰：深草蓊秽者，所以逃遁也；深谷险阻者，所以止御车骑也；隘塞山林者，所以少击众也；沛泽杳冥者，所以匿其形也。"

见通典。

孙子曰："强弱、长短杂用。"

又曰："远则用弩，近则用兵。兵、弩相解也。"

又曰："以步兵十人，击骑一匹。"

亦见通典。

孙子曰："人效死，而士能用之，虽优游暇誉，令犹行也。"

又曰："长陈为甄。"

又曰："其镇如岳，其停如渊。"

见文选注。

按：已上七条，今十三篇内亦无之。

孙子"八阵"，有"苹车之乘〔一五〕"。

见郑君周礼注。

按：隋经籍志有孙子八阵图一卷，此其遗文也。

孙子占曰："三军将行，其旌旗从容以向前，是为天送，必亟击之，得其大将。三军将行，其旌旗埝音店然若雨，是为天沾，其帅失。三军将行，旍旗乱于上，东西南北无所主方，其军不还。三军将阵，雨师，是为浴师，勿用阵战。三军将战，有云其上而赤，勿用阵；先阵战者，莫复其迹。三军方行，大风飘起于军前，右周绝军，其将亡；右周中，其师得粮。"

见太平御览。

按：隋志又有孙子杂占四卷，此其遗文也。

又按：北堂书钞引孙子兵法云："贵之而无骄，委之而不专，扶之而无隐，危之而不惧。故良将之动也，犹璧玉之不可污也。"太平御览以为出诸葛亮兵要。又引孙子兵法秘要云："良将思计如饥，所以战必胜、攻必克也。"按：兵法秘要，孙子无其书。魏武有兵法接要一卷，或亦名为孙子兵法接要，犹魏武所作兵法，亦名为续孙子兵法也。北堂书钞又引孙子兵法论云："非文无以平治，非武无以治乱。善用兵者，有三略焉：上略伐智，中略伐义，下略伐势。"按：此亦不似孙武语，盖后世言兵多祖孙武，故作兵法论，即名为孙子兵法论也。附识于此，以备考。

陈振孙书录解题曰："孙武事吴阖闾〔一六〕，而事不见于春秋传，未知其果何代人也。"

又曰："孙、吴或是古书。"

按：孙子生于敬王之代〔一七〕，故周、秦、两汉诸书，皆多袭用其文。陈氏于此，犹有不尽信之言，疏谬甚矣。

战国策孙膑曰："兵法：百里而趋利者，蹶上将；五十里走者，军半至。"语本孙子军争篇〔一八〕。

又曰："马陵道狭，而旁多阻险，可伏兵。"语意本行军篇。

又曰："攻其懈怠，出其不意。"语出计篇。

吴起曰："投之无所往，天下莫当。"语本九地篇。

又曰："凡过山川丘陵，亟行勿留。"语本行军篇。

又曰："治寡如治众。"语出势篇。

又曰："以半击倍，百战不殆。"语意本谋攻篇。

又曰："必死则生，幸生则死。"语意本九变篇。

又曰："以近待远，以佚待劳，以饱待饥。"语出军争篇。

又曰：“夫鼙鼓金铎，所以威目；旌旗麾帜，所以威耳。”语意本军争篇。

又曰：“昼以旌旗旛帜为节，夜以金鼓笳笛为节。”语意本军争篇。

又曰：“遇诸丘陵、林谷、深山、大泽，疾行亟去，勿得从容。”语意本行军篇。

又曰：“敌若绝水，半渡而击之。”语出行军篇。

又，赵奢救阏与，军士许历曰：“先据北山者胜，后至者败。”语意本地形篇。

尉缭子曰：“守法：一而当十。”语意本谋攻篇。

又曰：“治兵者，若秘于地，若邃于天。”语意本形篇。

鹖冠子曰：“发如镞矢，声如雷霆。”语意本军争篇。

又曰：“执急，节短。”语出势篇。

又曰：“百战而胜，非善之善者也；不战而胜，善之善者也。”语本谋攻篇。

史记陈馀曰：“吾闻兵法：十则围之，倍则战之。”语出谋攻篇。

又，黥布击楚〔一九〕，或说楚将曰：兵法：“自战其地，为散地。”语出九地篇。

又，高帝遣刘敬视匈奴，刘敬曰：“此必‘能而示之不能’。”语出计篇。

又，韩信曰：“兵法不曰：陷之死地而后生，置之亡地而后存乎？”语出九地篇。

吕氏春秋曰：“若鸷鸟之击也，搏攫则殪。”语出势篇。

又曰：“夫兵，贵不可胜；不可胜在己，可胜在彼。圣人必在己者，不必在彼者。”语本形篇。

淮南子曰：“高者为生，下者为死。”语本计篇及行军篇。

又曰：“同舟而济于江，卒遇风波，捷捽抬杼船，若左右手。”语本九地篇。

又曰:“主孰贤,将孰能。”语本计篇。

又曰:“卒如雷霆,疾如风雨;若从地出,若从天下。”语本军争及形篇。

又曰:“不袭堂堂之寇,不击填填之旗。”语出军争篇。

又曰:“勇者不得独进,怯者不得独退。”语出军争篇。

又曰:“如决积水于千仞之堤,若转员石于万丈之谿。”语本势篇。

又曰:“是故令之以文,齐之以武,是谓必取。”语出行军篇。

又曰:“疾如彍弩,势如发矢。”语本势篇。

又曰:“昼则多旌,夜则多火。”语本军争篇。

又曰:“避实就虚,若驱群羊。”语出势篇及九地篇。

又曰:“故曰:无恃其不吾夺也,恃吾不可夺。”语本九变篇。

又曰:“饥者能食之,劳者能息之,有功者能得之。”语意本虚实篇。

太玄经曰:“卵破石碫。”语本势篇。

潜夫论曰:“将者,民之司命,而国安危之主也。”语出作战篇。

又曰:“其败者,非天之所灾,将之过也。”语出地形篇。

按:孙子惟为古书,故先秦、两汉多述其文。东汉以后,诸传记所征引者,更不可以悉举。乃陈氏忽疑其书,并疑其人何也?

孙子曰:“不知三军之事,而同三军之政,则军士惑矣;不知三军之权,而同三军之任,则军士疑矣。”

按:孙子古书,多存古义,今略举数事,以祛陈氏之惑。

按:“同”有冒义,故字从“同”也。释言云:“弇,盖也;弇,同也。”是“同”有覆冒之义也。“同三军之政”、“同三军之任”者,犹言奄有其政、奄有其任也。此古训,不作

“同”、“异”解，向来注者殊梦梦。

又按：尚书“太保奉同瑁”，马氏以“同瑁”为一物，天子所执玉瑞名也。

孙子曰：“萁秆一石，当吾二十石。”

按：“萁”，说文作“萁”，豆秸也。“其”、“忌”声同，故又作“萁”也。诗云“夜如何其”，“其”，语助；以声同，又借“忌”为之。诗又云“抑释掤忌，抑鬯弓忌”是也。此“萁”作“萁”者，春秋已后或体字也，诸字书皆缺载。

孙子曰：“朝气锐，昼气惰，暮气归。”

按：广雅：“归，息也。”列子云：“鬼，归也。”又云：“古者，谓死人为归人。”是“归”乃灭息之义也。左氏“一鼓作气，再而衰，三而竭”，“竭”，尽，正与灭息义相发明。今杜佑等以“欲归”释之，言若士卒暮而欲归，不明古义，疏矣。

孙子曰：“为兵之事，在于顺详敌之意。”

按：曹注曰：“佯，愚也。”是以“详”为“佯”，古通用字也。

孙子曰：“不得已则鬥。”

按：书内“鬥”字皆如此。说文云“鬥，两士相对，兵杖在后，象鬥形”也。今诸书皆假“鬭”为之，“鬥”字弗著于篇矣。

孙子曰：“励于庙堂之上，以诛其事。”

按：说文：“诛，讨也。”“讨，治也。”故“诛”亦得为“治”也。又“诛”、“治”声近，故可假借为之，犹“且”得为“此”、“期”得为“近”、“析”得为“斯”之类是也，他字书皆不载。

孙子曰：“绝水必远水。”

按:"绝"者,越也,言过水而处军,则必远于水也。故上文云"绝山依谷",言过山而处军,必依于谷也。又云"绝斥泽,唯亟去勿留",言过斥泽,则不可处军,必亟去之,勿留也。尔雅曰"正绝流曰乱","正绝流"犹言直渡水也,其名为"乱"者,亦"厉"之意,即尔雅"以衣涉水为厉"是也。诗云"涉渭为乱",郑君云"绝流而南",是郑固以"绝"为越也。至孔颖达,则云"水以流为顺,横渡则绝其流",是为隔绝之义。唐人不达古训,无足怪也。又,吕氏春秋曰:"章子令人视水可绝者,有刍水旁者曰:水浅深易知,荆人所盛守者,皆其浅者也;所简守,皆其深者也。"是"绝"训为"越"之证也。

又按:此古训,诸字书皆缺载。

孙子曰:"将者,君之辅也,辅周则国必强,辅隙则国必弱。"

按:"周"者,无缺也;"隙"者,有缺也。"周"、"隙"相对言之,古语之常,故云"围师必阙"。"围"者,周也;"阙"者,隙也。此言将之智勇,能周则强,不能周则弱也。今贾氏以"才周其国"释"周"字,以"内怀其贰"释"隙"字,不明对文之义,疏矣。

孙子曰:"犯三军之众,若使一人。"

按:曹注谓"犯"为"用",非。当云:"犯,动也。"故下文云:"犯之以事,勿告以言;犯之以利,勿告以害。"若以"用"释之,下文不可通矣。又,"犯"字本无"用"意。盖凡文字,皆有本训,有转训。"犯"为侵,故又得为动。魏武不明于声音、训诂之源流,以"用"释"犯",既不经见,妄为之说,谬已。

孙子曰:“是故方马埋轮,不足恃也。”

按:“方”者,系缚之也。曹注:“方,缚也。”是已。说文:“方,象两舟,总其头。”谓聚束两船之头也。尔雅:“诸侯维舟,大夫方舟。”维系四舟曰“维舟”,系并两舟曰“方舟”。故“方”又有并义。吕氏春秋曰:“窬木方版,以为舟楫。”言并其版,亦拘缚之意也。又为“法”,为“所”。论语“游必有方”,是“方”为“所”,亦系定之意也。论语又曰“子贡方人”,郑注谓“言人过恶”,言以礼法拘缚人也。陆德明释文云:“郑本‘方’作‘谤’。”按:此似唐以后人不明注意,以为言人过恶,无当于“方人”之义,率臆改之,非郑原本也。

又按:此古训,诸字书皆缺载。

又按:书内古义,多不经见,而精当不可移易,真古书也。后之为字书者,以其兵家言,不悉置意,故多漏略。陈氏不察,而妄议之,谬之谬矣。

又按:今所传孙子算经三卷,无名字。宋史艺文志云:“不知名。”考孙子兵法形篇云:“兵法:一曰度,二曰量,三曰数,四曰称,五曰胜。地生度,度生量,量生数,数生称,称生胜。”而算经则云:“度之所起,起于忽;称之所起,起于黍;量之所起,起于粟。凡大数之法,万万曰亿。”篇首即以“度”、“量”、“数”、“称”四事分为四节,与他算书不同,则断知其为孙武之书无疑也。

又,中兴书目云:“或云五曹算经出于孙武。”

按:此所说是也。“五曹”者:一为“田曹”,地利为先也;既有田畴,必资人力,故次“兵曹”;人众,必用食饮,次

"集曹";众既会集,必务储蓄,次"仓曹";仓廪、货币相交质,次"金曹"。而其意则以兵为要。田畴、食币,皆为兵用也。

又按:夏侯阳算经曰:"田曹云:度之所起,起于忽;仓曹云:量之所起,起于粟。"以孙子算经之文,而谓之"五曹",则固知其为一人之书也。书目之言,信足征已。

孙子篇卷异同:

汉艺文志兵权谋家:吴孙子兵法八十二篇,图九卷。

按:八十二篇者,其一为十三篇,未见阖闾时所作,今所传孙子兵法是也。其一为问答若干篇,既见阖闾所作,即诸传记所引遗文是也。一为八阵图,郑注周礼引之是也。一为兵法杂占,太平御览所引是也。外又有牝八变阵图、战斗六甲兵法,俱见隋经籍志。又有三十二垒经,见唐艺文志。按:汉志惟云八十二篇,而隋唐志于十三篇之外,又有数种,可知其具在八十二篇之内也。

七录:孙子兵法三卷。史记正义曰:案十三篇为上卷,又有中下二卷。

案:此孙子本书,无注文;其云"又有中下二卷",则唐时故书犹存,不仅今所传之十三篇也。

又按:所云"三卷"者,盖十三篇为上卷,问答之辞为中、下卷也。其八阵图、杂占诸书,则别本行之。故隋唐志诸书亦皆别出。

又按:宋艺文志有孙武孙子三卷,朱服校定。孙子三卷即此也。

隋书经籍志兵部:孙子兵法二卷,吴将孙武撰,魏武注,梁三卷；诸书皆云三卷，惟晁氏读书志以为一卷，文献通考因之。孙子兵法一卷，魏武、王凌集解；诸书无著录，惟通志略有之。孙武兵经二卷，张子尚注；通志略云三卷，诸书无录。钞孙子兵法一卷，魏太尉贾诩钞；诸书无录，通志略有之。梁有孙子兵法二卷，孟氏解诂；亦见唐志及通志略。孙子兵法二卷，吴处士沈友撰；见唐志及通志略。唐志云三卷，通志略云二卷。又孙子八阵图一卷，亡；亦见通志略。吴孙子牝八变阵图二卷；见通志略。孙子兵法杂占四卷；见通志略。梁有孙子战斗六甲兵法一卷。诸书皆不著录。

新唐书艺文志兵书类：魏武注孙子三卷；孟氏解孙子二卷；沈友注孙子三卷；孙子三十二垒经一卷；通志略作"三十三垒经"，盖字误。李筌注孙子二卷；晁氏读书志作三卷，文献通考因之，通志略及宋史皆云一卷。杜牧注孙子三卷；通志略云一卷。案：杜牧注最为详赡，故诸书皆录为三卷，作一卷者误。陈皞注孙子一卷；晁氏志云三卷，通考因之。贾林注孙子一卷。晁氏志无录，文献通考同。

按：唐志又有兵书捷要七卷，孙武撰。此字误，当云"魏武"也，见隋志及通志略。

郡斋读书志兵家类：魏武注孙子一卷；李筌注三卷；杜牧注三卷；陈皞注三卷；纪燮注三卷；梅圣俞注三卷；宋志无录，通志略云一卷。王皙注三卷；宋志无录。何氏注三卷。宋志无录，通志略云一卷。又，晁氏云："未详其名，近代人也。"按：何氏名延锡，见通志略。

直斋书录解题兵书类：孙子三卷，汉志八十一篇〔二〇〕，魏武削其繁冗，定为十三篇。杜牧之注孙子三卷。

按：书录解题惟载曹、杜二家注，他书皆未及见也。

通志兵略：孙子兵法三卷，吴将孙武撰，魏武注；又一卷，魏武、王凌集解；又二卷，萧吉注；隋唐志无录。又二卷，孟氏解诂；又二卷，吴沈友撰；又一卷，唐李筌撰；又一卷，唐杜牧撰；又一卷，唐陈皞注;又一卷,唐贾林注;又一卷,何延锡注;又一卷,张预注;宋志无录。又三卷,王皙注;又一卷,梅尧臣撰;孙武兵经三卷,张子尚注;钞孙子兵法一卷,魏太尉贾诩钞;续孙子兵法二卷,魏武撰;孙子遗说一卷,郑友贤撰。右兵书。孙子八阵图一卷;吴孙子牝八变阵图二卷。右营阵。吴孙子三十三垒经一卷;孙子兵法杂占四卷。右兵阴阳。

文献通考:魏武注孙子一卷;李筌注三卷;杜牧注三卷;陈皞注三卷;纪燮注三卷;梅圣俞注三卷;王皙注三卷;何氏注三卷。

按:通考所录,悉本晁公武读书志。

宋史艺文志兵书类:孙武孙子三卷;朱服校定孙子三卷;魏武注孙子三卷;萧吉注孙子一卷,或题曹、萧注;贾林注孙子一卷;陈皞注孙子一卷;宋奇孙子解并武经简要二卷;诸书皆不著录。李筌注孙子一卷;五家注孙子三卷,魏武、杜牧、陈皞、贾林、孟氏;杜牧孙子注三卷;曹、杜注孙子三卷;吉天保十家孙子会注十五卷〔二一〕。按:今本十三篇为十三卷。又按:梅尧臣、王皙、何延锡、张预四家注,志内皆不著录。

杜牧曰:“孙武书数十万言,魏武削其繁剩,笔其精粹,成此书。”

按:孙子十三篇者,出于手定,史记两称之,而杜牧以为魏武笔削所成,误已。

晁公武曰:“唐李筌以魏武所解多误,约历代史,依遁甲注成三卷。”

又曰:“唐杜牧以武书大略用仁义,使机权;曹公所注解,十不释一,盖惜其所得,自为新书尔,因备注之。世谓牧慨然最喜论兵，欲试而不得者。其学能道春秋、战国时事，甚博而详，知兵者有取焉。”

又曰：“唐陈皞以曹公注隐微，杜牧注阔疏，重为之注。”

又曰：“唐纪燮集唐孟氏、贾林、杜佑三家所解。”

欧阳修曰：“世所传孙子十三篇，多用曹公、杜牧、陈皞注，号三家。”

又曰：“三家之注，皞最后，其说时时攻牧之短。”

晁公武曰：“王晳以古本校正阙误，又为之注。仁庙天下承平，人不习兵；元昊既叛，边将数败，朝廷颇访知兵者，士大夫人人言兵矣。故本朝注解孙武书者，大抵皆当时人也。”

按：今孙子集注本，由华阴道藏录出，即宋吉天保所合十家注也。十家者：一魏武，二李筌，三杜牧，四陈皞，五贾林，六孟氏，七梅尧臣，八王晳，九何延锡，十张预也。十家本内，又有杜佑君卿注。案：杜佑乃作通典，引孙子语而训释之，非注也。通典引孙子曰“利而诱之，亲而离之”，注云：“以利诱之，使五间并入，辩士驰说，亲彼君臣，分离其形势，若秦遣反间诳赵，使废廉颇而任赵奢之子是也。”考“利而诱之”、“亲而离之”二语，孙子本文不相属，通典摘引之，又为之注，求其意义，几成一事，与孙子句各为义者异已。

又按：杜佑注例，每先引曹注，下附己意，故前之所说，后或不同也。

又，杜佑注自引用曹注之外，亦或间引孟氏。

又按：十家注自魏武之后，孟氏为先，见隋书经籍志，原本次于陈皞、贾林之后，误也，今改正。

晁公武以为唐人，亦误也。

又按：杜佑虽非为孙子作注，然既引用其文，不当次于贾林之后、梅氏之前，今改正，次孟氏。

又按：杜牧者，佑之孙也；原本列牧于佑前，大谬。

又，孙子道藏原本题曰"集注"，大兴朱氏本题曰"注解"，今改为"孙子十家注"，从宋志也。

又，道藏本有郑友贤孙子遗说一卷，见通志艺文略，今仍原本，附刻于后。

孙子篇目：

计篇第一；

作战篇第二；

谋攻篇第三；

形篇第四；

势篇第五；

虚实篇第六；

军争篇第七；

九变篇第八；

行军篇第九；

地形篇第十；

九地篇第十一；

火攻篇第十二；

用间篇第十三。

（岱南阁丛书孙子十家注附刻）

校　记

〔一〕"操进",原本作"懆进"。按:"懆"盖"操"之讹。此"操"通"掺",亦读七鉴反,与"掺"并有"持"义。"掺挝"即为击鼓之声调,故史有"渔阳掺挝"之说。"操进"犹言"掺进",盖指依据击鼓之声调而举步前进之意。而"懆"乃"惨"义,悲愁忧凄之谓。如作"懆进",则失其义矣。丛书集成本与诸子集成本即作"操进",是。今据改。

〔二〕此句原作"寡人已知将军用兵矣",按:此时孙武初见吴王,尚未参与伐楚之事,故此语有误。今据史记本传"阖闾知孙子能用兵",于"用兵"上补"能"字,作"寡人已知将军能用兵矣",如此,文理方顺。

〔三〕"将在军",原本作"将法在军",丛书集成本吴越春秋同。而史记本传即无"法"字。司马穰苴传载斩庄贾事,报景公亦云"将在军,君命有所不受",史传未见引此语作"将法在军"者。且言"将法在军"亦为费解,故据本传删。但若"将"、"法"二字互乙,作"法:将在军",言据兵法,将在军,君命是可以有所不受的,如此,于义亦可通。故不改原文,而只调换一下"将"、"法"二字的位置亦可。

〔四〕"穷劫之曲",原本如此。丛书集成本吴越春秋同,唯明吴琯校注云:"劫,疑当作'衄'。"按:吴说有理。"衄"字或作"衂",伤败之义。文选曹植求自试表"疏闻东军失备,师徒小衂",即言师徒小败。此曲虽未闻见,但当如赵书所说,为"伤昭王困迫"之作。故当如吴说作"衄"。唯作"劫"亦非不可解,故仍之,并存吴说,以相参较。

〔五〕"集人合众",通典卷一五九无"合"字。

〔六〕"若欲野战,则必因势",通典作"若欲战,必因势,势者"。

〔七〕"天气阴晦昏雾",通典无"气"字。

〔八〕以上二句“敌守其城垒，整其车骑”，通典卷一五九作“而敌盛守，修其城垒，整其军骑”。查九地篇“入人之地而不深者，为轻地”何注，亦作“敌守其城垒，整其车骑”，通典引文不甚严格，故间有小异。

〔九〕“乃选骁骑”，原本无“骁”字，今据通典补。

〔一〇〕以上三句“令不得来，必全吾边城，修其所备”，原本与通典均如此，而九地篇“我可以往，彼可以来，为交地”，何注则作“使不得来，必令吾边城，修其守备”。按：二者文意虽无不同，而以何注为长。唯原文亦可通，故仍之。

〔一一〕“守而易怠”，原本如此，上引九地篇“交地”释名何注与“交地则无绝”张注并同，孙校亦未置词，唯通典卷一五九该句注称通典旧本原作“勿”，今本作“易”者，乃据上述何注改。按：处交地，固当谨守勿怠，但此乃一般处置原则。而今吴王难孙武，称并非敌我均可往来，而是我不可往而彼可来，故孙武答以奇伏胜，而不可固守，因在此种情况下“守而易怠”也。故据文意，当作“易”。

〔一二〕“可以有功”四字，通典无，上引何注亦无。

〔一三〕“前斗后拓”，原本如此，通典同，而九地篇“围地”释名何注与“围地则谋”张注所引则均作“我则前斗后拓”。按：上句“疾击务突”即以“我”言，故无此二字亦可通，故仍之。

〔一四〕“锐卒分兵”，原文如此，而九地篇“死地”释名何注与“死地则战”张注所引则均作“锐卒分行”，今亦两存之。

〔一五〕“苹车之乘”，周礼春官车仆郑注则作“苹车之陈”。

〔一六〕“吴阖闾”，原文无“王”字，盖陈氏转述此事而简称之也，史书未见有此称者。下句“孙、吴或是古书”亦然，所谓“孙、吴”即指孙子与吴子。

〔一七〕“生于敬王之代”原本“代”误作“伐”，今改正。

〔一八〕“军争篇”,原本误“争”为“政”。

〔一九〕“黥布”,原本作“黔布”。按:“黥”、“黔”二字固音近,然“黥布”可称“英布”,未见有称作“黔布”者,故当仍依史传作“黥布”为是。

〔二〇〕“八十一篇”,叙录与书录解题皆如此,唯汉志所录为八十二篇,故“一”字乃“二”之误。

〔二一〕“十五”,疑“十三”之误。宋志作“十五”者,是宋志误也。孙校本所据道藏底本即作“十三”可知。

九、孙子集注序〔一〕

清　魏源

易，其言兵之书乎？“亢之为言也，知进而不知退，知存而不知亡，知得而不知丧”，所以动而有悔也，吾于斯见兵之情。老子，其言兵之书乎？“天下莫柔弱于水，而攻坚者莫之能先〔二〕”，吾于斯见兵之形。孙武，其言兵之书乎？“百战百胜，非善之善者也；不战而屈人之兵，善之善者也。故善用兵者，无智名，无勇功”，吾于斯见兵之精。故夫经之易也，子之老也，兵家之孙也，其道皆冒万有，其心皆照宇宙，其术皆合天人、综常变者也。

而苏洵曰：“按言以责行，孙武不能辞三失：久暴师而越衅乘，纵鞭墓而荆怒激，失秦交而鲍救至。言兵则吴劣于孙，用兵则孙劣于吴，矧祖其馀论故智者乎？”呜呼！吴，泽国文身封豕之蛮耳，一朝灭郢，气溢于顶，主骜臣骄，据宫而寝，子胥之智不能争，季札之亲且贤不能禁，一羁旅臣能已之乎？故越绝书称“巫门外有吴王客孙武冢〔三〕”。是则客卿将兵，功成不受官，以不尽行其说故也。

或又谓：将才非人力，运用存一心，括读父书，徒取秦禽：是又不然。兵列“五礼”，学礼易及，“有文事者必有武备”，“好谋而成”，“我战则克”，“学矛夫子，获甲三百”。特兵危事而括易言之，正与兵书相背故也。

“弩生于弓，弓生于弹，弹生于古之孝子”。杀人以生人，匪谋曷成？谋定而后战，斯常夫可制变。上谋之天，下谋之地，中谋之人，人谋敌谋，乃通于神，非神之力也，心之变化所极也。变化者，仁术也。上古圣人，以其至仁之心挠水火而胜之，挠龙蛇虎豹犀象而胜之。恩生于害，害生于恩。微观于五行相生相克之原，天地间无往而非兵也，无兵而非道也，无道而非情也。精之又精，习与性成，造父得之以御名，羿得之以射名，稷得之以稼名，宜僚以丸，秋以弈，越女以剑。虽得诸心，口不能云；口即能云，不能宣其所以云。若夫由其云以通其所以云，微乎微乎，深乎深乎！夫非知易与老之旨者，孰与言乎！

（古微堂集）

校　记

〔一〕魏氏集注未见，唯见该序。

〔二〕“莫之能先”，老子唐景龙碑与傅奕本如此，而王弼注各本则作“莫之能胜”。

〔三〕此句越绝书原作“巫门外大冢，吴王客孙武冢也”。